HISTOIRE
DE
L'ILE-DE-FRANCE

DU MÊME AUTEUR

NOUS TOUS LA FRANCE, Lattès, 1983.
RACONTE-MOI, MARIANNE, Lattès, 1984.
NOTRE ILE-DE-FRANCE, RÉGION CAPITALE, Lattès, 1986.
LE TEMPS DES MÉTROPOLES, Carrère, 1988.

MICHEL GIRAUD

HISTOIRE
DE
L'ILE-DE-FRANCE

ÉDITIONS FRANCE-EMPIRE
13, rue Le Sueur, 75116 Paris

© Éditions France-Empire, 1996
ISBN 2-7048-0784-1

PRÉFACE

Ce livre est né d'une réaction et d'un amour.

Réaction contre l'opinion, souvent entendue, que l'Ile-de-France n'a pas d'histoire. Sa vie se confondrait totalement, soit avec celle de Paris, soit avec notre histoire nationale. Opinion si répandue que, jusqu'à présent, compte tenu du poids qu'elle a toujours représenté, on peut s'étonner que l'Ile-de-France n'ait pas suscité de plus nombreux travaux de synthèse.

Amour, parce que cette région est celle qui m'a vu naître, celle où mes aïeux ont vécu, à Paris, à Puteaux, à Pontoise. Amour, parce que, depuis trente ans, par mes différentes responsabilités publiques, je vis moi-même au cœur et au rythme de cette région. Je connais son passé ; je partage son présent ; je contribue à préparer son avenir.

Faudrait-il croire que les spécificités qui permettent à chaque région d'exister, d'affirmer son identité, n'existent pas en Ile-de-France ? Si la mer a pu forger le caractère des Bretons, leur inspirer leur vocation, d'abord de pêcheurs, puis de découvreurs de nouveaux horizons, tandis que la rudesse de leur terre « intérieure » leur apprenait le courage et la ténacité, si la montagne a pu façonner les mentalités des Francs-Comtois et leur permettre d'apporter à notre communauté nationale ce sens de l'égalité et de la solidarité qu'on leur reconnaît, si l'histoire a formé nos amis d'Aquitaine, leur apprenant à conjuguer commerce et culture, si les Provençaux..., si les Basques..., en un mot, si chaque région et ses habitants ont droit à la reconnaissance, faudrait-il toujours accepter que l'Ile-de-France, région-capitale depuis le IVe siècle, soit privée d'identité et d'histoire propre ? Faudrait-il admettre que ses habitants n'aient pas, eux aussi, enrichi notre pays du fruit de leur travail et de leur art de vivre ? Faudrait-il penser que sa géographie, son sol, ses fleuves n'aient pas, contrairement à ce que l'on constate dans toutes les autres régions, conféré à la nôtre son authenticité, sa personnalité ?

L'étude, la réflexion, le regard posé sur les siècles passés comme sur l'avenir démentent un tel postulat. L'Ile-de-France a une histoire, dense, qui lui est propre et que son rôle de région-capitale, centre de tous les pouvoirs, ne suffit pas à résumer. D'ailleurs, cette particularité de région-capitale n'est-elle pas, elle-même aussi, la conséquence de certaines de ses caractéristiques ? Voilà à quelle analyse je me suis senti convié à force de parcourir notre région, à force d'en découvrir les richesses, à force d'y rencontrer ses relais de vie. Voilà ce dont je voudrais témoigner dans ces pages. Sortir l'Ile-de-France de schémas trop réducteurs pour faire parler les lieux, pour mieux comprendre les hommes, pour faire s'exprimer les pierres, pour écouter ce qu'ont à nous dire la terre, les rivières, les forêts...

Ce double cheminement, physique et intellectuel, fait de réaction et d'amour, m'a incité à entrer dans la vie de chaque village, à chercher à déceler ses secrets, à découvrir pourquoi il avait connu telle ou telle mutation, à partager l'intimité des dynasties villageoises franciliennes, de souches anciennes ou plus récentes, dans lesquelles je retrouve parfois un peu de l'aventure de ma famille.

C'est pour tout cela que je me suis décidé à écrire cette histoire que je porte en moi depuis longtemps. Elle est l'aboutissement d'un long et lent travail d'accumulation de notes, de lectures et de souvenirs que je me suis attaché à ordonner.

Il m'a semblé que cet exercice se justifiait particulièrement au moment où les grandes régions s'affirment, en Europe et dans le monde, au moment où notre institution régionale fête ses vingt ans.

Il y a, derrière l'histoire de Paris, derrière l'histoire nationale qui, souvent, s'est jouée en Ile-de-France, une histoire régionale qui mérite d'être mieux connue. On la doit à celles et à ceux qui ont bâti cette région au cours des siècles, comme aux Franciliens d'aujourd'hui et de demain qui prolongent et prolongeront une longue geste, commencée dans la nuit des temps.

Terre d'accueil, l'Ile-de-France a toujours été terre d'ouverture et de diffusion. Mais cette vocation, elle n'a pu l'assurer que parce que la nature et ses habitants l'ont permis. En Ile-de-France aussi, la géographie est à la base de l'identité. C'est son premier fondement sur lequel les générations et l'histoire viendront se greffer.

Le complément de la géographie se trouve dans les limites que l'Ile-de-France s'est données. Comme les autres régions, notre région peut faire valoir ses frontières. Cela ne veut pas dire des frontières immuables. Il en va pour l'Ile-de-France comme pour la France. Au long des siècles, notre pays a vu son périmètre évoluer. En Ile-de-France également, autour d'un cœur permanent, il y a des marges – des marches – plus fluctuantes. Parmi les « petits pays » périphériques, certains qui en furent naguère partie intégrante – le Valois, le Beauvaisis – n'en font plus partie. Cela ne remet pas en cause son identité, mais atteste, au contraire, de sa constante vitalité.

Les cartes anciennes témoignent de ces mouvances. Il est, en particulier, curieux de constater comment l'Ile-de-France a vu sa forme se modifier, passant de la longue tige sud/nord des environs de l'an mille – elle était alors plus haute que large – à la « fleur » actuelle, presque ronde, avec Paris en son centre.

En revanche, si certaines limites ont varié, d'autres présentent une étonnante stabilité. Ainsi, la « frontière » de l'Epte qui n'a jamais bougé depuis 911.

Notre région, comme notre pays, comme bien d'autres régions, a fini par trouver ses limites au confluent de ses frontières naturelles et de ses frontières historiques, liées aux événements qu'elle a vécus. Le débat engagé dans les années 60 pour préparer le nouveau découpage de la France métropolitaine en vingt-deux régions a rouvert la question en posant le problème des cantons sud de l'Oise, c'est-à-dire de la limite nord de l'Ile-de-France.

Au-delà des vicissitudes de l'histoire, il y a les effets d'héritages divers. Comment ne pas voir, en effet, que la limite avec le Vexin normand ou avec le Drouais coïncide avec celle des maisons en briques, alors que le crépi de plâtre impose sa marque à l'ensemble de l'Ile-de-France ? Comment ne pas voir que la maison rurale du Vexin est proche de celle du Hurepoix, en particulier par la forme de ses ouvertures ? Quant au Gâtinais « français », son habitat le différencie nettement du Gâtinais « orléanais ».

De même que le Périgord a enrichi la France de ses célèbres châteaux, de même que le Val-de-Loire et l'Anjou lui ont offert leurs manoirs, l'Ile-de-France s'est constitué un important patrimoine architectural. Un style s'est imposé. Il s'est imposé pour les résidences privées, les églises, l'habitat vernaculaire. Il a donné des chefs-d'œuvre, ne fussent que ses petites églises, si bien travaillées. Les grandes cathédrales gothiques lui doivent aussi beaucoup.

L'Ile-de-France se caractérise également par un art exemplaire des jardins, des parcs, des perspectives. C'est aujourd'hui la région qui compte le plus de « jardins extraordinaires », souvent classés et, de plus en plus nombreux, ouverts au public.

Et puis, les paysages d'Ile-de-France sont tellement attractifs qu'ils ont, de tout temps, attiré les artistes. On y trouve des couleurs qui n'appartiennent qu'à l'Ile-de-France, faites du mélange de l'eau, du ciel et des forêts. Les petites vallées qui font le charme du Vexin, du sud des Yvelines, lorsque l'on quitte Dampierre et que l'on se dirige vers Rambouillet, de l'Essonne ou de la Seine-et-Marne, en limite du Massif de Fontainebleau, marquent profondément notre région-capitale.

Tout cela mérite que l'on raconte *une histoire de l'Ile-de-France* qui ne se réduit pas à notre capitale et à quelques hauts lieux. Je dis « une » histoire et non « l'histoire de l'Ile-de-France », car je ne me prétends pas historien. J'aimerais, en revanche, que ces pages donnent envie aux historiens d'aller plus loin. Je voudrais que cette histoire fasse mieux comprendre à ceux qui l'habitent, aujourd'hui, ce qu'est leur région. Comment elle s'est formée et développée, en valorisant ses atouts, en bénéficiant du savoir-faire de tous ceux qui, siècle après siècle, y ont vécu. Comment, inspirée par sa mémoire collective, elle peut légitimement aspirer à de hautes ambitions en servant celles de la France.

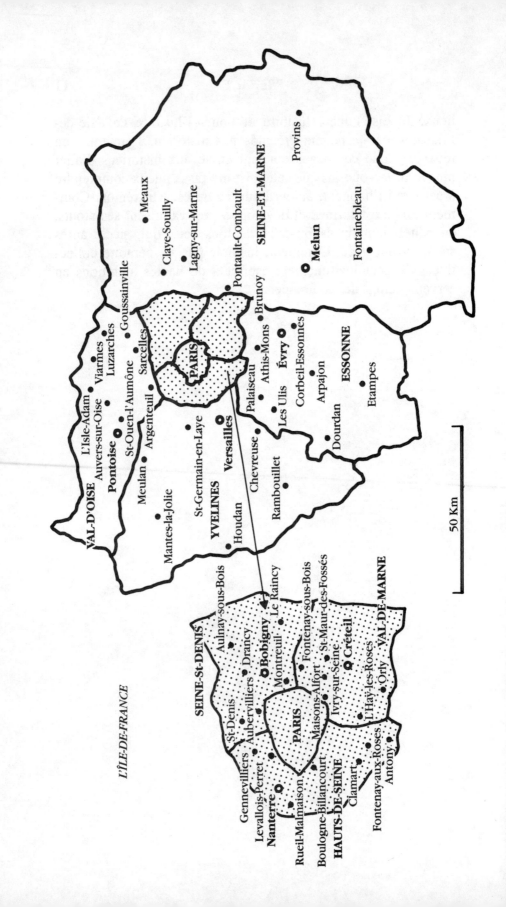

L'ÎLE-DE-FRANCE

INTRODUCTION

« L'Ile-de-France », depuis quand ?

L'origine du nom, tout autant que les limites exactes de la région ont fait couler beaucoup d'encre, alimenté bien des légendes au cours des ans et jusqu'à des temps très récents, lorsqu'il fallut baptiser la région-capitale qui succédait au District « de la Région Parisienne ». Au point que certains se sont demandé si l'Ile-de-France existait bien, si son nom n'était pas une création arbitraire ne correspondant à aucune réalité historique, imaginant parfois des origines fantaisistes, telle celle qui l'aurait fait dériver d'un vieux mot d'origine germanique, « Liddle », qui signifiait « la petite », comme le « little » anglais. *Liddle France, la petite France.*

Les choses sont plus simples.

« Ile-de-France » trouve son origine dans le *pays de France*, c'est-à-dire la terre des Francs. Voilà qui s'explique et s'admet facilement. Mais, pourquoi « Ile » ? Et pourquoi ce « pays des Francs » circonscrit à une portion bien précise du territoire – que l'on appelle encore « Plaine de France » – a-t-il, peu à peu, englobé une zone sensiblement plus vaste ?

– « Ile », parce que au cœur de cette cuvette du Bassin parisien irriguée par tant de fleuves et de rivières, terre encerclée par l'Oise, la Marne, la Seine, le Loing.

– « de France », parce que inscrite dans l'ancien pays de France. Une quarantaine de nos villages ont d'ailleurs vu le suffixe « France » accolé à leur nom : Roissy-en-France, Belloy-en-France, Tremblay-en-France, Bonneuil-en-France... Au-delà, les frontières se sont dessinées peu à peu, au gré des circonstances historiques. Les Capétiens qui se fixèrent d'abord au nord-est, à Noyon, à Senlis, à Laon ne furent pas, pour autant, absents de l'ouest, à Dourdan, par exemple. Ainsi, l'Ile-de-France a-t-elle été peu à peu assimilée au domaine du roi de France et non plus seulement à la terre des Francs. Toutefois, progressivement, elle s'est libérée de cette origine « royale ». Progressivement, elle s'est installée dans ses limites géographiques et physiques.

Depuis la mise en place de l'organisation territoriale de la Révolution française, en 1791, le périmètre de l'Ile-de-France est demeuré stable. Seul le découpage interne a évolué. Trois départements sont devenus huit qui se superposent à la réalité des « petits pays ». Comme toute autre région, en effet, l'Ile-de-France a ses « petits pays ». Chacun d'eux se caractérise par ses paysages et son habitat. On en distingue essentiellement huit : le Vexin, la Plaine-de-France, la Goële, la Brie champenoise, la Brie française, le Gâtinais, le Hurepoix et le Mantois. Naguère, il y avait aussi le Beauvaisis, le Valois, le Laonnois, le Drouais. Ces petits pays, qui correspondent à des réalités physiques, sont au cœur de la démarche actuelle visant à valoriser les patrimoines en préservant la spécificité, l'authenticité de chacun d'eux.

A quand faut-il dater le nom d'Ile-de-France ?

Selon Marc Bloch, on fait remonter l'origine du nom à un texte de Froissart, dans ses chroniques pour l'année 1387. Dans sa description des préparatifs pour envahir l'Angleterre par les hommes d'armes venus de toutes les provinces, Froissart écrit : « *Et Toudis s'avaloient gens de Savoie, de Bourgoingne, de Bar, de Lorraine, de France et de Champaigne.* » Suit une longue énumération où bien d'autres provinces sont citées : Limousin, Berry, Bretagne, Touraine... Ainsi, pour Froissart, la *France* est bel et bien une province parmi d'autres. C'est notre Ile-de-France. Le reste de son texte est, à cet égard, sans ambiguïté, puisque Froissart emploie, quand il le faut, le mot « France » pour dénommer l'ensemble du royaume, par exemple lorsqu'il s'agit de le distinguer, non pas des autres provinces françaises, mais de l'Angleterre : « et vous di que il sambloit bien, qui les oit parler, que jamais ne retourneroient en France, si aroient esté en Engleterre. »

Dans un autre passage, contant une expédition vers la Castille, Froissart confirme cette distinction, ce qui laisse entendre qu'elle était déjà bien assimilée par tous et qu'il n'innove pas : « Adont furent escrips et mandez chevaliers et escuiers parmi le royaume de France pour aler en Castille et estoient les passaiges ouvers tant par Navaire comme par Arragon. Si se departirent chevaliers et escuiers de Bretaigne, de Poitou, d'Anjou, du Maine, de Thouraine, de Blois, d'Orléanois, de Biause, de Normandie, de Picardie, *de France*, de Bourgoingne, de Berry, d'Auvergne. De toutes les mettes du royaume de France se mirent gens à voye et à chemin pour aler en Castille. »

La France et l'Ile-de-France sont donc bien distinguées. On remarque aussi que lorsque Froissart énumère de grandes principautés territoriales, c'est la France-Ile-de-France, domaine royal, qui est concernée et non le royaume de France. Notre région a donc bien, dès le XIVe siècle, son identité propre, comme la Bourgogne, le Berry, la Normandie ou l'Auvergne, comme les autres régions qui forment le royaume de France.

Peut-on remonter au-delà du XIVe siècle ? Il semble que oui. Sans doute au moins d'une centaine d'années. C'est ce que l'on peut déduire d'un texte lié à l'exploitation de nos vignobles. Que lit-on dans une chronique de sainte Catherine de Rouen ? « L'année 1260, les vignes périrent à Vernon et aussi en France. » (« *Anno 1260 vineae perierant apud vernonem et in Francia* »). Il s'agit là de deux vignobles proches que séparait alors la frontière entre terres du roi de France et terres du duc de Normandie, Vexin normand et Vexin français. Le vignoble de cette *Francia* est donc bien le vignoble de l'Ile-de-France qui prolonge celui de Vernon. Il ne peut être assimilé au vignoble du pays de France.

L'auteur qui cite ce texte en rapporte d'autres du même ordre. Ainsi, une charte, plus ancienne encore, du roi d'Angleterre, Henri II Plantagenet, datant de 1175 où l'on parle de *vinam francigenum*, ce qui ne signifie pas vin de France ou vin français, mais « vin d'Ile-de-France » dont le commerce avec l'Angleterre passait par Rouen. Un texte plus récent, de 1226, cite des vins « de France et d'Aucerre ». Là encore, il ne peut s'agir que « d'Ile-de-France et d'Auxerre ».

Ainsi, l'Ile-de-France commence à être reconnue comme région spécifique dès le xiie siècle, et cela, non pas de manière exceptionnelle, mais de façon régulière. Pour en attester, l'autorité de Roger Dion, membre du Collège de France, constitue une garantie suffisante. D'autant qu'il fait référence à bien d'autres témoignages. Une chanson de geste du xiiie siècle raconte que les voyageurs qui se rendent du Languedoc à Paris par l'Auvergne et le Berry n'atteignent la France qu'après avoir franchi la Loire : « A Orleans vindrent, si passèrent le pont, lors entrèrent en France. » L'historien évoque un autre texte, du xve siècle, qui distingue, pour des questions fiscales, le vin de Bourgogne de celui de France. Il donne d'ailleurs une délimitation du terroir : « et pareillement toutes manières de vins que seront creu en dessoubz dudit pont de Sens, en venant aval d'ecure, et aussi les vins des creuz de Seine, la vieille Marne et d'ailleurs es partie d'environ, et pareillement du creu d'environ Paris et au dessoubz en allant l'aval d'ecure – et de la rivière d'Oyse et des parties d'environ seron appelez vins François et se jaugeront à jauge françoise (i.e. qui est celle de Paris) et non autrement ».

Ainsi, l'histoire, la géographie et l'économie attestent que l'Ile-de-France est une région à part entière, aux particularités bien affirmées, qui a toujours été reconnue comme telle au cours des âges.

Tenter de retracer les grandes lignes de son histoire m'apparaît être, plus qu'une nécessité pour ceux qui y vivent aujourd'hui, un hommage dû à ceux qui l'ont façonnée tout au long des siècles.

CHAPITRE I

DES ATOUTS NATURELS

Avant de tenter de raconter son histoire, sans doute est-il opportun de dresser, à grands traits, le portrait de l'Ile-de-France à travers sa géographie physique qui conditionne ses paysages, à travers ses racines économiques et sociales.

L'Ile-de-France est partie intégrante de la vaste cuvette sédimentaire, d'origine marine, du Bassin parisien. C'est d'elle qu'elle tire les trois éléments qui la façonnent : un sous-sol riche, varié, d'où seront extraits, génération après génération, les pierres et les matériaux qui serviront à bâtir ses villages, ses monuments, et à fournir les matières premières nécessaires à son industrie ; des fleuves et des rivières qui ont, non seulement fécondé une terre généreuse, mais lui ont également permis d'être terre de passage, espace de diffusion ; un sol fertile qui fournira nourriture et combustibles aux habitants de la région qui est, dès le Moyen Age, la plus peuplée de France.

Le terme de « cuvette » employé par le géographe ne doit pas induire en erreur. La cuvette n'a pas un fond plat. Si l'Ile-de-France ne dépasse qu'à peine 200 mètres – 217 exactement à

Haravilliers, dans le Val-d'Oise, son point culminant–, elle se caractérise par les multiples vallées et collines que l'érosion a, peu à peu, modelées. Celles-ci lui confèrent un relief accidenté, en tout cas jamais monotone. Elles font partie de notre paysage. Elles sont *le paysage* d'autant qu'elles demeurent généralement bien protégées. Ce sont elles qui donnent son cachet à la région, qui permettent ces vastes perspectives qui lui sont propres. L'axe majeur de Cergy-Pontoise prolonge, ainsi, la perspective, voulue par Louis XIV, au départ de la terrasse de Saint-Germain, permettant de découvrir un panorama englobant Paris et Saint-Denis.

Sans être partout mises en valeur par le fait des princes, de telles perspectives naturelles sont multiples. Pensons à celle de la butte de Cormeilles qui porte le regard jusqu'à Paris. Je ne résiste pas à la tentation d'évoquer celle décrite dans une petite brochure, parue en 1860, à partir du village de Vauhallan.

« Le paysage s'ouvre en éventail entre deux montagnes boisées, qui servent comme de cadre au tableau, et s'étend, à l'est, en laissant Paris à gauche, vers un horizon dont les limites échappent à l'œil et même à la puissance de la lunette. Supposons cet espace divisé en neuf zones parallèles, profondes d'à peu près une lieue chacune. Le spectateur aperçoit, dans la première zone, sur les hauteurs de gauche, la jolie promenade des bois de la Rigole, rappelant, jusqu'à un certain point, l'allée horizontale des Eaux-Bonnes ; au bas, les belles prairies de Vauhallan ; à droite, les bois du Pileux, s'étendant jusqu'à Palaiseau. La ferme pittoresque de Gomonvilliers, au pied du bois, est le seul bâtiment qui apparaisse au milieu de la verdure du premier plan. Enfin, sur les hauteurs de droite, la ferme des Granges.

« Dans la deuxième zone, toujours en partant de gauche, les versants du bois de Verrières et, sur la pente, le hameau d'Amblainvilliers. Les voûtes de verdure du beau parc de Migneaux appartenant à M. le duc de Cambacérès se confondent, à l'œil, avec celles du domaine de Villegénis, où mourut S.A.I. le prince Jérôme ; une partie du château, les vastes communs et les bâtiments des bergeries placées sur les hauteurs se détachent du milieu de la verdure.

« Dans la zone suivante, on aperçoit très aisément Massy et son clocher, les hauteurs de Champlan, les premières maisons de Longjumeau.

« Dans la quatrième zone apparaissent les dernières maisons de Fresnes, le regard de Rungis, la façade du château de Mont-jean, appartenant à M. Darblay, le clocher de Wissous, le village de Morangis, la ferme de Champagne.

« A la cinquième zone, le moulin et le clocher de Thiais, près de Choisy-le-Roi, Athis-Mons et son beau clocher de pierre, la Cour de France et les hauteurs qui dominent Juvisy.

« Sixième zone : la vue, alors, se porte au-dessus de la Seine, et, sur les hauteurs qui bordent sa rive, on distingue les coteaux de Limeil, le moulin de Villeneuve-Saint-Georges, le belvédère des bois du Montgriffon, Hières, le clocher de Montgeron, la forêt de Sénart et son obélisque, le parc des bergeries et quelques fermes et villages dont nous n'avons pu encore préciser le nom.

« A la septième, le château de Granval, le village et le clocher de Sucy-en-Brie, le château du Piple, appartenant à M. Hottinguer – on en compterait les fenêtres bien qu'à une distance de six lieues –, Boissy-Saint-Léger et son église, le parc et la tour de Grosbois, les bois de la Grange, les Camaldules, le village et l'église de Mandres, le clocher de Périgny.

« A la huitième zone sont la tour de La Queue-en-Brie, le parc d'Ormesson et le curieux dôme de verdure de Noiseau, la pointe du clocher de Lésigny, le clocher de Brie-Comte-Robert, ceux de Combs-la-Ville, de Lieusaint, les hauteurs de Corbeil.

« A la neuvième zone, au fond du tableau, les forêts d'Armainvilliers, de l'Echelle, et puis des horizons, à une distance telle qu'on ne peut plus rien préciser ».

Comme ce panorama est vivant ! Une telle vision n'est pas la chance de ce seul village de l'Essonne. On découvre de larges horizons dans le Vexin, dans tout le secteur de la vallée de la Mauldre, dans le parc naturel de Chevreuse...

* *
*

Calcaire, sable et gypse ont fourni à la région-capitale les trois principaux matériaux nécessaires à son développement. Trois plates-formes calcaires, s'inclinant du nord-est au sud-ouest, forment son sous-sol. D'abord celle du calcaire dit « grossier », ce qui ne l'empêche pas de donner une belle pierre de construction, recherchée tant par les architectes que par les artistes. On retrouve ce calcaire du Vexin, dont il constitue le soubassement principal, jusqu'à Meudon, Bagneux et Mont-rouge, dont les carrières ont longtemps constitué une des richesses. La pierre a été utilisée, dès l'Antiquité, comme en témoignent les constructions gallo-romaines encore visibles à Genainville. Suger l'emploiera pour bâtir Saint-Denis, au xIIe siècle. Cinq cent ans plus tard, les urbanistes de Louis XV y auront recours pour réaliser les ponts de la Seine ou l'Ecole Militaire. Ceux qui reconnaissent ses qualités sauront aussi l'exporter pour édifier, par exemple, la cathédrale de Rouen. Elle servira largement à construire Paris. Des cartes anciennes, telle celle de Nicolas de Fer, montrent clairement les nombreux puits servant aux carrières, en limite sud de la capitale, au-delà du mur des Fermiers généraux. Ces multiples carrières souter-raines, qui s'avéreront de plus en plus dangereuses à mesure que la ville s'étendra au sud, provoquant des éboulements, comme celui de la rue d'Enfer, en 1774, conduiront Louis XVI à prendre trois décisions importantes, de portée pérenne : la création, le 4 avril 1777, de l'Inspection générale des Carrières, confiée à l'ingénieur Charles-Axel Guillaumot ; l'interdiction de l'exploitation des carrières de proximité ; le réemploi des galeries souterraines pour recueillir les millions d'ossements des cimetières parisiens. Cette mesure prolongeait une des grandes réformes d'hygiène publique consistant à libérer le centre de Paris des cimetières jusqu'alors établis autour des églises. C'est un des premiers exemples de réaffectation d'un site dégradé par l'exploitation humaine. L'exemple fera des petits...

Cette pierre calcaire, que l'on trouve du nord au sud de l'Ile-de-France, qui ignore la coupure de la Seine, explique la grande unité visuelle des constructions franciliennes que l'on découvre au cœur des vieux villages. Les restaurations de ces dernières années renforcent cette unité. Les fermes du Vexin et celles du Hurepoix sont construites avec le même matériau.

Unité ne signifie pas, pour autant, uniformité. La couleur et la qualité de la pierre varient d'un lieu à l'autre. Ainsi, les villages du sud du Hurepoix, autour de la vallée de l'École, sont beaucoup plus gris que ceux qui entourent Dourdan où l'ocre domine ; le gris réapparaît le long de la vallée de la Mauldre ; le centre des Yvelines connaît aussi le jaune ocre, comme les collines du Vexin.

Il n'y a pas que le calcaire grossier en Ile-de-France. Le second grand banc est formé du calcaire de Brie qui s'étend principalement, mais non exclusivement, à l'est, de l'Ourcq à la Seine. Il fournit, en plus d'une pierre de construction traditionnelle, deux autres matériaux caractéristiques. D'abord, le travertin qui, exploité très tôt à Champigny ou à Charenton, a servi à la confection de sarcophages dont on retrouve de nombreux spécimens dans toute la région. En certains endroits, le calcaire de Brie s'est transformé en une roche d'aspect très particulier, blanc jaunâtre, parfois presque rouille : la meulière. Roche très dure, elle a d'abord été utilisée en moellons enduits, notamment pour les constructions vernaculaires, les fermes, les maisons rurales, comme on le constate autour de Châteaufort-en-Yvelines, à Cressely, à Magny-les-Hameaux. La ferme des granges de Port-Royal est construite en moellons, alors que le bâtiment « noble » est en briques et pierres recouvertes d'enduit. Cette roche a donné son nom à plusieurs villages ou lieux-dits, tels Les Molières, entre Chevreuse et Limours.

Troisième banc calcaire, le calcaire de Beauce que l'on trouve dans toute la partie sud de la région, à partir de la Seine. Il s'agit d'une roche beaucoup plus perméable qui donne, sauf en de rares endroits, un matériau de qualité médiocre favorisant le développement des forêts, ce qui explique leur importance sur tout l'arc allant de Dourdan à Fontainebleau.

Ce soubassement calcaire n'est pas le seul que l'on rencontre en Ile-de-France. Il faut y ajouter trois autres couches géologiques qui ont également contribué à façonner l'identité de la région-capitale. Le sable, le grès et le gypse.

Le sable se trouve en vastes nappes dont certaines atteignent soixante mètres d'épaisseur. Ces sables, lorsqu'ils sont très fins, sont exploités pour l'industrie du verre et de l'optique. Tel est le cas autour de Nemours. Les bancs sont souvent mêlés à ceux de grès que l'érosion a mis à nu. Ainsi s'expliquent les paysages caractéristiques de la forêt de Fontainebleau, des contreforts du massif de Rambouillet – les Vaux de Cernay – ou de la vallée de l'Yvette, à Maincourt. Le grès, plus encore que comme matériau de construction, a longtemps servi à la fabrication des pavés et des bordures de trottoirs, en générant une « industrie » locale, comme dans le Gâtinais. Il est, désormais, remplacé, par le granit, plus résistant, en provenance de Bretagne, du Massif Central, ou de l'étranger.

La dernière roche qui a compté dans le développement et la physionomie de l'Ile-de-France est, sans conteste, le gypse à partir duquel on produit le plâtre. C'est dès l'époque gallo-romaine que les murs des habitations sont enduits. Le gypse affleure de l'est à l'ouest. On le trouve à Villemonble et dans les boucles de la Marne, comme à Montmorency, ou sur la colline de l'Hautil, autour de Vaux-sur-Seine dont il fut longtemps la chance. Jusqu'au XVIIIe siècle, avant d'être fermées, par souci de sécurité, les carrières de Montmartre fournirent le plâtre nécessaire à Paris.

L'ensemble de ces matériaux a été longtemps exploité en de multiples petites carrières « artisanales », que l'on voit mentionnées sur les cartes anciennes, telle celle de Delagrive, datant de 1740. La toponymie des villages en atteste encore largement. On ne compte plus les rues des « carrières ». Elles menaient initialement à des lieux d'extraction qui faisaient partie du paysage ancien en même temps qu'ils contribuaient à l'équilibre de l'économie locale. A partir du XVIIIe siècle, et plus encore au XIXe, l'exploitation deviendra beaucoup plus industrielle avec l'apparition de vastes carrières assorties, notamment pour le plâtre, d'usines peu gracieuses, comme à Claye-Souilly.

Ces sols, minés sur de vastes étendues, trouvent une seconde vie en cette fin de siècle puisque, libres de constructions, ils favorisent la protection de vastes zones où la nature, aidée par l'homme, comme aux alentours de Jablines, reprend ses droits. Les anciennes carrières sont désormais réaménagées en plans d'eau, en golfs ou en parcs urbains.

*_**

L'Ile-de-France doit, sans doute, une partie de son vocable d'« Ile » à la concentration des fleuves et rivières navigables qui l'irriguent. Il n'est pas de région française qui se trouve ainsi baignée. Ce n'est pas un hasard si les « Nautes » forment la corporation la plus ancienne de Paris. Ils ont donné à la capitale la nef pour emblème. L'Ile-de-France et l'eau sont en étroite communion.

Le réseau hydraulique est double, et même triple. Il y a d'abord celui des fleuves qui en forment l'ossature. La Seine, l'Oise, la Marne, l'Yonne ont creusé de larges et riches plaines alluviales, bénéfiques à l'exploitation maraîchère. A ces fleuves, il faut ajouter leurs affluents les plus importants qui, au long des siècles, ont joué, eux aussi, un rôle économique comme voies de communication ou comme sources d'énergie : le Grand et le Petit Morin, l'Ourcq, le Loing, l'Essonne. L'Epte a également sa place dans ce circuit secondaire. Et puis, il y a le réseau particulièrement dense de toutes les petites rivières aux noms poétiques : l'Aubette, la Mauldre, la Thève, la Nonette, l'Yvette, la Renarde, la Juive, l'Orge, l'Yerre, la Bièvre, la Voulzie, ou encore l'Yzieux, l'Ecole, la Marsange, le Bréon, l'Aubetin... L'irrigation du territoire régional leur doit beaucoup. De même, les rivières ont fourni l'énergie nécessaire au fonctionnement des multiples moulins – des centaines, voire des milliers en Ile-de-France – édifiés sur leurs rives, sur les ponts ou encore moulins flottants, moulins à huile, moulins à grains comme à papier.

Tous ces cours d'eau – grands et petits – sont à l'origine de multiples activités, aujourd'hui généralement oubliées, telles celles liées au traitement du cuir. Certains ont fait naître de véritables secteurs économiques, comme le long de la Marne, avec le Moulin de Noisiel, attesté dès le xiᵉ siècle, sous le règne de Philippe Ier, comme le long de l'Essonne, avec Corbeil qui développa la double activité du grain et du papier, ou encore le long de la Seine avec le blanchissage, à Boulogne et Grenelle.

Les principales voies d'eau demeureront longtemps navigables, permettant d'approvisionner la capitale, non seulement en nourriture, mais aussi en matériaux lourds, en bois et marchandises diverses. Certaines embarcations de la Marne pouvaient transporter 95 tonnes, alors qu'une charrette n'en acceptait pas plus de deux. Les produits de l'industrie, de l'artisanat et des manufactures étaient réexpédiés et diffusés sur l'ensemble du territoire par ces voies d'eau qui, plus tard, serviront de modèle pour la réalisation du réseau de voies ferrées.

Il faut imaginer certaines rives de fleuves, ponctuées de ports, bordées de chemins de halage, grouillant d'activités qui faisaient vivre de nombreux franciliens, à travers mille métiers. Les coches d'eau furent, comme les diligences, les ancêtres de nos transports en commun. Une gravure d'Israël Silvestre montre ainsi les bourgeois protestants de Paris se rendant au temple de Charenton par ce moyen de locomotion. Les bacs reliant une rive à l'autre, avec leurs passeurs, ont également laissé leur marque dans la toponymie des villages. Les rues « du bac » ne se comptent pas comme les rues « du gué », puisque l'absence de berges maçonnées facilitait les passages durant toute la saison de basses eaux.

Mais l'eau est aussi une matière première indispensable à la vie quotidienne. Cette fonction a beaucoup compté dans le développement de la région. L'importance du réseau fluvial constitua un appel pour une population de plus en plus nombreuse. L'eau, dans les temps anciens, ne signifiait pas seulement hygiène ou boisson. Elle permettait de répondre aux principaux usages domestiques, à commencer par ceux de l'irrigation des terres dans une région où la population rurale était importante. Elle fournissait la glace, conservée durant de longs mois, ce dont témoignent encore les nombreuses « glacières » qui ornent les parcs des grands domaines comme le Désert de Retz ou Méréville, ou qui donnent leur nom à des rues, comme à Paris.

Jusqu'au début de ce siècle, les animaux venaient s'abreuver à la rivière. Celle-ci fournissait également une part des ressources : la pêche, bien entendu, mais aussi les cultures en eau vive, comme le cresson. De tout temps, une économie fluviale vivrière s'est développée, suscitant d'autant plus d'activités et d'emplois que la croissance démographique de la région garantissait les débouchés.

Les cours d'eau continuent d'être source de matières naturelles. L'exploitation des granulats et sables alluvionnaires en témoigne. Ceux-ci sont nécessaires dans une région aussi urbanisée que la nôtre où chaque habitant consomme, chaque jour, vingt kilos de sable et de gravier. C'est là une de leurs fonctions anciennes, traduite par de nombreux contrats d'exploitation, par exemple à Verneuil-sur-Seine dont les sablières ont longtemps constitué une ressource à préserver.

Les confluents de rivières furent à l'origine de centres urbains. Par exemple, Charenton – dont l'ancien nom est « Conflans » – au confluent de la Seine et de la Marne. Dès le Moyen Age, grâce à son pont, Charenton fut à la fois carrefour de trafic fluvial et terrestre, favorisant le commerce en permettant d'éviter l'entrée dans Paris. Montereau, Conflans-Sainte-Honorine durent leur promotion à cette même situation privilégiée, entre deux voies navigables. Pontoise fut, très tôt, un pôle de défense, grâce à sa position entre la Viosne et l'Oise.

Son vaste réseau fluvial et la richesse de son sous-sol, ces deux atouts naturels de l'Ile-de-France, sont complétés par la fertilité de son sol qui a beaucoup compté dans son essor.

* *

A chaque sous-sol correspond un espace végétal spécifique. On peut, en fait, distinguer trois grandes zones qui se caractérisent par des végétations différentes, des paysages bien affirmés. Les cartes anciennes mettent en évidence ces différences lorsque, comme dans celle de l'abbé Delagrive, les cultures dominantes y sont mentionnées.

Au vilain calcaire qui couvre la majeure partie du territoire situé au sud de la Seine, de la Beauce à la Brie, correspond la forêt. Le secteur nord-nord-est, plateau calcaire enrichi par un limon épais, prolongement de la grande plaine picarde, a été très tôt la terre des grandes cultures. Le Vexin – sa partie vallonnée, en particulier – a favorisé l'élevage, peu développé en Ile-de-France. Les nombreux coteaux ont permis, des siècles durant, la culture de la vigne, lointain souvenir désormais.

D'abord, la forêt. Elle a recouvert, à l'origine, tout le sol d'Ile-de-France. Elle occupe encore le quart de sa superficie. Elle représente la végétation la plus ancienne, la plus naturelle. Il faut, évidemment, nuancer cette affirmation, puisque tous les massifs n'ont pas connu la même évolution. Comme le dit Henri Morel, « Il y a forêt et forêt. Il est des massifs installés depuis longtemps où les vestiges ont été protégés et des bois qui ont été récemment colonisés de cultures, naguère abandonnées. Forêt primitive, forêt perturbée, forêt gérée en vue de la production du bois, comme c'est le cas à l'époque moderne, forêt colonisatrice de prairies ou de cultures récemment abandonnées ».

Gaston Roupnel nous raconte merveilleusement la forêt francilienne.

« Cette forêt naturelle n'est pas le bois de taillis, elle est la futaie. La forêt originelle était essentiellement composée d'arbres de grande venue. Le chêne et le hêtre y avaient une prépondérance heureuse ; le tremble et le bouleau, le frêne et le pin, y alternaient par petits groupes ou y intervenaient en individus isolés ; le sureau, le saule et l'aulne prospéraient aux clairières ou aux lieux humides ; les épines et les ronces garnissaient les lisières et les plaques rocheuses ; les genêts, les fougères et les ajoncs couvraient le sol ombragé.

« Sous les dômes élevés de cette puissante sylve, entre les fûts des grands chênes et des hêtres, la circulation était aisée, et les troupeaux y avaient un libre parcours. C'est cette forêt majestueuse et fraîche, emplie de circulation et d'ombre, qui s'accommoda si complètement de l'homme, et qui, de tout temps, lui prêta ses abris et lui offrit ses ressources. C'est cette forêt qui en imposa aux défricheurs primitifs. »

Ainsi s'explique cette belle alchimie qui a toujours existé entre la forêt d'Ile-de-France et ses habitants.

Assez perméables, les sols ne se sont pas prêtés facilement aux cultures, avant la mise en œuvre de procédés d'amendement modernes. C'est sur ces terres que se multiplièrent les « clairières d'essarts » dont la toponymie nous laisse la trace. Ainsi, la ville des « Essarts-le-Roi », en limite de la forêt de Rambouillet. Il s'agissait de terres sur lesquelles les monastères, grands propriétaires fonciers du Moyen Age, ou les seigneurs, à commencer par le Roi, envoyaient des colons pour étendre leurs exploitations.

Quatre grands massifs occupent le sol francilien. Trois sur la rive gauche de la Seine : Rambouillet, Saint-Germain, vestige de la forêt d'Yvelines, et Fontainebleau. Il faut y ajouter nombre de forêts plus petites : Rosny, Sénart, Armainvilliers, Crécy, Ferrières. Le quatrième massif se situe sur la rive droite. C'est celui dit « des trois forêts » – Montmorency, L'Isle-Adam et Cormeilles – qui prolonge le massif de Chantilly. La forêt de Bondy a quasiment disparu. Celle de Sevran doit sa survie à l'existence d'une poudrière qui rend le secteur difficilement constructible...

L'ensemble de ces massifs a, pour l'essentiel, résisté à l'agression urbaine en bénéficiant d'une attention suffisamment protectrice. L'administration des Eaux et Forêts – qui trouve son origine dans l'Edit de 1563, défendant de couper les taillis de moins de dix ans – n'est-elle pas une des plus anciennes de France... avec l'administration fiscale ?

« C'est ainsi que, depuis le début du siècle, il semble, qu'en gros, la surface boisée se soit accrue en périphérie de la région parisienne par un processus habituel de colonisation des terres que l'on cesse de cultiver – vignobles, vergers, coteaux – tandis qu'elle diminuait au contact des agglomérations en expansion », écrivait Henri Morel voici vingt ans à l'occasion du colloque sur la forêt en Ile-de-France organisé par la Fédération des Sociétés historiques. Depuis, la forêt a été encore mieux protégée grâce à l'opération « Ceinture Verte ». Elle recouvre aujourd'hui plus du cinquième du territoire, offrant des sites célèbres dans le monde entier, Rambouillet et Fontainebleau, notamment.

La forêt suit l'évolution de la société. Son rôle évolue au cours des époques, mais elle demeure. Elle a été lieu de protection ; il était facile de s'y cacher dans les périodes d'insécurité qui ont jalonné notre histoire. Elle a été réserve de combustible ou de matériaux de construction, d'où les atteintes qu'elle eut à subir au XVIIIe siècle. Elle a été réserve et lieu de chasse dans des temps où celle-ci représentait, surtout pour les grands, pour la cour, en particulier, une distraction de choix. Compensant le béton, elle est, aujourd'hui, atout majeur pour l'équilibre de notre grande métropole.

Second mode d'occupation des sols : les cultures céréalières et maraîchères. La terre d'Ile-de-France, grâce à ses grandes plaines – au nord-est, avec la Plaine de France, et, dans une moindre mesure, au sud-est, entre Brie et Beauce –, est un formidable grenier à céréales. Les grandes exploitations commencent à apparaître très tôt, dès le XVe siècle. De vastes fermes s'étendent sur plusieurs dizaines, voire plusieurs centaines d'hectares, sous la conduite d'un riche fermier. Toutefois, l'exploitation courante, largement répandue, est beaucoup plus modeste. La population rurale demeurera longtemps très diversifiée. Les différences sociales, les hiérarchies y sont très marquées. « Paysanneries constrastées », selon le mot de Pierre Goubert. C'est vrai que l'essentiel de la population demeure rurale, même si, dans la région, à la différence du reste du royaume, la population est, dans une large proportion, urbaine. Si l'on se réfère aux chiffres couramment admis par les historiens, la population francilienne tournait, à la charnière du XVIIIe et du XIXe siècle, aux alentours de 1,5 million d'habitants, dont 600 000 Parisiens, au moins. Compte tenu des petites villes, les Franciliens étaient, pour moitié, citadins.

A côté de ces grandes plaines céréalières, l'Ile-de-France disposait de plaines alluvionnaires, notamment en aval de Paris, dans les méandres de la Seine. Si, à l'origine, ces lieux furent boisés ou couverts de garennes – La Garenne-Colombes, Villeneuve-la-Garenne –, ils furent très vite défrichés pour offrir de bonnes terres de cultures maraîchères, réserves naturelles permettant de nourrir Paris. Les carottes et navets de Croissy, de Chatou ou de Carrières ; plus tard, les choux des terrains d'épandage de la plaine d'Achères ; les haricots et pois d'Arpajon. Productions de fruits alternaient avec productions de légumes, en générant la célébrité de certains lieux, tels les pêchers à Montreuil. Les vergers, qui s'inscrivirent dans les paysages franciliens à Chambourcy, Montmorency, Groslay, ou Saint-Brice étaient, encore voici peu, réputés.

Il y avait aussi des terres beaucoup moins riches. Ainsi, l'ancien Plateau de Saclay, aujourd'hui si fertile, dont le sol argileux, lourd et imperméable – ce qui explique la grande quantité de mares – ne favorisait pas l'agriculture. Ce sont les travaux hydrauliques de l'ingénieur Thomas Gobert, effectués pour amener l'eau jusqu'au Parc de Versailles, qui ont permis de l'assainir. De même en pays de Brie. Ce sont souvent les grands propriétaires des XVIIe et XVIIIe siècles, férus d'agronomie, qui ont su améliorer des sols, ingrats à l'origine, les fertiliser, les préparer à accueillir des cultures extensives.

Existaient également quelques terres argileuses et des marnes qui seront, très tôt, exploitées, non pour l'agriculture mais pour la poterie. Montereau y trouvera, dès 1775, de quoi créer un artisanat spécifique avec sa faïencerie fine. D'autres secteurs, anciennement intégrés à l'Ile-de-France, ont développé des activités de même nature. Creil ou Beauvais, par exemple. Cette poterie populaire servira très tôt pour la confection des ustensiles ménagers, tout autant que pour les pavements ou les épis de faitage.

Troisième mode d'occupation des sols : le vignoble. Au Moyen Age, celui-ci s'étendait jusqu'en Belgique. A la différence de la forêt, il a totalement disparu, à l'exception de quelques pieds épars, ici et là. Le vignoble avait trouvé un terrain de prédilection sur tous les versants bien exposés au midi : les collines ceinturant Paris, les coteaux de la Seine et les autres coteaux répartis sur l'ensemble du territoire.

Selon Jean-Marc Moriceau, « En plein cœur de la plaine de France, les moindres vallons portaient de la vigne au Moyen

Age : au xvie siècle encore, au Thillay comme à Gonesse, on trouvait des vignerons. Au sud de Paris, sur le plateau de Long-boyau, la production céréalière laissa coexister un petit secteur viticole. Il faut attendre le xviie siècle pour que disparaisse ce vignoble au profit de la grande culture. »

Les nombreuses confréries de Saint-Vincent, vivantes jusqu'au début de ce siècle dans beaucoup de paroisses, comme en témoignent nombre de vitraux, attestent de ce long passé viticole. Quant aux Franciliens comptant des vignerons parmi leurs ancêtres, ils sont pléthore. Plusieurs échevins de Paris portaient sur leurs armes des grappes de raisin : Jean de Compans, en 1421, Guillaume de Longuejoue, en 1462, Pierre Legoix, en 1584. Egalement, la grande famille des Budé, très présente dans la région.

Cette culture n'est pas neutre. Elle a pris sa part dans l'émergence de l'identité régionale. La vigne induit, en effet, un type de constructions et forme les mentalités des hommes. La maison rurale à étage, laissant place, au niveau du sol, aux tonneaux, se retrouve sur l'ensemble du territoire. Les cartes dressées par le professeur Lachiver sont, à cet égard, évocatrices. Jusqu'au xviiie siècle, les pressoirs sont nombreux. Ils sont, d'ailleurs, source de redevances seigneuriales.

Le second secteur de production est plus éloigné de la capitale. Il comprend tous les vignobles de la vallée de la Seine ainsi que les sites d'Argenteuil et de Montmorency qui resteront productifs jusqu'au début du xxe siècle.

L'aventure a commencé voici un millénaire, nos ancêtres ayant rapidement apprécié la double opportunité de la bonne exposition des coteaux et des avantages offerts par la Seine.

Troisième terre de vignobles, les collines de la cuvette parisienne qui connaissent, dès le haut Moyen Age, le développement de la vigne. Il n'était pas un coteau des environs de Paris qui ne soit garni de ceps : Charonne, Belleville, Suresnes, Montmartre qui en conserve le souvenir dans son folklore. De même, Issy, Vanves, Nanterre. Les abbayes propagent cette culture. L'abbaye de Saint-Denis dispose d'importants vignobles, ce qui explique le rapprochement de la date de la foire de Saint-Denis, fondée par Dagobert, au VIᵉ siècle, qui se tenait au mois d'octobre, de celle de la fin des vendanges...

C'est dès le IXᵉ siècle que le vignoble est cultivé. Abbon, dans *Le Siège de Paris*, nous en apporte la preuve. Il évoque les ravages causés par les Normands, en 886 : « Les vignerons et les cultivateurs subissent tous, ainsi que les vignes et la terre, la domination cruelle de la mort. »

Quelques siècles plus tard, les Normands, devenus Anglais, assagis, abandonnant le pillage pour le commerce, contribuent à favoriser les conditions de vie des vignerons de la vallée de la Seine ; leur aisance perdurera à travers les siècles. Ceux-ci utilisent l'ardoise pour couvrir leurs maisons, alors que le reste de la population rurale s'en tient au toit de chaume.

Le vignoble était essentiellement issu de différents cépages, nobles pour certains. Ce n'est qu'à partir du XVIIIᵉ siècle qu'on a recours au Gamay qui permet de produire en quantité pour répondre à la demande parisienne. Le vin francilien, du fait de l'humidité des sols et des conditions climatiques contrariant le mûrissement d'été, n'avait qu'une faible teneur en alcool. Il fallait donc le boire relativement vite. Il servait, le plus souvent, pour la consommation courante. En revanche, certains vignobles des environs, notamment à Issy ou sur certains coteaux de la Seine, donnaient un produit de meilleure qualité, et donc, de meilleure réputation. C'est François Iᵉʳ qui fait planter des vignes autour de Fontainebleau, en particulier à Thomery. Les grands auront recours aux productions locales jusqu'au XVIᵉ siècle, appréciant tout particulièrement certains crus comme celui de Limay « où croît cet excellent vin » selon le mot du poète Régnard. La craie des coteaux permettant d'emmagasiner la chaleur du soleil, facilitait le mûrissement des grains tandis que les boves qu'on y creusait permettait la conservation de la production. Les rois – les Valois d'abord – s'en lasseront, leur préférant les productions de l'Orléanais, puis, en privilégiant, avec Louis XIV, les vins de Bourgogne ou de Beaune. La vigne n'en jouera pourtant pas moins un grand rôle dans le développement régional et dans la formation de son identité.

CHAPITRE II

PREMIERS PEUPLEMENTS

Au plus loin que nous remontions dans l'histoire, nous trouvons une Ile-de-France peuplée. Pincevent, près de Montereau, Étiolles, près de Corbeil, témoignent du fait que, dès l'ère paléolithique, notre région accueille des populations qui, très vite, se sédentarisent.

Ces deux sites sont situés aux abords de la Seine. La présence de nombreux cours d'eau explique, sans doute, pour une part, ces peuplements anciens. Les hommes ont toujours eu besoin d'eau pour vivre. Celle-ci leur procure la boisson, la nourriture, grâce à la pêche, avant de leur permettre, plus tard, l'irrigation nécessaire aux cultures. Les fleuves sont aussi voies de communication. Frontières naturelles, ils facilitent la protection. Ils limitent des zones d'influence.

Les archéologues nous apprennent que les hommes sont alors des nomades-chasseurs, transhumant, au gré des saisons, entre campements d'hiver et campements d'été. Ils nous permettent de mieux comprendre la vie quotidienne de ces grands aïeux, en faisant parler les fouilles. Leurs expertises nous renseignent autant sur les habitudes alimentaires des Franciliens d'alors que sur la faune et la flore des temps anciens.

Ainsi, à Pincevent, le seul emplacement des objets trouvés sur le site permet aux spécialistes de préciser où les hommes dormaient, mangeaient, taillaient les silex, dépeçaient les animaux... Il y a 13 000 ans de cela ! Les abris saisonniers de ces chasseurs de rennes sont aujourd'hui connus avec une très grande précision. Le campement s'articule autour d'un foyer, situé à l'entrée de la tente. Environnant celle-ci, une zone de rejets, où os de rennes, supports et outils de silex se retrouvent pêle-mêle.

A Étiolles, il s'agit plutôt de campements de tailleurs de silex. Les matériaux trouvés sur ce site sont d'une qualité exceptionnelle. De nombreuses lames font plus de 30 centimètres de long, certaines dépassant même les 60 centimètres !

L'existence d'autres sites témoigne d'une occupation déjà largement répartie sur notre territoire. Ainsi, Rueil-Malmaison, dans les Hauts-de-Seine, Marolles, en Essonnes, ou Maisons-Alfort, dans le Val-de-Marne. La proximité de cours d'eau est le trait commun à tous ces sites.

Les diverses découvertes attestent surtout que l'Ile-de-France était, dans les temps les plus reculés, un lieu où la vie, à défaut d'être facile, était possible. On y trouvait tout ce qu'il faut pour vivre. D'abord de l'eau en abondance ; la région compte une dizaine de grands cours d'eau, une centaine de rivières, dont les passages à gué permettaient le transfert des animaux que l'on voulait abattre. Et puis un sol riche, favorisant la cueillette, offrant la nourriture aux bêtes que l'on chassait ; un sol dont la fertilité permettra, plus tard, l'agriculture.

A l'époque, les nomades franciliens vivent dans un système économique de chasseurs-cueilleurs-pêcheurs, fondé sur la chasse du renne, dont ils tirent à la fois nourriture et vêtements, ainsi que sur l'exploitation du silex, qui fournit armes et objets quotidiens. Des localités comme Chelles, Levallois ou Montmorency ont donné leur nom à des types de silex, trouvés dans leur sol.

Combien de siècles a duré ce temps ? Des lustres pour nous qui sommes habitués à un monde qui change à l'allure des mutations contemporaines. Les progrès d'alors étaient beaucoup plus lents. C'est avec le mésolithique que l'art fait son apparition. C'est l'époque des premières gravures rupestres. On dénombre près d'un millier d'abris ornés aux alentours de Fontainebleau, de la vallée de la Juine à celle de la Seine. Des tracés schématiques, des représentations animales... Certains dessins de huttes sont datés de cette période.

Entre 10 000 et 9 000 ans avant J.-C., l'adoucissement du climat transforme totalement la faune et la flore de l'Ile-de-France. Les animaux adaptés au froid abandonnent notre région. Les mammouths disparaissent ; les rennes remontent au Nord ; les bisons se réfugient dans les grandes forêts d'Europe centrale. Le paysage change aussi : la steppe cède la place à une végétation qui franchit les siècles. Les chênes, les peupliers, les noisetiers caractérisent le nouveau décor de l'Ile-de-France.

Au néolithique, les modes de vie se transforment profondément. La période glaciaire est terminée. Le climat est plus clément. La distinction de campements d'hiver et d'été n'est plus nécessaire. Les nomades se font sédentaires ; de chasseurs-cueilleurs-pêcheurs, ils deviennent agriculteurs.

Les modes d'exploitation agricole, nés au Proche-Orient, se propagent naturellement le long des fleuves. En Ile-de-France, l'agriculture apparaît aux environs du sixième millénaire avant J.-C. Une technique régionale spécifique s'organise. Les historiens l'appellent S.O.M., du nom des anciens départements Seine, Oise et Marne. Les hommes commencent à domestiquer certaines espèces animales. Ils maîtrisent mieux la terre et façonnent les premières céramiques.

Sur tout le territoire régional, ces premiers agriculteurs ont laissé des traces à travers les vestiges de leurs maisons collectives, des monuments funéraires, des premières constructions défensives, des menhirs, des dolmens et des polissoirs. Il est remarquable de constater que ces témoins se trouvent bien répartis, même si certains secteurs en sont plus riches.

Les plus connues de ces traces sont, sans nul doute, les mégalithes : les menhirs et les dolmens. Pourquoi les hommes ont-ils élevé ces monuments ? Cela avait-il un rapport avec des rites funéraires ? Avec une forme de religion ? Les mégalithes ont bien gardé leurs secrets. Plusieurs milliers d'années se sont écoulées et les archéologues ne les connaissent toujours pas. Plus d'une centaine de menhirs ont été dressés en Ile-de-France. On n'en compte plus aujourd'hui que quarante-deux.

Les plus grands dresseurs de menhirs devaient habiter le sud de la Seine-et-Marne. C'est là qu'ils sont les plus nombreux. Ils portent des noms évocateurs : la Pierre Couvée à Courtomer, la Pierre Fitte à Beautheil, la Pierre Fritte à Nanteau-sur-Lunain, la Pierrefitte à Étampes, la Pierre Droite à Milly-la-Forêt, la Pierre Longue à Bellefontaine, la Pierre Drette à Guitrancourt.

Les dolmens sont un peu plus élaborés, formés généralement de cinq pierres, une grande table reposant sur quatre supports, comme la Pierre Larmoire, à Rumont. Leur origine et leur raison d'être ne sont pas davantage connues. Cinq dolmens, indubitablement datés de cette période, subsistent en Ile-de-France : la Pierre Ardoue, la Pierre Levée, la Roche au Loup, le Grès de Linas et la Pierre Larmoire.

Le néolithique est, comme son nom l'indique, l'âge de la nouvelle pierre, ou pierre polie. Les hommes utilisent de gros rochers pour parfaire l'affûtage de leurs outils de pierre. Ces rochers, ou polissoirs, sont très nombreux autour de Nemours. Ainsi, en trouve-t-on onze à Poligny, quatre à Paley et Nanteau-sur-Lunain.

Quant aux maisons, il n'en reste plus, à l'heure actuelle, que de bien modestes vestiges qui témoignent de leur fragilité. Ce sont des trous de poteaux, négatifs de leurs fondations, qui ont su parler aux archéologues. Leurs alignements révèlent des bâtiments rectangulaires ou trapézoïdaux, sensiblement plus longs que larges. Ainsi, à Rueil-Malmaison a-t-on retrouvé une maison de type « danubien ». Il s'agit d'un habitat d'une longueur de vingt-deux mètres environ, composé de cinq rangées de trous de poteaux formant un trapèze.

Ce type d'habitat est assez répandu. On en a notamment

découvert à Balloy, à Vignely, en Seine-et-Marne. En 1990, le grand chantier de Bercy a permis de mettre au jour un village néolithique avec un important matériel ; en particulier, plusieurs pirogues qui attestent d'une vie fluviale déjà développée.

Les monuments funéraires se sont beaucoup mieux conservés, ce qui s'explique par le respect dont ont toujours été entourés les morts. Il s'agit d'allées couvertes, tombeaux imposants servant de sépultures collectives. On ne trouve ce type de monuments que dans le Val-d'Oise, le nord des Yvelines et de la Seine-et-Marne. Plus de soixante sont attestés ; vingt-deux sont conservés. Les plus caractéristiques sont la Pierre Turquaise, à Saint-Martin-du-Tertre, la Pierre Plate, à Presles, le Cimetière aux Anglais, à Vauréal, la Cave aux Fées, à Brueil-en-Vexin. Celle de Dampont, à Us, a été remontée dans le jardin du musée Tavet, à Pontoise. Celles de Conflans et du Trou aux Anglais d'Aubergenville ont été reconstituées dans le fossé du château de Saint-Germain-en-Laye.

Monument rectangulaire allongé, comme le sont toutes les allées couvertes, la Pierre Plate de Presle mesure plus de douze mètres de long pour deux mètres trente de large. La chambre mortuaire est précédée d'un petit vestibule auquel on accède par une dalle perforée, fermée par un bouchon de pierre amovible. On a retrouvé, dans ce tombeau, les ossements d'une centaine d'êtres humains. Plus de deux cents dans celui de Brueil-en-Vexin.

L'allée couverte du Bois Couturier, à Guiry-en-Vexin, de structure classique, est très intéressante. Elle remonterait à 1690 avant J.-C. On a récupéré, sur le site, le bouchon servant à la fermer qui est actuellement conservé au musée de Guiry. Les piliers du vestibule sont ornés de sculptures, hélas très endommagées, où l'on peut toutefois reconnaître des seins et un collier. Ce même type de sculpture – sans doute la représentation schématique de la déesse des morts – se retrouve également dans l'allée couverte de la Pierre Turquaise. Ces restes attesteraient de l'existence d'une forme de religion, tout au moins pour le culte des morts.

* *
*

L'arrivée du métal constitue une véritable révolution marquée, socialement, par la mise en place d'une hiérarchie, économiquement, par le développement du commerce. D'abord le cuivre et l'or, puis le bronze, enfin le fer seront des matières nobles recherchées. Le métal devient un signe de richesse et de puissance.

Le métal est d'abord utilisé à l'état brut ; on martèle les pépites d'or et de cuivre. Puis apparaît la véritable métallurgie avec l'extraction et la réduction du minerai. Cette époque est celle du chalcolithique ; l'homme utilise à la fois des outils en silex et en cuivre.

La métallurgie progresse avec la découverte du bronze, alliage de cuivre et d'étain qu'il faut couler dans des moules pour fabriquer des objets. Malheureusement, le cuivre est rare en Ile-de-France. Il doit être importé sous forme de lingots. Son commerce est toutefois facilité par la présence des nombreuses voies navigables.

La course à l'innovation continue. Un nouveau pas est franchi avec la découverte du fer, qui possède de multiples avantages sur le bronze. Il est beaucoup plus répandu que le cuivre et l'étain, et, surtout, il s'utilise seul et se forge à chaud, sans moule.

De nombreux ateliers apparaissent en Ile-de-France. Les grands chantiers d'aujourd'hui permettent de découvrir, régulièrement, de nouveaux sites de fouilles. Vingt-six, en 1994, répartis dans toute la région.

De découverte en découverte, on comprend mieux le quotidien de nos grands aînés. N'est-ce pas la société tripartite, chère à Georges Duby, qui se met en place avec ce guerrier de la nécropole de La Bassée, bien distinct des autres défunts ? Il possède toutes ses armes : épée, poignard, lance et bouclier. Les autres, sans doute également de bon rang, ne portent que des bijoux : bracelets, anneaux aux chevilles, fibules, torques... Comme si, au-delà de la vie, on devait continuer de différencier le guerrier des autres. Quant à la sépulture organisée, elle témoigne d'un culte des morts, c'est-à-dire d'un ordre sacerdotal. Déjà, le prêtre, le guerrier, le manant.

Dès cette époque, les sites d'implantation paraissent choisis avec soin, en fonction de critères objectifs. Ainsi, l'homme s'est-il installé au lieu-dit « Les Guignons », à Nanterre. Situé sur la rive gauche de la Seine, sur un léger relief, ce lieu n'a pas été investi par hasard, mais pour ses avantages. A l'abri des inondations, la terre y est fertile ; l'eau, toute proche, permet la chasse et la pêche ; le surplomb facilite le contrôle de la vallée et du trafic fluvial.

Grâce aux vestiges découverts sur ce site, on cerne les activités humaines d'alors. Plusieurs ateliers de tissage y étaient installés ; des restes de corne et d'os attestent du travail de ces matières ; des crânes de bovins présentant des traces d'abattage prouvent l'existence des premiers bouchers franciliens. Quant à l'habitat, ce n'est déjà plus un simple abri mais presque une ferme, avec ses silos, ses puits à eau, ses fosses et dépotoirs.

Beaucoup d'objets en fer ont été retrouvés : des outils, des pelles et des piochons, des armes, des épées, des fers de lance, des pointes de flèches ; de la quincaillerie : des clous, des crochets, des ferrures ; également des monnaies émises par les différentes peuplades des alentours. Ainsi, à Nanterre, c'est déjà le village de l'Ile-de-France qui apparaît, avec des caractéristiques que l'on retrouvera par la suite. Le village lieu de vie et de marché. Lieu de marché, en effet, car notre région devient une terre de passage et d'échanges.

Les nombreuses voies navigables contribuent largement à développer des activités marchandes que datent les premières monnaies métalliques. Chaque peuple frappe la sienne pour faciliter ses échanges. Ainsi, aux « Guignons » a-t-on retrouvé des monnaies frappées par les vieux Nanterrois, mais aussi celles d'autres peuplades avec lesquelles ils commerçaient.

*
* *

La société francilienne évolue progressivement. Les apports de population se multiplient. A l'ancien fond celte s'adjoignent d'autres peuples venus de l'Est, avant que ne se succèdent plusieurs vagues d'invasions.

Huit peuplades, regroupées autour d'un *oppidum*, se partagent alors l'Ile-de-France : les Bellovaques occupent l'Oise, avec Bratuspantium, près de Beauvais, pour centre ; les Suessions se sont attribué un territoire allant de Laon à la forêt de Halatte, autour de Novionudum, près de Soissons ; les Silvanectes vivent autour de Senlis ; les Meldes sont installés de part et d'autre de la Marne, à hauteur de Meaux ; les Véliocasses ont investi le Vexin français, à proximité de Brivisara, aujourd'hui Pontoise ; les Carnutes s'étendent de la Seine à la Juine ; les Senons possèdent un territoire comprenant la Brie française, le Gâtinais et le nord de la Bourgogne ; les Parisii, enfin, ont fait souche autour de Lutèce.

Lorsque César conquiert la Gaule, en 57 avant J.-C., les Suessions et les Bellovaques se soumettent ; en 52, Lutèce est conquise par le lieutenant de César, Labienus ; en 51, l'Ile-de-France est totalement et pour longtemps sous domination romaine.

C'est, pour notre région, la dernière phase de l'Antiquité. Elle est marquée par le développement de vraies villes, les Romains étant d'abord des citadins. Dans le même temps se crée un réseau de circulation si évolué que ses traces, lorsqu'elles n'ont pas été reprises par nos routes modernes, marquent encore le paysage, de l'axe Nord-Sud de Paris à la célèbre chaussée Jules César.

Plusieurs de nos cités d'aujourd'hui furent d'abord villes romaines, à commencer par Paris où les vestiges sont multiples, soit bien conservés, comme les thermes de Cluny, soit bien restaurés, comme les arènes de Lutèce.

A Melun, des chantiers de fouille ont permis de découvrir une voie antique ainsi que des constructions perpendiculaires ou parallèles à celle-ci. Ainsi, une série de puits, des caves, un établissement thermal...

Les Romains ont également construit des villes à partir de rien. Par exemple, Beaumont-sur-Oise, dans le Val-d'Oise. La voie antique reliant Paris à Beauvais forme l'axe principal de la ville. Le quadrillage des rues découpe des carrés de quatre-vingt-deux mètres de côté. L'agglomération est pourvue des édifices publics classiques : thermes, théâtre, temple et autres sanctuaires. La cité possède également un port, des ateliers de potiers, un cimetière.

A cette réorganisation urbaine qui met en contact les Gaulois avec la culture romaine, il faut ajouter un moyen de toucher les populations rurales. Tel est le but des *conciliabula*, où l'on se rend à l'occasion de marchés ou de pèlerinages. Ainsi, les Romains ont construit, à Genainville, où existait déjà un sanctuaire gaulois lié à une source, le sanctuaire des Vaux-de-la-Celle. Ce lieu rassemble, sur un espace assez réduit, les édifices habituellement urbains que sont un temple et un théâtre. Quelques maisons d'habitation permettaient aux populations rurales de séjourner dans ce lieu-témoin de la culture romaine.

A proximité des villes ou en campagne se dressent les *villae*, exploitations agricoles doublées d'une résidence, parfois luxueusement décorée. Plus d'une centaine de *villae* ont été repérées en Ile-de-France. L'une d'elles a été mise au jour récemment, à Orsay. D'une superficie d'environ 300 m² au sol, elle se compose de deux caves, d'un rez-de-chaussée et d'un étage. Elle possède deux tours d'angle et une galerie de façade. Les murs intérieurs étaient ornés de peintures.

Les Romains ont également transformé profondément le réseau routier, en rectifiant les tracés, en consolidant les ponts, et, surtout, en construisant de nombreuses voies. Lutèce s'est trouvée reliée à toutes les grandes villes alentour, l'Ile-de-France d'alors devenant ainsi un important carrefour. La route d'Orléans, correspondant à l'actuelle RN 20, conduisait vers le sud. Son prolongement vers le nord rejoignait Senlis. La route de Rouen passait par Saint-Denis, Ermont et Pontoise : c'est la fameuse « chaussée Jules César ». Celle de Beauvais, plus connue sous le nom de « chaussée Brunehaut », empruntait la route de Rouen jusqu'à Saint-Denis, puis traversait l'Oise, à Bernes. La route de Dreux passait par Sèvres et Jouars ; celle de Chartres par Bièvres, Saclay, Gif et Limours. Sens était également reliée à Lutèce.

Parallèlement, se développe la circulation fluviale. Elle permet de transporter des charges bien plus lourdes que par terre et s'avère donc, pour passer certaines frontières, beaucoup plus commode. La corporation des *nautes* de Lutèce est l'une des plus puissantes et des plus riches. Elle élève même un monument à Jupiter, en plein cœur de la ville. La salle centrale des thermes publics était ornée de consoles en forme de grosses barques.

Grace à l'excellence du réseau routier et à la densité de la circulation fluviale, l'essor économique de l'Ile-de-France, région carrefour, est considérable.

Lutèce ville ouverte ! Les accès sont faciles. Hélas ! Ils favorisent les invasions barbares qui ravagent la région-capitale dans les années 275-276 après J.-C. Presque toutes les cités sont occupées. Certaines sont incendiées.

C'est avec la reconquête du pays par l'empereur Probus que les villes se fortifient. Dès lors, il n'y aura plus réellement d'invasions mais des intégrations diverses et pacifiques. L'armée accueille alors beaucoup de Barbares auxquels le pouvoir offre des terres en concession. Des villes comme Wissous – Vicus Suevorum – témoignent, par leur nom, de la présence de telles « colonies ».

C'est de cette époque – le IIIe siècle – que datent les débuts du christianisme dans la région. Le premier évêque de Paris est saint Denis qui fonde, entre autres églises, celle de Meaux. Le corps du martyr aurait été transporté à l'emplacement actuel de l'abbaye de Saint-Denis.

Pour guider les premiers chrétiens, sept évêques sont envoyés en Gaule, par Rome, en dépit de l'hostilité des consuls Dèce et Gratus. Les noms de ces premiers évêques s'associent à ceux de certaines villes : Gatien à Tours, Trophime à Arles, Paul à Narbonne, Saturnin à Toulouse, Austremoine à Arvernes, Martial à Limoges. Les papes, prenant conscience du courant de conversion de la Gaule, délèguent également des missionnaires chargés de transmettre la « bonne nouvelle ». S'insérant dans les cadres de l'Empire romain, ceux-ci se confondent avec les évêques. Quentin, Lucien, Taurin, Rieul, Crépin, qui portent des noms romains, prêcheurs à Reims, Soissons, Évreux, Senlis, Pontoise, Montmorency...

De 260 à 313, deux faits essentiels se conjuguent : l'apostolat des évêques et la conversion des envahisseurs. C'est l'époque des vagues d'invasions qui bousculent les défenses de l'Empire aux abois, occupant et pillant les provinces romaines. Les évêques, qui sont les seuls à ne pas craindre l'occupant, sans pour autant s'organiser en « résistants », s'attachent à favoriser la survie des cités gallo-romaines et la préservation des valeurs.

Les jeunes communautés commencent à bâtir des sanctuaires où elles installent le Christ et les Martyrs à la place des idoles. Ainsi commencent à naître des paroisses qui deviendront, beaucoup plus tard, des villages.

Nombreux sont les saints et les saintes qui jalonnent le formidable courant de conversions qui se développe à partir du IVe siècle, perpétué par des pèlerinages et des consécrations de lieux saints. Saint Mathurin de Larchant, qui aurait sauvé la fille de l'empereur Maximien, était vénéré parce qu'il guérissait les peines et les maladies nerveuses ; la Normandie lui fut si attachée que plus de cent églises lui sont consacrées. Saint Fiacre de Meaux préféra être ermite que roi d'Ecosse ; il demeure le patron de la Brie ; la dévotion à ses reliques ne se démentira jamais, jusqu'à la révolution. Sainte Fare de Champigny, abbesse de Faremoutiers, laissa son empreinte au sud de la Marne. Sainte Céline, vierge vénérée, patronne de la ville de Meaux, est à l'origine d'un pèlerinage, en octobre. A Nanterre, sainte Geneviève, dont le courage et la fermeté ont permis que Paris échappe aux Huns d'Attila, illustre le Ve siècle croyant, bâtisseur d'églises et de basiliques ; elle a connu et inspiré plusieurs rois francs avant d'être enterrée auprès de Clovis ; elle imposera son nom au lieu qui devait être celui de la Basilique des Saints-Apôtres. Et puis aussi saint Séverin à Château-Landon, saint Aignan à Orléans, saint Lubin à Chartres et, surtout, saint Denis, à Paris, dont le rayonnement généra la construction de tant d'églises.

Des saints et saintes, beaucoup moins connus, ont laissé leur nom ici ou là, en particulier en Seine-et-Marne ou en Essonnes : Savignien, Serotin, Altin, Yon, Rigomer... Combien de lieux témoignent, notamment à l'occasion des chantiers ouverts à proximité des églises, de ces premières implantations chrétiennes ? Écouen, Saint-Brice-sous-Forêt, Ermont, Luzarches, Roissy-en-France, Saint-Clair-sur-Epte, Villiers-le-Bel...

Après l'écroulement de l'Empire romain d'Occident, Syagrius ayant réussi, en un premier temps, à contenir les Francs, l'Ile-de-France demeure l'ultime bastion de la gloire impériale. Ce n'est qu'en 486 que Clovis, vainqueur à Soissons, conquerra la région et lui imprimera une nouvelle destinée. Ce sera la première vraie révolution francilienne.

CHAPITRE III

CLOVIS INVENTE L'ILE-DE-FRANCE

Les Romains, par orgueil et par habitude, tracent des routes, isolent des provinces, créent des capitales, mais ils n'occupent rien. A l'intérieur des cités cohabitent des personnels administratifs et militaires affectés à la guerre et à la protection des frontières. Au-delà des murs de la ville, de part et d'autre de la voie romaine, vit une population autochtone. L'Ile-de-France y puisera ses racines.

Longtemps demeurée à l'état « sauvage », cette société rurale s'organise avec Clovis. Bien mieux que tous les généraux romains ou gallo-romains, c'est lui qui réalise le premier état des lieux, qui comprend le parti que l'on peut tirer de cette région, qui perce son identité.

Là où serpentent tant de fleuves, là où voisinent tant de forêts défrichées, des colons s'implantent. Ils exploitent la terre. Par petits clans, par tribus accrochées aux routes ou aux rivières, des groupes font souche entre Oise, Seine, Marne et Ourcq. Dans cet espace ouvert, venant d'Espagne, de Rome, des Iles britanniques ou de l'Empire, on s'y retrouve pour commercer.

De Normandie, du Massif Central, du plateau de Langres ou de l'Artois, tous les chemins convergent vers ces terres de calcaire, d'argile et de sable, bien protégées des érosions éoliennes ou aquatiques par les petits plateaux, les tertres qui les environnent. Ces sols riches, bien irrigués, faciles d'accès, ne peuvent qu'être convoités. Au sein de cette grande plaine fertile, se distinguent et s'affirment, un à un, des petits pays : la Brie, le Vexin, la Goële, le Valois.... On y vit, à la fois, à l'abri des légions romaines et à proximité des zones d'échange.

Par avancées aventurières, les Francs, initialement installés plus au nord – Clovis est né à Tournai –, reconnaissent cette immense prairie. Ils quittent leurs bateaux « saxons », délaissent leurs abris des zones marécageuses, pour conquérir cette région qui deviendra région-capitale. Romains et Barbares l'auront traversée. Les Francs qui l'ont reconnue, désirée, progressivement dominée, l'occupent.

En fait, Clovis et, après lui, les Mérovingiens sont les premiers à y installer un pouvoir. Jusqu'alors, jamais empereur ou envoyé de Rome n'y fut prince ; tout au mieux, administrateur provisoire. Pour bien marquer la rupture, Clovis rejette le terme de « gaulois », synonyme de colonisé, pour imposer celui de « franc », symbole de courage et de fierté. Ainsi naît notre pays en même temps que notre Ile-de-France.

L'histoire des temps qui précèdent, celle dite des invasions, se résume trop facilement à une série de clichés, répétés de génération en génération. On a toujours dressé un tableau noir des « hordes barbares », présentées comme d'épouvantables ouragans destructeurs. En réalité, les Barbares n'ont généralement été coupables que de raids de pillage, apparaissant et disparaissant par le même chemin. Peu de villes, peu de cités, d'ailleurs petites, ont été détruites. En revanche, les récoltes sont volées, les celliers pillés, les captifs, vendables, parfois saisis. Mais très vite, la vie reprend son cours normal. Les incursions font, en quelque sorte, partie du décor. Si l'on dénombre tant d'invasions, c'est parce qu'il y a beaucoup de choses à piller, preuve de la richesse et de la fécondité de la région, une terre qui fait envie et non pitié.

Trois siècles durant, celle-ci attire les pillards, mais ceux-ci seront absorbés, colonisés. Ils constituent les premières populations multiculturelles, s'exprimant en mille dialectes. Les règles latines ne survivent que par le commerce ou les armes. En réalité, il n'y a pas, à proprement parler, de population celte, gauloise ou romaine en Ile-de-France. Il y a des soldats, des marins, des colons, des aventuriers, des gens du Nord et des voyageurs du Sud, des prêtres et des missionnaires, des médecins et des charlatans. Bref, comme en un immense port terrien, des hommes et des peuplades investissent successivement la région par amour de son sol, de ses paysages, de son climat.

Avec l'arrivée des Francs, boulimiques de sols et de victoires, l'Ile-de-France connaît sa première aventure politique. Jamais, jusqu'alors, le pays n'a été vraiment dominé. L'autorité romaine n'y disparaît pas : elle n'a existé que superficiellement. Ce sont les Francs, les premiers, qui vont donner un sens à son histoire.

A partir de l'éclatement de l'Empire, sur ces terres où le pouvoir est à prendre, et d'abord à inventer, commence la saga des Francs. Ceux-ci n'entendent pas imiter les souverains romains ou orientaux qui incarnent des pouvoirs passés, exercés par des hommes disparus ou en fuite. Constantin, Julien, et puis personne... Clovis crée du neuf. Lentement, mais sûrement. Le Gallo-Romain reste à l'écart. Paris supplante Lutèce.

Les références poétiques ou épiques, les archives de Rome et de l'Eglise, témoignent de l'irrésistible poussée de ces Francs, guerriers germains installés dans les marécages bataves ou frisons, étendant leurs peuplements le long des rives du Rhin. A la différence des grandes migrations barbares, qui passent comme des cavalcades de pilleurs et qui disparaissent dans la nuit des temps, les Francs s'infiltrent vers les terres du Brabant, vers la Somme, vers la Picardie. Clodion, Mérovée, Richemer, Chilpéric descendront vers la Seine et l'Oise, délaissant leurs bases de l'Escaut et de la Campine. Ils sont bons marins. Leur expérience des deltas du Rhin ou de l'Escaut leur permet de naviguer sans difficultés sur les fleuves d'Ile-de-France. Désormais, les voilà sur un sol propice à la culture et à l'élevage. Ils s'installent sur la grande plaine francilienne en suivant les voies maritimes, fluviales ou terrestres, se protégeant sur leurs flancs des Provençaux et des Burgondes.

Clovis frappe comme l'éclair. Il prépare si bien ses batailles qu'elles sont décisives. A Tolbiac, en 496, il écrase les Alamans ; à Vouillé, en 507, il réduit les Wisigoths. Les Francs savent se cacher, tendre des embuscades dans les marais. Ils aiment cultiver, l'orge plus que le blé. Ils adorent la bière et les banquets. Près des clairières, ils établissent des campements et préparent leurs expéditions. Ils ne commercent pas. Magnanimes, ils font des cadeaux. Ils admirent les villes romaines, gallo-romaines, mais ils ne les habitent pas. Ils vivent dans la nature, de préférence le long des rivières. Ils inventent le village comme Rome avait créé la société urbaine.

Au début du Ve siècle, ils cernent toute l'Ile-de-France. Les chefs s'aventurent vers les plaines et les coteaux. Ils délaissent les voies romaines. Leur ambition n'est pas seulement de piller, ils veulent surtout occuper, séjourner, résider.

Ne représentant qu'à peine deux pour cent de la population, ils ne peuvent imposer leur pouvoir que par une savante politique, combinant la démonstration militaire et la gestion commune des terres. Pour exister, ils doivent créer une nation, communauté originale à laquelle chacun a envie de s'agréger. Aussi organisent-ils des alliances dont ils ont compris la nécessité. Ils s'attachent à parler la langue de l'autre. Rapidement, ils acceptent une loi commune pour les grands délits. La loi salique, rédigée plus tard, confirme la distinction, mais aussi la juxtaposition du Franc, du Barbare et du Gallo-Romain, établissant l'égalité entre le nouveau vainqueur et les vaincus d'hier.

Ils délaissent les villes pour les modestes villages. En Val-d'Oise, en Seine-Saint-Denis, le long de la Seine ou en plein Gâtinais, on retrouve les trous des pieux de fondation. Aussi peut-on reconstituer ces petits territoires où ils ne s'imposent que grâce aux capacités dont ils font preuve. Ils savent défendre les récoltes, travailler les bijoux et surtout les armes. Le théâtre de Genainville, les décors de la Bauve, les systèmes de four à chauffe de Guerville ou les soubassements de Jouarre, tout atteste d'un mode de vie ni urbain, ni rural, mais d'une vie de clan. Ils organisent des assemblées où, à tour de rôle, chacun parle et propose. Le politique franc s'incarne dans ce phénomène de société. Il est, en quelque sorte, l'inventeur du dialogue social.

Rome n'a jamais partagé. Rome n'a cherché à susciter que le désir d'être romain. Le Franc, en revanche, propose un mode d'amalgame où chacun conserve sa différence. C'est ici, en Ile-de-France, que se vit la première expérience de démocratie directe. Avec le système romain, l'homme se situe par rapport à une échelle, dans une hiérarchie ascendante. Avec les Francs, même si le pouvoir du chef s'exprime, parfois durement, une place essentielle est réservée à l'écoute, à la parole, au conseil, à l'échange.

Là est la grandeur de Clovis. Il écrase militairement tous ses rivaux, mais il ne se satisfait pas de la victoire. C'est ce qui le différencie des autres. Les Ripuaires ou les Alamans auraient pu réussir. Ils ont échoué car il leur manquait la dimension politique.

Ascaris, Ragaise, Théodemir ou Richemer ne sont connus que par des exploits militaires, vrais ou légendaires. Mérovée, Childéric, Clovis réalisent l'exploit politique. Jamais les Francs n'occupent les villes qu'ils ont prises, brûlées ou pillées. Ils occupent les sols. Ils cultivent les terres. Si l'on retrouve leurs armes dans leurs sarcophages de calcaire ou de plâtre, on en retire également les outils et les instruments de travail. Soldats, paysans, artisans, c'est selon le destin, c'est selon le moment. Aussi les Francs vont-ils exploiter toutes les vallées, toutes les clairières. Ils y organisent une vie agréable, que l'on admire ou jalouse, un type d'existence qui ne laisse pas indifférent, à laquelle beaucoup veulent adhérer. Un modèle s'impose.

Très vite, au sud de la Loire, au pays des Bretons nostalgiques, sur les deux rives de la Manche et de la mer du Nord, à l'est, on s'accorde à reconnaître que les Francs ont tracé les frontières de l'Ile-de-France. Obstinément, des historiens s'évertuent à nous conter les affrontements entre les Barbares, les Huns, les Vandales, les Alains, et les troupes qualifiées de

« remparts de la civilisation romaine » commandées par des généraux d'origine arabe, sarmate, ou slave. Histoires sans suite... Ce qui est remarquable, c'est l'efficacité avec laquelle, en moins de trois générations, Childéric et Clovis, puis ses fils, tracent les limites d'un pays, inventent une capitale, réunissant les autres régions autour de ce cœur, désormais et à jamais celui de notre pays, l'Ile-de-France.

La politique des Francs s'articule autour de trois grandes novations : elle fonde un droit ; elle impose une égalité de vie à partir des terres exploitées en commun, même si les bénéfices se répartissent inégalement ; elle reconnaît un statut à toute population. A la différence des Romains distinguant dans la société deux catégories de personnes, le citoyen et le barbare, les Francs s'associent et, par contrat établi à partir de la terre et du travail, ils inventent un monde pluraliste. Les nombreuses nécropoles, retrouvées à Saint-Denis comme en plein champ, révèlent que les Francs tolèrent les croyances des autres, les statuts des autres, leurs vêtements ou leurs armes. Il ne s'agit pas du syncrétisme bienveillant, à la romaine, où le forum devient le salon des religions antiques dès lors qu'elles mènent à la sacralisation de l'empereur. Il s'agit du respect de l'homme.

Clovis témoigne d'un sens politique étonnant. Puisqu'il est obligé de livrer bataille pour protéger ses forêts, ses clairières et ses rivières, il s'y prend de façon très habile. Il écarte ses ennemis grâce à l'aide des coalitions qu'il sait organiser. Il remporte succès sur succès. Les combats qu'il mène se déroulent notamment du côté de Reims et sur le front des Alamans qu'il malmène et bouscule. Il lui faudra beaucoup de persévérance et de génie stratégique pour les écraser définitivement. On oublie souvent de le souligner : les victoires de Clovis conduisent à l'assimilation ou à la disparition de l'adversaire. Quand Clovis et, à sa suite, les Mérovingiens parcourent les villes, ils rassemblent leurs populations ; ils y rendent la justice ; ils « civilisent ». Le ve et le vi^e siècle verront disparaître les Goths, les Wisigoths, les Burgondes, les Alamans, les derniers Gallo-Romains. Un seul pouvoir politique s'implante et s'impose, nouveau et triomphant, celui des Francs. Sa réussite sera telle que les Carolingiens et les Capétiens s'inspireront du modèle.

Les zones de culture sont valorisées, les passages fluviaux et terrestres contrôlés. Jamais les Francs ne s'en remettent à d'autres pour protéger leurs frontières. Ceux qui les contestent sont anéantis. Même lors de la période de décadence des rois fainéants.

Le respect de la terre commune, l'inviolabilité du territoire demeurent la règle. La tradition franque est fondamentalement rurale. Les cités ne se développeront que longtemps après. Contrairement à la tentation de Childéric, Clovis ne choisira la capitale que lorsque sera venu – après Vouillé – le temps des certitudes. Il se décidera alors pour Paris, même si des liens très forts auraient pu lui faire retenir tel ou tel autre lieu. Clovis ne laisse rien au hasard. « Puis, il quitta Tours pour venir à Paris et y fixa le siège du royaume », note laconiquement Grégoire de Tours.

Avant Clovis, nul ne pouvait délimiter l'Ile-de-France. Après lui, la région-capitale est née par la volonté de la seule force politique nouvelle. Après sa mort, et en dépit des partages, l'Ile-de-France ne disparaîtra pas. Son aventure va se poursuivre, même si les Thierry ou Childebert s'avéreront être des médiocres, alors que les autres grands empires barbares d'Occident s'effondreront les uns après les autres, quel qu'en soit le potentat, Alaric, Gondebaud ou Théodoric.

En visitant régulièrement son domaine, Clovis éprouve les fidélités de ses sujets comme de ses colons. Il recueille avis et témoignages. Ce faisant, il constate combien les populations sont attachées à des cultes qui leur permettent d'avoir accès à d'autres rêves, à d'autres mondes. Ainsi, perçoit-il le rôle fédérateur des religions.

Dès les IIe et IIIe siècles, le culte de l'empereur a remplacé les cultes païens classiques, celui-ci n'hésitant pas à se diviniser vivant. Dioclétien, d'origine illyrienne, imagina des cérémonies, des rituels. Bien qu'abandonnant Rome pour fonder une nouvelle capitale, Constantin fit de même. Au gré de ses conquêtes, Clovis prend conscience que la seule autorité qu'il exerce sur les clans qu'il fédère ne suffit pas à garantir l'obéissance et le respect. Par leur imaginaire, par l'effet des traditions, par leurs croyances, les hommes recherchent un supplément d'âme dans lequel ils s'enracinent.

Il constate, dans les nécropoles et les sanctuaires, les traces de cultes pratiqués par les légions romaines. Venant d'Asie ou du Danube, celles-ci ont véhiculé les espérances suscitées par les extravagances de l'empereur Soleil ou les rites sécurisants de la religion de Mithra. Les découvertes de nos archéologues attestent que, partout, dans nos villages, se sont superposées ou amagalmées des pratiques orientales, celtes, scandinaves ou gallo-romaines.

Clovis médite ces exemples. Il comprend que, derrière le pouvoir militaire et politique, existe un autre pouvoir, à la base même des relations humaines, le pouvoir religieux, dont la forme moderne reste à inventer. Par son baptême, le 25 décembre 496, il engage une véritable révolution. Révolution chrétienne, dont la portée sera immense.

Avant cet événement, essentiel, l'histoire des croyances, dont on retrouve les traces au cœur de notre sol, est étonnamment diverse. A l'origine, les Francs, les Ripuaires, les Saliens vénéraient les marques de leurs anciens, ancêtres ou étrangers. Des cultes propitiatoires étaient rendus là où des hommes avaient dressé des dolmens ou des menhirs. Partout, où ils avaient posé des dalles, on construisait des allées couvertes, notamment à Presles, Aronville, Guiry-en-Vexin, Saint-Martin-du-Tertre, Vauréal, Breuil-en-Vexin. On y retrouve des vestiges de monuments, condamnés plus tard par les premiers évêques et les nouveaux chrétiens.

Les Francs, comme les peuples celtes, ont une vénération pour les eaux, les fontaines, les sources qu'ils sacralisent. A Poigny, l'église Saint-Michel révèle, en son abside, des fondations franques, reconnaissables à l'assemblage des moellons calcaires, aux sarcophages et à la source aménagée pour les cérémonies de libation. Vénérant l'eau jaillissante, les Francs protègent le bassin dallé de marbre blanc de Septeuil qui date de la fin de l'Empire.

Clovis constate qu'au fur et à mesure que les missionnaires s'implantent, les dieux perses, celtes, romains ou gaulois sont mis en déroute. L'Église se montre résolue, efficace. Elle convertit avec ardeur. Tandis que la paix s'impose progressivement, des « provinces » s'organisent autour de l'évêque, diocèses avant la lettre. Elles forment une nouvelle ossature territoriale dont le prélat devient le ferment et le relais.

Les envahisseurs découvrent la force originale de ces pasteurs, fondée sur un autre Dieu et illustrée par des témoins héroïques contemporains, les martyrs. Les paysans-soldats des campagnes se font peu à peu à cette nouvelle religion qui leur apparaît incompatible avec les autres.

Clovis observe que les populations des territoires qu'il occupe entre la mer du Nord et la Loire, en particulier celles des territoires d'Ile-de-France, se convertissent à la religion de leurs évêques. Il constate que tous les cultes syncrétistes perpétués sur les autels celtes, romains ou gaulois sont de plus en plus remplacés par le culte des saints de la nouvelle Église romaine catholique.

Naguère, les chefs militaires cherchaient à faire prévaloir leurs propres convictions, alors que les paysans s'en tenaient à leurs traditions. Clovis est sensible au fait que les laboureurs, les ouvriers, les artisans se reconnaissent dans l'obédience à leur évêque. Les dolmens, les menhirs, les fontaines sacrées sont délaissés au profit d'oratoires et de chapelles où les missionnaires annoncent l'évangile.

C'est cet élan irrésistible de la foi chrétienne qui le conduit à se convertir et à demander le baptême à Remy. Grégoire de Tours en rapporte la cérémonie : « Il s'avance vers la piscine. Lorsqu'il y fut entré pour le baptême, le saint de Dieu l'interpella d'une voix éloquente en ces termes : " Courbe doucement la tête, ô Sicambre, adore ce que tu as brûlé, brûle ce que tu as adoré. " » L'histoire venait de prendre un nouveau tournant.

Pour mieux frapper les esprits et asseoir l'œuvre à Reims. Clovis décide d'être inhumé sur la montagne Sainte-Geneviève, à l'endroit saint par excellence de Paris, la capitale qu'il s'est choisie, « dans la basilique des Saints-Apôtres, que lui-même avait construite avec la reine Clotilde », comme le souligne Grégoire de Tours, dans son *Histoire des Francs*. Son peuple et lui demeureront, à travers les siècles, fidèles à cet engagement de Noël 496.

Excellent général, fin stratège, il aurait pu se faire empereur. Il ne l'a pas voulu. Il se proclame roi et fonde la première dynastie héréditaire de notre pays. Elle durera près de cinq siècles sur la dynamique qu'il a impulsée et que rien ne remettra en cause, pas même les rois médiocres, pas même les invasions normandes et la prise de Paris, en 845. Au contraire, la royauté s'enracinera en même temps que l'Ile-de-France s'imposera définitivement comme région-capitale.

Bien des lieux attestent de l'implantation mérovingienne. Ainsi, les églises Sainte-Baudile, à Neuilly-sur-Marne ou Saint-Hermeland, à Bagneux. Le souvenir du roi Sigebert est attaché à Vitry. Les filles de Brunehaut furent incarcérées à Meaux. Pérégrinants et guerriers, les fils et petits-fils de Clovis aimeront changer de résidence. Palaiseau y trouvera son origine. On les retrouve ici et là, comme en témoignent les dizaines de cimetières, que les chantiers contemporains mettent au jour. Ils guerroient du côté d'Auxerre, de Meaux, de Chartres, sur les bords de la Loire. Ils lancent parfois un raid plus lointain, sans jamais avoir les audaces, le sens stratégique de Clovis, mais sans jamais remettre son œuvre en question.

Marqués, eux aussi, par la révolution chrétienne, ils installent des nécropoles à Soissons, Noyon, Dreux, Jouarre, Nanterre... partout où un saint martyr ou un confesseur a sanctifié le lieu. Ils fondent abbayes et monastères au milieu des campagnes pour mieux les gérer et pour accroître le rayonnement de leur royaume. En même temps, à l'ombre de la croix, des moines conservent et diffusent les œuvres latines et grecques. Dès le VIIIe siècle, des ateliers de copistes s'installent dans les abbayes de Saint-Germain-des-Prés, de Saint-Denis, de Saint-Maur.

Le rayonnement de Saint-Denis confirme à Dagobert l'autre très grande figure de la dynastie mérovingienne, mort en 638, et aux autres souverains que l'Ile-de-France est, bien, désormais, le centre du royaume, le cœur de la monarchie. Solennellement, ils placent à côté de leurs tombeaux, dans la nécropole royale, la sépulture du vénérable ancêtre que fut Clovis dont les descendants confirment irréversiblement l'entrée de l'Ile-de-France dans l'histoire.

Plus qu'une entrée, un enracinement qui résiste au choc des invasions normandes du IXe siècle qui ébranlent le cadre carolingien. Il faut dire que, succédant aux Mérovingiens, les Carolingiens, oubliant que Pépin le Bref s'est fait sacrer à Saint-Denis, en 754, commettent l'erreur de tourner leur regard vers l'Est. La région, devenant une marche, subit le sort de toutes les frontières : elle est vulnérable. D'autant plus que la densité de son réseau fluvial et sa richesse facilitent invasions et attisent les convoitises.

Au IXe siècle, elle vit en état d'alerte permanente. Les Normands, danois ou norvégiens, ces hommes terribles venus du Nord par la mer, remontent les fleuves dans leurs drakkars. Ils incendient tout sur leur passage, allant même jusqu'à profaner les abbayes et les églises.

« Ce sont des blessures sanglantes, des pillages au cours desquels on s'arrache tout, de sombres meurtres, des flammes dévorantes (...) » Abbon.

Afin de barrer la route aux envahisseurs, on répare hâtivement les murailles, on construit des camps retranchés à Mantes, à Meulan, à Pontoise. Mais rien n'arrête les Normands et les populations fuient leur approche.

Le 24 novembre 885, ils sont devant Paris, point stratégique pour ces hommes dont la flotte est le principal moyen de transport. Par la Seine et la Marne, ils auront accès à toute une contrée riche, donc bonne à piller.

Commence alors un long siège dont l'histoire nous est parvenue à travers le récit laissé par le moine Abbon. La résistance est menée avec ardeur par le comte Eudes, fils de Robert le Fort, l'évêque Gozlin et l'abbé Ebles, pendant une année entière.

En octobre 886, Charles le Gros vient au secours de la cité mais ne peut engager la bataille et achète le départ des Normands contre un tribut et l'autorisation de piller la Bourgogne.

Les ravages et les souffrances des populations ne cesseront qu'en 911 avec le traité de paix de Saint-Clair-sur-Epte.

La seule autorité réelle qui se maintient est celle de l'Eglise, groupée autour de ses évêques ou des abbayes, comme la toute-puissante de Saint-Germain-des-Prés dont les domaines s'étendent très largement au sud de la capitale sur environ 30 000 hectares. Au nord, Saint-Denis joue le même rôle protecteur avec ses foires qui permettent les échanges entre l'Europe du Nord et l'Italie.

La dynastie carolingienne, qui a connu ses heures de gloire avec le grand Charlemagne, s'essouffle dans l'épreuve avant de disparaître et de laisser place aux Capétiens.

Sillonnant le terrain durant un siècle, chevauchant de Voves à Dourdan, de Dourdan à Paris, ceux-ci se font aimer et apprécier. Se reposant sur la forte armature de l'Église, Hugues Capet impulse un nouveau souffle à l'Ile-de-France et au pays tout entier en ouvrant un nouveau millénaire.

CHAPITRE IV

LE SCEPTRE ET LE VITRAIL

La fin difficile des Carolingiens et l'avènement des Capétiens marquent un tournant décisif dans la vie et le paysage de l'Ile-de-France. Entre la mort accidentelle du jeune Louis V, en 987, en forêt de Senlis, ponctuant le déchirement du royaume, et le décès prématuré, en 1314, du plus puissant souverain européen, Philippe IV le Bel, un peu plus de trois siècles se sont écoulés, trois siècles marqués par l'impressionnante ascension de la nouvelle dynastie.

Cette longue période est caractérisée par le renforcement progressif de l'autorité royale, tant dans son domaine propre, qui ne dépasse guère les limites de l'Ile-de-France, que dans le royaume tout entier.

Les populations franciliennes sont les premières bénéficiaires de l'alternance dynastique, un temps incertaine, en particulier après la mort de l'oncle de Louis V, Charles de Basse Lorraine, le « roi de Laon ». L'émiettement féodal, en germe dans la semi-anarchie des ultimes règnes carolingiens, fait progressivement place à une réorganisation du territoire régional à laquelle s'attachent les premiers Capétiens. Leur méfiance à l'égard des puissants voisins du domaine royal les conduit à établir de véritables lignes de défense face au duché de Normandie et au comté de Champagne. La gestion avisée de leur patrimoine les pousse à privilégier certaines ascensions sociales et politiques plutôt que le respect de lignages traditionnellement hostiles.

Une meilleure administration augmente le rendement des droits et des taxes, et renforce l'influence de la nouvelle lignée dans les évêchés et les monastères royaux. La population, plus confiante, mieux protégée, s'accroît. Le « blanc manteau » des églises romanes précède la floraison « gothique » qui naît au nord de la région. Les progrès de la voirie et de la maréchaussée favorisent le développement des échanges. L'Ile-de-France attire les foires qui ont enrichi la Champagne durant le XIIe siècle et le premier quart du XIIIe. Ainsi, sous le sceptre de souverains déterminés, mais prudents, le vitrail de l'Ile-de-France prend des couleurs nouvelles, plus brillantes. Places fortes, bourgs ou villes aux positions stratégiques, châteaux, cathédrales, abbayes ou collégiales, constituant le legs, encore bien vivant, de ces siècles de renouveau.

Comment s'est opérée cette évolution ? Hugues Capet, élu roi à Senlis, en 987, est titulaire, depuis la mort de son père, Hugues le Grand, en 956, des comtés de Paris, Senlis, Orléans et Dreux en même temps qu'abbé laïc de Saint-Germain-des-Prés et de Saint-Martin de Tours. Proche de saint Mayeul, lié aux empereurs saxons, il est, à la fois, le protecteur attitré de la réforme grégorienne, voulue par la papauté, et l'homme d'un nouvel équilibre international.

L'Ile-de-France comprend les comtés de Paris et de Senlis, avec les anciens fiscs de Béthisy, Compiègne et Verberie annexés par Capet lui-même. Dans les comtés d'Orléans et d'Étampes, seule la châtellenie de Dourdan, acquise par le roi Eudes, est francilienne, comme celle de Poissy. L'Ile-de-France du XIe siècle est donc un rectangle imparfait, s'étendant de Dreux et Mantes, à l'ouest, jusqu'à Noyon, Laon, Soissons et Melun, à l'est. Chartres, Étampes, Meaux, Provins, Nemours n'en font pas partie. Les terroirs sont cependant si étroitement imbriqués que ces villes jouent leur rôle.

La redistribution et la multiplication des fiefs constituent l'un des faits majeurs de la première période capétienne. Les grands comtés de l'ère carolingienne ont été brisés par les Normands ou se sont effacés peu après l'an mille. Ainsi en va-t-il pour le comté de Paris, disparu en 1016, puis pour ceux de Senlis, Chambly et Corbeil.

Les nouveaux comtes ont parfois des origines obscures, tels Robert de Rochefort-en-Yvelines ou Manassés de Dammartin ou encore Galeran de Meulan. Le transfert du pouvoir féodal se réduit souvent à une redistribution des droits et des titres plutôt qu'à une rupture dans les lignages. Ainsi, Yves de Creil, le maître artilleur du carolingien Louis IV d'Outremer, aurait été l'aïeul des comtes de Beaumont. Bouchard Ier de Montmorency, dit le Barbu, châtelain de Brouy-sur-Seine, descend probablement d'un duc de la cour des rois anglo-saxons.

Redécoupés, morcelés, les fiefs se multiplient. Si les provinces frontalières, telles la Normandie ou l'Anjou, ont conservé un pouvoir relativement fort, en Ile-de-France, la dilution de l'autorité s'est accentuée dès le milieu du IXe siècle. Très vite, les seigneuries se sont divisées en fiefs qui ne sont, en fait, que de modestes concessions de service public. Guère plus étendu qu'une ferme de quelques hectares, le fief permet à une petite communauté de vivre en bénéficiant du droit de four ou de moulin. Ces fiefs s'inscrivent dans une logique pyramidale de dépendance. Pour les tenir, il faut rendre hommage de seigneur inférieur à seigneur supérieur jusqu'au suzerain et, plus tard, au souverain. C'est ainsi que l' Ile-de-France apparaît progressivement comme une région organisée, structurée.

Cependant, au début de l'âge capétien, les seigneurs ont eu du mal à reconnaître le cadre royal. Les nouveaux châtelains oscillent alors entre une sourcilleuse indépendance et l'hommage conflictuel à plusieurs suzerains. Robert le Pieux a maille à partir avec les seigneurs beaucerons. Le malheureux Henri Ier, à l'épouse russe vite déçue, voit se liguer contre lui les alliés franciliens du comte de Blois. Son fils, Philippe Ier, se heurte aux prétentions de Guillaume le Conquérant sur le Vexin français, où la mort l'attend. Maître du Vermandois et du Gâtinais,

dès 1068, il s'empare de l'est du Vexin en 1077. Hugues du
Puiset l'a longtemps nargué du haut du donjon de Montlhéry, puissante forteresse, construite entre 991 et 1015, avec sa
triple muraille et ses cinq tours dont une seule, au demeurant
tronquée, a résisté jusqu'à nous. Louis VI le Gros, mieux armé,
plus méthodique, bénéficiant des conseils des Garlande, puis de
l'abbé Suger de Saint-Denis, réduit à sa merci les seigneurs de
Montmorency et de Beaumont-sur-Oise. Après avoir mis fin
aux brigandages de Thomas de Marle, il s'empare de Chevreuse, Rochefort, Châteaufort, Neauphle-le-Château et Corbeil. Ainsi se met en place, sur tout le pourtour sud-ouest du
domaine royal, un glacis fortifié.

Le morcellement du terroir joue en faveur des Capétiens.
Comtes et simples châtelains relèvent directement du roi. Ils ne
sont jamais totalement étrangers à son domaine. Celui-ci ne
comprend toutefois pas les nouveaux comtés récemment
reconstitués du Valois et du Vexin, tels ceux de Dammartin-en-
Goële, Corbeil, Clermont, Beaumont-sur-Oise ou Meulan.

A son avènement, Hugues Capet avait laissé le comté de
Paris à Bouchard de Vendôme. Ne relevaient pas non plus du
domaine royal les fiefs des simples sires de Montlhéry, du Puiset, de Chevreuse, de Rochefort, de L'Isle-Adam ou de Montmorency. Le roi bénéficiait cependant de nombreux avantages
politiques et économiques, notamment des profits de justice,
des taxes sur les denrées, du droit de frapper monnaie, d'en
fixer le cours et d'en modifier la valeur, des redevances agricoles ou d'habitat. Comme les châtelains royaux de Mantes,
Compiègne, Poissy, Pontoise, Étampes ou Melun détournaient
souvent à leur profit ces droits exercés au nom du roi, celui-ci
installe, comme à Gournay, des prévôts pour les surveiller et le
représenter. Par eux le souverain exerce son pouvoir. Il
s'appuie sur certaines familles. Par exemple, la famille Le
Riche, dite de Paris, titulaire, de longue date, de cette prévôté,
qui descend d'un comte carolingien, Guérin de Paris, et de
Raingarde, maîtresse d'Hugues le Grand, père de Capet.

Ainsi se multiplient les familles influentes du premier âge
capétien, les premières dynasties franciliennes : les célèbres

Bouteiller, les Garlande, dont témoigne l'Hôtel-Dieu de Senlis qui porte leur nom, les seigneurs de Pontoise, Clermont, Chambly, Chevreuse, Maule, Montlhéry ou Étampes. Au cours du XIIe siècle ces prévôts ne sont plus bien adaptés à leurs tâches notoirement accrues puisqu'elles concernent autant la justice que les finances et la défense. Une réforme s'impose. Philippe-Auguste institue alors les baillis et les sénéchaux. Les baillis, itinérants, rendent la justice. A partir du XIIIe siècle, ils se voient affecter des secteurs déterminés ; des baillages sont constitués dans les principales villes royales, telles Dourdan, Étampes, Mantes, Meaux, Melun, Montfort-l'Amaury, Nemours, favorisant leur développement. Paris cumule prévôté et vicomté. Prévôts et baillis règnent sur une foule d'administrateurs plus modestes, mais non moins diligents. Cela va des maires ou des tonloyers aux voyers, qui régissent la voirie, aux gruyers et autres verdiers qui arpentent les forêts de Vincennes, Saint-Germain-en-Laye, Sénart ou Thelles.

Louis VII est particulièrement attentif au produit des droits, tonlieux et péages en tous genres. Ses représentants enrichissent le trésor royal grâce au transit sur la Seine et sur l'Oise, aux pêcheries de l'Orge, aux sauf-conduits qu'ils exigent à Longpont et à Saint-Clair-sur-Epte, à la limite du duché de Normandie. Ils prélèvent des dîmes à Cergy et Vailly, le cens à Royallieu, aux portes de Compiègne, des droits sur le vinage et les vignobles de Triel et de Montmorency, sur les moulins d'Avon et de Chaumont-en-Vexin, ou sur de riches terres, comme à Saint-Denis, Auvers-sur-Oise, Morigny, Pontpoint ou Plailly-en-Valois. On n'en finit pas d'énumérer les revenus espérés de l'hauban, de l'ost, du gîte, de la taille, des corvées et des coutumes par ce roi parcimonieux et vigilant. Sa richesse est considérable. A Paris, où sévit son fort influent prévôt, Louis VII possède palais, maisons, terres, vignobles, celliers, droits de monnaie, de foires, de marchés, de hauban, cens levés sur les métiers. Fours et moulins complètent une pêcherie et d'innombrables droits. A Laon, bastion de l'ancienne légitimité carolingienne, il se fait céder le château, en 1158, par Gérard de Quierzy, seigneur du berceau des pépinides. A Pontoise, Poissy,

Corbeil, Melun, au Châtelet-en-Brie, à Moret-sur-Loing, Fontainebleau et Soissons, il dispose d'autant de châteaux où il se plaît à résider. S'y ajoutent des *villae*, granges, celliers, fours, moulins, marchés et transits à Pontoise, Mantes, Dourdan, Poissy, Corbeil et Melun. Il tire de substantiels revenus des forêts de Compiègne et de Saint-Sauveur, et incite, en 1157, la reine mère Adélaïde à créer le village de Royallieu, entre la célèbre forêt de Cuise et le bourg de Compiègne.

Peu enclin à laisser écorner un tel patrimoine, le roi récompense la fidélité de ses meilleurs officiers, tel le bouteiller Guy de Senlis, par des dons gratifiants. Il affectionne tout particulièrement cette ville, où, de 1141 à 1178, il s'offre dix-sept séjours. Dès 1154, il adresse une lettre au clergé du royaume, lui enjoignant d'accorder toute protection nécessaire aux quêteurs œuvrant pour la reconstruction de l'église Sainte-Marie, qui devient, en 1184, siège de la cathèdre épiscopale senlisienne. En 1170, il fonde « pour les pauvres » le prieuré de la Madeleine et établit de nouveaux liens entre Saint-Victor de Paris et l'abbaye Saint-Vincent, élevée par Anne de Russie. Il offre à Senlis, en gage tout particulier de sa bienveillance, la foire annuelle de Saint-Ladre, fixée au 8 septembre, fête de la Nativité de la Vierge. Il dote également d'autres cités d'Ile-de-France d'institutions charitables, d'hôpitaux ou de léproseries.

Louis VI et Louis VII ont compris l'intérêt d'attirer la population sur leurs propriétés afin de mieux exploiter. Aussi celles-ci multiplient-elles marchés et foires. Le marché des Halles de Paris est transporté, par Louis VI, aux Champeaux, près de Saint-Eustache, où il restera jusqu'en 1969. Poissy, Meulan, Mantes, Melun et Paris reçoivent, comme Senlis, l'autorisation d'organiser des foires. Celle du Lendit, apparue vers 1122, autour de l'abbaye de Saint-Denis, attire, en juin et octobre, foules et marchands durant quinze jours. La Saint-Ladre et la Saint-Germain drainent vers Paris une partie des habitués des foires rivales de Champagne. A Meaux, Lagny, Provins, dont le déclin s'accélère durant le premier quart du XIIIᵉ siècle, se substituent les foires de Saint-Denis, Paris et Compiègne. Baptisé dans cette dernière ville, dont il renforce les fortifications, Philippe Auguste ajoute, en 1186, les douze jours de la foire royale du « Mi-Karesme » aux trois jours primitifs. Cette quinzaine commerciale d'hiver est doublée d'une seconde foire d'été, du 14 au 16 septembre, unissant l'Exaltation de la Croix aux saints Corneille et Cyprien dont l'abbatiale compiégnoise conserve les reliques. Rivale du Lendit, la Mi-Carême attire, aux XIIIe et XIVe siècles, les fourreurs wallons, les drapiers picards et flamands, les orfèvres parisiens, les armuriers allemands et, comme à Paris, les célèbres changeurs juifs de Lombardie. Les marchands du Nord trouvent à Compiègne, moins méridionale que Saint-Denis, le vin d'Ile-de-France et surtout de Bourgogne qui leur fait défaut.

Les communautés rurales ne sont pas oubliées pour autant. Louis VI et Louis VII leur concèdent de nouveaux droits. La population, mieux protégée, moins taxée, s'accroît. Les garanties qui lui sont accordées la favorisent. Les habitants des campagnes sont libres ; le servage est réduit à une unique année ; seule subsiste une corvée ; il n'y a plus ni taille, ni tolte, ni aide, ni minage, ni droit sur la vente du vin, ni tonlieu, ni coutume. Chacune des communautés doit, toutefois, un cens annuel et reste passible de la justice royale, rendue par le prévôt et ses hommes. Les forêts de Compiègne, Cuise, Saint-Germain-en-Laye et du Hurepoix, sur les berges de l'Orge, sont défrichées. Cette politique habile s'accompagne de nombreux affranchissements de serfs. Le roi se montre clairement libéral.

Il se montre aussi justicier comme Louis IX qui effectue souvent de grandes tournées dans son royaume et, particulièrement, en Ile-de-France, pour rendre la justice.

Il veut par l'exemple montrer que la fonction royale s'incarne dans la justice, l'ordre, la paix et la charité. Pour cela il ouvre les portes des jardins de son palais de la Cité, situé à l'emplacement de l'actuel Palais de Justice, et s'attarde dans le bois de Vincennes. Qui ne connaît cette image, transmise par Joinville, historiographe de Saint-Louis ?

« Maintes fois, il advint qu'en été il allait s'asseoir au bois de Vincennes après la messe, et s'appuyait à un chêne, et nous faisait asseoir autour de lui, et tous ceux qui avaient à faire venaient lui parler, sans empêchement d'huissier et d'autres. Alors, il leur demandait lui-même : " Y a-t-il quelqu'un qui ait partie ? " Et ceux qui avaient partie – procès – se levaient et lors il disait : " Taisez-vous tous et on vous expédiera l'un après l'autre. " »

Soucieux des prérogatives des officiers de justice, Louis IX ne prononce pas lui-même les jugements mais il les corrige en cas d'iniquité. Il est le juge supérieur. Il prolonge également son action en matière de justice. Reprenant les prescriptions du droit canonique, il élabore un véritable code de procédure pénale, applicable à tous, sur l'ensemble du domaine royal. Il abolit le duel judiciaire et le remplace par l'enquête et d'audition de témoins. Il lutte contre le droit de vengeance, prohibe le jeu, interdit la prostitution... Enfin, il instaure l'appel du jugement devant le Parlement. De l'Ile-de-France ces principes rayonneront dans les autres régions.

La liberté est également la règle en milieu urbain, qu'elle soit inspirée par l'évêque ou le Seigneur, ou qu'elle relève directement de la bonne volonté du roi. A Soissons, l'évêque Lisiard concède, sans difficulté, entre 1115 et 1126, des franchises dont la liste sert de référence dans toute la contrée, avant de s'étendre en Champagne et en Bourgogne. Louis VII confirme les chartes de Laon, Soissons et Mantes.

Les bourgeois de Meaux s'étant fortement enrichis grâce à l'une des célèbres foires de Champagne, obtiennent, en 1179, une charte communale du comte de Champagne et de Brie, Henri le Libéral. Son successeur, Thibaut VI, la confirme en 1222, confirmation dont le texte est parvenu jusqu'à nous. La réforme grégorienne permettant aux bénédictins de succéder aux chanoines dépravés soutenus par Philippe, frère cadet de Louis VII, ce dernier érige Compiègne en commune, en 1153. La même année, la mère du roi, Adélaïde, accorde à la « ville neuve » de Royallieu une charte que son fils confirme en 1177 après avoir également concédé, en 1173, une charte à sa bonne ville de Senlis, à la requête de Guy le Bouteiller, grand officier de la couronne.

Ainsi, de Louis VI à Philippe Auguste, c'est une volonté

politique du gouvernement capétien qui s'affirme : protéger Paris, demeuré sans charte, mais cœur du royaume et du domaine royal, par un bouclier de villes « autonomes » situées en arc de cercle au nord de la capitale, quasiment aux limites de notre région actuelle. Mantes, Beauvais, Compiègne et Royal-lieu, Noyon et Senlis, sont les points forts de ce bouclier.

En 1214, lors de la bataille de Bouvines, qui permet d'arrêter l'invasion impériale germano-anglo-flamande, Philippe Auguste, « empereur en son royaume », recueille les fruits de cette patiente et intelligente politique, conjuguant autorité royale et libertés locales. L'abbaye de la Victoire qu'il érige aux portes de Senlis, après son triomphe, continue d'en porter témoignage. Un enfant de la ville, le chancelier Guérin, en devient évêque.

C'est la même continuité qui se manifeste, de Louis VII à Philippe Auguste, à l'ouest du domaine royal. Le premier, étroitement allié à la puissante maison de Chartres-Champagne, après avoir fait du comte Thibault son sénéchal, accorde ses faveurs à Dourdan. Résidant volontiers dans la capitale du Hurepoix, il installe les « bonshommes » du nouvel ordre de Grandmont à ses portes, à Notre-Dame-de-l'Ouïe. Son épouse, Alix, affectionne une colline toute proche, devenue la « butte à la Reine », et donne aux templiers la seigneurie de Challou. A son tour, Philippe Auguste fait les beaux jours de Dourdan.

De 1185 à 1222, il concède à la ville, à ses églises et à certains de ses officiers toutes sortes de droits. En avril 1222, évoquant par une charte la fondation d'une messe perpétuelle, il entreprend la construction d'un nouveau château, puissant et fortifié, au cœur même de la cité qu'il domine encore. Les *Très Riches Heures du duc de Berry* nous en ont conservé l'image médiévale.

Plus spectaculaire encore est la progression capétienne en Vexin normand durant les mêmes règnes. Le Vexin français ayant été rattaché, dès 1077, au domaine royal, son prolongement normand est cédé à Louis VII par Geoffroy Plantagenêt pour prix de son aide contre Etienne de Blois. En 1158, le traité de Gisors l'attribue en dot à Marguerite de France, fille de

Louis VII, mariée en 1160 au fils d'Henri II Plantagenêt, Henri le Jeune. En 1183, la mort de ce dernier n'empêche pas Henri II de séquestrer Marguerite et de conserver le Vexin normand. L'internement de Richard Cœur de Lion dans les geôles de Léopold d'Autriche permet à Philippe Auguste de s'allier, en 1193, avec Jean sans Terre qui lui cède la province de Gisors. La guerre, qui fait suite au retour de Richard, s'achève par le traité de Gaillon qui attribue au Capétien le Vexin normand, la châtellenie de Neufmarché ainsi que celles de Gaillon, Vernon, Pacy-sur-Eure, Ivry et Nonancourt. Ainsi se constitue définitivement, face au duché de Normandie amputé, une puissante ligne de défense dont le château de Gisors, élevé par Philippe Auguste et près duquel celui-ci a failli périr, est la clef de voûte.

Autre reflet du rayonnement capétien, l'Église est très directement partie prenante de la politique royale en Ile-de-France. Les monastères carolingiens ont été largement spoliés au Xe siècle. Les Capétiens, en favorisant la réforme grégorienne pour mieux s'imposer, permettent un renouveau spirituel dont bénéficient abbayes et évêchés. Les fondations ecclésiastiques se multiplient. Dès 1008, est fondé Saint-Arnoult de Crépy. Peu après apparaissent les monastères de Saint-Georges de Pithiviers, Saint-Nicaise de Meulan, Yèvre-le-Châtel et Beaugency. Robert le Pieux fait construire l'abbaye de Coulombs. Les Capétiens s'appuient sur les chanoines réguliers de Saint-Augustin, conviés à fonder des collégiales, pour faire pénétrer leur influence dans les campagnes. Ainsi naissent Saint-Barthélemy de Beauvais, en 1037, le prieuré de Conflans Sainte-Honorine, en 1039, Saint-Martin-des-Champs, en 1060, Saint-Vincent de Senlis, en 1065.

Louis VII contrôle également les chapitres royaux de Sainte-Geneviève et Saint-Victor, à Paris, Saint-Sauveur à Melun, Saint-Frambourg, à Senlis, Saint-Spire, à Corbeil, Saint-Pierre, à Soissons, Saint-Mellon, à Pontoise, Saint-Séverin et Saint-

Tugual, à Château-Landon en Gâtinais, Saint-Etienne, à Dreux, Saint-Jean-aux-Bois, près de Compiègne.

Avec Suger, abbé de Saint-Denis, les Bénédictins marquent leur influence et renforcent celle de Louis VII grâce à un certain nombre de relais spirituels : Saint-Germain-des-Prés ou Saint-Magloire, à Paris, Saint-Martin, à Pontoise, Saint-Corneille, à Compiègne. Egalement à Saint-Maur-des-Fossés, Liancourt, Massay. Les bénédictines étaient déjà présentes à Montmartre, à Notre-Dame de Soissons, à Notre-Dame et Saint-Jean de Laon, à Saint-Jean de Cuise, à Saint-Paul de Beauvais, tout comme les grandmontais, à Vincennes, ou les cisterciens, à Chaalis et Vauclair.

C'est sous Louis VIII et Louis IX que se manifeste le grand essor cistercien en même temps que celui des mendiants. A l'origine, une passion pour le dépouillement, la pauvreté. Blanche de Castille fonde les abbayes cisterciennes féminines de Maubuisson, près de Pontoise, et de Notre-Dame-du-Lys, à Melun. Saint Louis crée le monastère cistercien de Royaumont dont il rêve de faire un nouveau Saint-Denis, plus austère, au milieu des marais. Le même souci contemplatif le conduit à installer les chartreux à Vauvert. Son goût de la pénitence au cœur de la cité et de la prédication au peuple chrétien l'amène à ériger de nouveaux couvents de mendiants dont les plus renommés se situent à Paris, Senlis ou Compiègne.

Ce n'est pas un hasard si la plus ancienne statue connue du Saint Roi, quasiment contemporaine de sa mort, continue d'être honorée dans la cathédrale de Senlis. Elle rappelle, par la Couronne d'épines sortant de ses mains, que cette sainte relique avait été vénérée à Senlis avant d'être déposée à la Sainte-Chapelle de Paris. De même que, dans cette ville, Louis IX avait reconstruit l'Hôtel-Dieu, élevé un couvent franciscain et le prieuré Saint-Maurice, il installe, à ses frais, à Compiègne, des trinitaires dans l'Hôtel-Dieu, des franciscains ou « cordeliers », en 1245, puis des dominicains, ou « jacobins », en 1258, dans une partie de l'ancien palais construit sous Charles le Chauve. A l'autre extrémité de l'Ile-de-France, la propriété des droits seigneuriaux de Dourdan, accordée en 1253 par Louis IX à son Chambellan, Jean Bourguignel, est, en 1266, transmise par ce dernier à l'abbaye de Longchamp, fondée près de Paris par la sœur du Saint Roi.

Le rôle joué par les évêchés dans la politique capétienne en Ile-de-France n'est pas moins important. Le roi a le droit de régale sur les sièges épiscopaux vacants, c'est-à-dire le droit d'accorder aux chapitres cathédraux le pouvoir d'élire le nouveau titulaire, celui-ci devant être confirmé par le souverain qui reçoit son serment de fidélité. A quelques exceptions près, tous les évêchés sont royaux. Le souverain est leur gardien, leur protecteur, disposition que les Capétiens s'attachent à élargir.

Dans la province ecclésiastique de Reims, tous les sièges, à l'exception de Cambrai, sont royaux avant 1137. Les confidences de saint Bernard révèlent la façon dont, grâce à l'habileté de Suger, Louis VII étend son emprise sur plusieurs sièges de la province ecclésiastique rémoise. C'est d'abord le cas de Noyon, dès 1148, puis de Beauvais où, en 1150, est élu évêque Henri, l'un des frères du roi, de Laon, en 1151, de Soissons, en 1152. Ce dernier siège connaît des évêques éminents liés à la cour, Nivelon de Chérizy, en 1204, diplomate de grande envergure, qui est l'un des personnages marquants de la prise de Constantinople, Jacques de Bazoches, en 1226, qui sacre Louis IX. De 1078 à 1201, six conciles se tiennent à Laon, le plus notoire étant celui qui, en 1121, condamne le fameux Abélard. C'est à Meaux que Gauthier Saveyr, dit le Savant, fête ses trente-sept ans d'épiscopat, rebâtit la cathédrale et ramène de Kiev la princesse Anne, comme l'ont révélé les fouilles de 1966.

Eudes de Deuil, qui a loyalement servi Louis VII à la croisade, devient abbé de Saint-Corneille de Compiègne puis, après la mort de Suger, de Saint-Denis. A Beauvais, au terme de l'épiscopat du prince Henri, lui succèdent Barthélémy de Montcornet, ancien trésorier de Laon, lointain parent des Capétiens, puis, à sa mort, en 1176, un neveu de Louis VII, Philippe, fils de Robert de Dreux.

Prélats et officiers royaux sont souvent apparentés. Barthélémy, frère du bouteiller Guy de Senlis, est doyen du chapitre de Paris avant de monter sur le siège de Châlons. Son oncle a été évêque de Paris. Etienne, de la famille des seigneurs de La-Chapelle-en-Brie et Villebéon, est évêque de Meaux, puis archevêque de Bourges. Trois neveux de celui-ci sont évêques de Paris, Noyon et Meaux ; un autre devient archidiacre de Paris. Ansculf de Soissons est parent de Matthieu de Mont-morency, connétable de 1138 à 1160. Plusieurs évêques sont issus de lignages liés aux Capétiens. Barthélémy de Vir, évêque de Laon, de 1113 à 1151, est petit-fils de Hilduin de Roucy et cousin germain de Renaud de Clermont, époux d'Adèle, veuve de Hugues de Vermandois, qui facilite sa jeune carrière ecclé-siastique. Les seigneurs de Châtillon sur Marne et leurs alliés, les Noyers, sont apparentés à Louis VII par sa nièce, Alix, fille du comte Robert de Dreux, frère du roi. C'est de cette maison de Châtillon que sont issus le pape Urbain II, puis de nombreux archevêques de Sens, primats de Gaule et de Germanie. Le cha-noine de Laon, Jacques de Troyes, ami de Saint Louis, devient le pape Urbain IV. Il offre à sa sœur Sibylle, abbesse cister-cienne de Montreuil en Laonnois, la célèbre icône serbe de la Sainte Face, exposée, depuis 1992, dans la cathédrale de Laon.

L'Église jouit d'une immense puissance foncière. Les trois principaux établissements ecclésiastiques les mieux dotés sont le chapitre cathédral de Paris et les abbayes de Saint-Denis et de Saint-Germain-des-Prés. Ceux-ci possèdent des terres un peu partout, surtout dans les grandes vallées, la Plaine de France et le Plateau de Châtillon, secteurs les plus fertiles. Les biens capi-tulaires sont plus épars. Le chapitre parisien de Notre-Dame dispose de terres en amont de Mantes, sur la Seine, en aval de Cergy, sur l'Oise, à Herblay, au Mesnil-Aubry, à Louvres, Roissy-en-France, Mitry-Mory, Ivry, Chevilly, Saint-Fargeau, Villaroche, Rozay-en-Brie. Son patrimoine s'étend de l'ouest au sud-est de la capitale. L'évêque de Paris, quant à lui, possède des terres à Saint-Cloud, Neuilly, Charenton-le-Pont, Gournay, Pomponne et Chevreuse. Les biens de l'évêque de Meaux sont plus regroupés à Barcy, Étrepilly, Lessart et aux alentours de Poincy-lès-Meaux. Les vastes propriétés de l'abbaye de Saint-Denis sont situées dans les vallées de la Viosne, de l'Esches et du Thérain ainsi qu'à Gouvieux, Trappes, Beaurain, Rueil, Vaucresson, Tremblay, Montmélian, Poincy, Étampes et dans la haute Vallée de la Juine. Les terres de Saint-Germain-des-Prés sont concentrées dans les vallées bien cultivées de la Bièvre et de l'Orge. Celles de l'abbaye de Sainte-Geneviève sont plus dispersées, à Issy, Bagneux, Athis, dans la forêt de Sénart ainsi qu'à Jossigny, Esbly, Roissy-en-France, Rosny-sous-Bois et Vémars, recoupant les biens de Saint-Martin-des-Champs à Rueil, Montmorency, Survilliers et Annet. Les abbayes du Gard et du Lys sont propriétaires autour de Melun et à travers la Brie. Ces biens fonciers sont rarement homogènes, souvent imbriqués au sein des mêmes terroirs.

Comment de tels patrimoines ont-ils pu se constituer ? D'une part, la réforme grégorienne a permis aux clercs de reprendre nombre de biens usurpés par les laïcs. D'autres ont été rachetés, aux XIIe et XIIIe siècles, grâce à des legs ou à des dons de familles chrétiennes. Se sont, en outre, multipliées des acquisitions telles celles figurant dans le Cartulaire blanc de Saint-Denis, qui date de la seconde moitié du XIIIe siècle. C'est ainsi que se sont développés les patrimoines ecclésiastiques. Au début du XIVe siècle, l'abbaye de Saint-Denis effectue, chaque année, des investissements permettant d'élargir réserves, censives ou bois, de supprimer une enclave ou de simplifier une difficile situation juridique. Un acte du parlement de Paris d'août 1287 stipule que « la ville de Govyse est de la chastellenie de Montmélian et appartient à l'abbé de Saint-Denys, qui a toute la justice dudict Govyse, fors que en sa terre le chapitre Nostre-Dame de Senlis a celle du tresfons et des meubles sur ses hommes ». Peu à peu, nombre de fiefs, de métairies autrefois inféodées, de vignes, de terres, de prés, de bois, de maisons, de « granges », viennent conforter ces considérables fortunes immobilières, à l'origine, souvent, de nos actuels villages franciliens.

Les autres monastères et le chapitre de Notre-Dame de Paris procèdent également à de semblables annexions. Le roi, les nobles, les grands bourgeois de la capitale et des petites villes, sont à l'origine de la plupart des acquisitions. Le patrimoine le plus spectaculaire est celui représenté par les actifs du chapitre cathédral parisien qui bénéficie des dons et legs de ses propres membres, recrutés dans la classe dirigeante. Durant le long et riche XIIIᵉ siècle, les chanoines rassemblent progressivement biens-fonds, ruraux surtout, avec méthode et persévérance, comme à Bagneux, L'Haÿ, Sucy, Orly ou Mons-Ablon. Sur le terroir de Sevran, Saint-Martin-des-Champs dispose de quatre fiefs ; les trois plus modestes appartiennent à des chevaliers alors que le quatrième, plus vaste, fait partie du patrimoine d'un bourgeois de Paris, Louis Billouart, qui l'a acheté à Pierre de Sevran.

La réalisation de ces fortunes est le fait d'excellents administrateurs titulaires de la mitre épiscopale ou abbatiale, comme, par exemple, Simon Matifas de Bucy, ancien chanoine, évêque de Paris, professeur de droit ou son successeur, Guillaume de Bauffet d'Aurillac, lui aussi ancien chanoine de Paris et médecin du roi. Les doyens du chapitre, tel Pierre de Belle Perche, sont, avant tout, des juristes et des gestionnaires avisés. Les abbés des grands monastères sont également compétents. Tel est le cas, à Saint-Denis, entre 1287 et 1304, de Renaud Giffart, noble du Vexin français devenu conseiller de Philippe le Bel, ou de son successeur, le Grand Prieur Gilles de Pontoise, abbé de 1304 à 1326, issu de la maison de Chambly et l'un des principaux conseillers des derniers Capétiens. A Saint-Germain-des-Prés, l'administrateur est, de 1289 à 1297, Jean II de Cumène, chargé par le roi de missions auprès du pape.

Grâce à l'efficace et persévérant labeur des Capétiens, Paris s'impose de plus en plus comme le cœur du royaume. Ce n'est pas tant sa cathédrale, largement avancée sous Saint Louis, qui fait sa renommée, c'est l'importance même de la ville, monstrueuse ou merveilleuse selon les dires. Avec quatre-vingt mille habitants au milieu du XIIIᵉ siècle, elle écrase déjà de son poids démographique les autres villes d'Europe occidentale au moment où la richissime Venise ne rassemble que trente mille habitants. Au lendemain du règne de Philippe le Bel, sa population aura plus que doublé. Prestigieuse cité universitaire, drainant vers elle les juristes de Montpellier, de Toulouse, d'Orléans, séduisant prélats et abbés qui s'y font élever de véritables légations, fascinant banquiers lombards et tisserands flamands, Paris illustre la réussite capétienne.

A ses fonctions de capitale administrative, unissant, depuis Philippe II, la *curia regis* à une résidence royale de plus en plus stable, elle ajoute celles du plus gigantesque marché d'Europe avec ses foires, ses marchés, avec le port fluvial et ses hanses, avec ses innombrables et florissants métiers. Les collèges et les couvents, les visites des ambassadeurs étrangers, génèrent une activité économique intense. La Brie, la Beauce, la Picardie, les riches jardins maraîchers des berges de la Seine et de l'Orge nourrissent largement la capitale. Disettes et pestes sont oubliées. La lèpre ayant reculé avec le rigoureux « enfermement » des « pauvres honteux », l'ordre et la prospérité entraînant la croissance démographique, l'enceinte de Philippe Auguste éclate comme une vieille tunique aux coutures fatiguées. Les faubourgs s'étendent au-delà de la muraille crénelée, comme en témoigne l'ancien bourg suburbain de Sainte-Geneviève, entouré de ses vignobles, de plus en plus intégré à la ville.

En 1202, l'évêque encourage la population à construire des maisons sur le clos Bruneau, que matérialise encore, de nos jours, une ruelle secrète, à demi couverte. Matthieu de Montmorency lotit le clos Mauvoisin. Alors que le fabliau de la Bataille des vins fait encore l'éloge des crus de Saint-Victor, Sainte-Geneviève, Bruneau et Saint-Sulpice, les vignobles d'origine s'amenuisent. Monastères et collèges les investissent, fournisseurs, serviteurs et « libraires » venant loger ou travailler alentour. L'essor urbain de la métropole se nourrit du recul des terres emblavées. Les villages deviennent quartiers.

Outre Notre-Dame, élevée dans le nouveau style français à l'initiative de l'évêque Maurice de Sully, puis de ses successeurs, trois bâtiments symbolisent, sous Philippe IV le Bel, le rayonnement capétien en Ile-de-France : le nouveau palais royal, la Sainte-Chapelle et le prieuré Saint-Louis, à Poissy.

Louis IX et Philippe III ont légué à leurs successeurs un palais exigu et inachevé, impropre à l'administration royale, enserré par les demeures des bourgeois. Avec l'aide d'Enguerrand de Marigny, Philippe le Bel exproprie ses voisins, ducs ou marchands, et engage deux campagnes de construction, de 1299 à 1302, et à partir de 1308. Le Louvre de Philippe Auguste et le Temple assurant la sécurité du roi et de son trésor, celui-ci fait le choix d'un vaste et somptueux palais où rivalisent marbres, bois précieux et fresques d'Évrard d'Orléans contant la gloire du Capétien. L'inauguration de cet imposant ensemble donne lieu, à la Pentecôte 1313, à de prestigieuses fêtes rehaussées par la présence d'Édouard II d'Angleterre, gendre du roi, et de tous les pairs et barons du royaume, Flandre exceptée.

Face à la nouvelle Chambre des Comptes s'élève la Sainte-Chapelle, que Saint Louis, inspiré par sa foi, a fait bâtir à partir de 1241 pour déposer, sous son autel, à la place des reliques des saints, la Couronne d'épines du Christ, que Beaudouin a confiée, en 1239, à Constantinople, aux dominicains envoyés par le roi. Église palatine dans laquelle sont célébrés les offices quotidiens, la Sainte-Chapelle, où le vitrail et son ruissellement de lumière divine s'impose à la pierre, est, en fait, une gigantesque châsse protégeant la plus émouvante relique de la Passion. Le roi croisé, l'ancien prisonnier de l'infidèle, le pénitent avide de flagellation et de charité, rencontre en ce lieu l'image même du Roi des Cieux, outragé jusqu'en sa couronne dérisoire. La remémoration des souffrances du Christ, qui tend à supplanter, depuis le siècle précédent, le triomphe de sa résurrection, trouve là son expression.

Pour Philippe le Bel, moralement aussi rigoureux que son grand-père, comme en atteste le sort réservé à ses brus, aussi épris de pénitence que le Saint Roi, comme le révèle le cilice que l'on trouve sur lui à sa mort, le culte de la Passion, la mémoire de son aïeul et la grandeur souveraine de la dynastie ne font qu'un. Telle est l'idée qui préside à la construction du grandiose prieuré Saint-Louis de Poissy, où le roi a été baptisé. Entreprise dès la canonisation de Louis IX, arrachée, en 1297, au pape Boniface VIII, ce monument se veut emblématique de la gloire capétienne. Il disparaîtra à la Révolution, anéanti par les acheteurs de biens nationaux.

Philippe IV est, en fait, le premier à sacraliser le royaume et la dynastie. En honorant splendidement, à Poissy, ses saints aïeux, il s'inscrit dans un mouvement spirituel et politique plus large encore, visant à créer un vrai culte dynastique. Ainsi concrétise-t-il en Ile-de-France une aspiration générale dans l'Europe de son temps.

L'influence royale se fait également sentir dans le domaine universitaire, intrinsèquement lié à la mission de l'Eglise. Les dominicains, dont le plus célèbre théologien, saint Thomas d'Aquin, manifeste, à Paris même, une « intelligence pleine d'amour », selon le mot de Dante, sont les princes de la scolastique et les gardiens de la foi. Comme les franciscains, au premier rang desquels saint Bonaventure, ils dispensent à la jeunesse étudiante leur ferveur et leur enseignement. L'Université s'étant dispersée, en 1229, pour protester contre la violation de ses privilèges par les autorités civiles et ecclésiastiques, les dominicains accueillent des étudiants avant d'occuper, dès 1232, des chaires de théologie.

Confortée par la bulle *Parens scientiarum*, émise en 1231 par Grégoire IX, l'Université, désormais indépendante, exclut les mendiants jusqu'en 1260. Le chapelain de Saint Louis, Robert de Sorbon, soucieux de former des étudiants en théologie, reçoit de Blanche de Castille une maison située près des thermes à laquelle le roi, à son retour d'Orient, ajoute d'autres bâtiments. Le 23 mars 1268, le pape Clément IV approuve la fondation de ce collège. Telle est l'origine de la célèbre Sorbonne, qui ne reste cependant pas sans rivales.

Dès 1208 est apparu le collège des Bons Enfants, dont une rue porte encore le nom. En 1247, les bernardins, eux aussi gratifiés d'une rue, édifient un collège cistercien au clos du Chardonnet, avec l'aide d'Alphonse de Poitiers, frère de Saint Louis. Les bénédictins de Saint-Denis font de même. Les prémontrés également, en 1252, puis les clunisiens, en 1269. Séculiers et prélats les invitent. Guy de Laon, trésorier de la Sainte-Chapelle, et son ami Guy de Presles, clerc de Saint Louis, construisent deux collèges pour les étudiants des diocèses de Laon et de Soissons. Le cardinal Jean Cholet, dans son testament rédigé en 1289, destine son collège aux écoliers d'Amiens et de Beauvais. Le cardinal Lemoine, ancien chancelier de l'Église romaine et conseiller de Boniface VIII, augmente, en 1303, le nombre des boursiers et fonde son propre collège qui, à la demande de l'évêque de Murray, accueille des pensionnaires écossais. Paris devient la capitale intellectuelle qu'elle n'a cessé d'être depuis.

La floraison des institutions religieuses, contemplatives ou enseignantes, et la ferveur d'un peuple très chrétien, entraînent la multiplication des sanctuaires. Lointainement influencé par Byzance, qui s'est imposé à l'ère carolingienne, essentiellement inspirée par l'architecture ecclésiastique arménienne découverte par les croisés, en Cilicie, et tôt imitée en Terre sainte, l'art roman marque l'Ile-de-France de ses formes pleines et de sa grâce paisible. Il ne nous en reste malheureusement que peu de témoins intacts et authentiques, la marée « gothique » les ayant submergés ou complètement transformés.

A côté de Saint-Pierre de Montmartre ou de Saint-Pierre de Soissons, parvenues jusqu'à nous dans leur perfection originelle, combien d'églises romanes remaniées ou tronquées, telles celles de Saint-Germain-des-Prés ou, plus encore, de Saint-Étienne de Beauvais, dans laquelle un chœur démesuré écrase la nef primitive ? Sur sa colline, contemplant le bourg où affluaient les pèlerins, Saint-Côme-et-Saint-Damien de Luzarches conserve de l'âge roman son chevet harmonieux, son clocher élégant ainsi que de précieuses reliques des Saints Médecins rapportées de Constantinople par les croisés. Toutefois, sa nef renaissante, si elle ne modifie pas l'équilibre de l'édifice, nous prive de la grâce sereine des voûtes romanes. C'est sans doute à Morienval, entre Crépy-en-Valois et Compiègne, que le mariage, vers 1125, des volumes romans et des premières croisées d'ogives se manifeste avec le plus d'élégance. En fait, l'art « français », improprement dit « gothique » depuis le XVIIe siècle tant il est l'enfant du terroir d'Ile-de-France, est né à Saint-Denis et Senlis. Georges Matthieu voit en lui « le lyrisme de ses élévations extatiques, une prodigieuse aération de l'espace et une rupture avec les lourdes masses cubiques des systèmes romans ».

Foi en quête d'intelligence, adhésion rigoureuse à l'évangile sont les deux principes qui inspirent les architectes sollicités par Suger. « Médiateur, esthète et ascète », celui-ci introduit dans l'architecture ce qu'Erwin Panofsky appelle la « métaphysique de la lumière ». En jouant de la lumière solaire, sanctifiée par le vitrail, Suger entend conduire les croyants vers la vraie lumière, selon les termes de l'un de ses poèmes. Comme l'écrit Panofsky, « le nouveau style de pensée et le nouveau style architectural se sont diffusés à partir d'une aire comprise dans un cercle de cent cinquante kilomètres de rayon autour de Paris et sont restés concentrés dans cette aire pendant un siècle et demi environ ».

Pendant du chevet de l'abbatiale de Saint-Denis, la nouvelle cathédrale de Senlis, commencée vers 1153, est imprégnée des aspirations communes à l'essor de l'art français et de la scolastique. Autant la scolastique cherche à expliciter l'ordre et la logique du raisonnement, autant le gothique s'attache à les rendre palpables, visibles. Le principe de transparence triomphe dans le vitrail, qui induit l'élimination progressive de la fresque et du mur. Il trouve son accomplissement dans la géniale intuition que représente la rosace, comme à Notre-Dame de Paris et à Saint-Denis. La cathédrale se veut « l'arbre généalogique du Sauveur », selon l'expression d'Henri Focillon, par les hautes figures sacerdotales et royales qui animent sa façade. Ainsi à Paris, où les rois de Juda sont autant de messagers du Messie.

Le rôle central qu'occupe la Vierge, dont le premier couronnement apparaît au tympan de Senlis, surplombant les statues-colonnes des prophètes et les scènes de sa dormition, encore si proches de l'ancienne iconographie, montre en elle la fleur de l'humanité, noble, mélancolique et souveraine. C'est autour d'elle, la nouvelle Ève, que s'agence la hiérarchie vivante de la Rédemption, dans la paix redoutable du Jugement dernier, si bien exprimée à Laon. Reprenant le *Speculum majus* du dominicain Vincent de Beauvais, mort en 1264, Emile Mâle discerne dans l'art français du xiiiᵉ siècle le quadruple miroir naturel, doctrinal, historique et moral du monde de ce temps.

Toutefois, l'humanisme sous-jacent de cette grandiose vision ne lui échappe pas pour autant. Il commente le calendrier des Travaux et des Jours, traduisant la participation humble et quotidienne du chrétien à la rédemption du cosmos, « gémissant en mal d'enfantement » selon l'expression de saint Paul. Il va plus loin encore en rappelant, dans une page célèbre, à quel point la nature si diverse du grand jardin qu'est l'Ile-de-France a inspiré les artistes de l'âge gothique : « Les sculpteurs du Moyen Age ne cherchent pas à lire dans les jeunes fleurs du mois d'avril le mystère de la Chute et de la Rédemption. Aux premiers jours de printemps, ils vont dans les forêts d'Ile-de-France, où d'humbles plantes commencent à percer la terre. La fougère, enroulée sur elle-même comme un puissant ressort, est encore couverte d'une bourre cotonneuse, mais, le long des ruisseaux, l'arum est déjà près de s'épanouir. Ils cueillent les bourgeons, les feuilles qui vont s'ouvrir, et les regardent avec cette curiosité tendre et passionnée que nous ne sentons que dans la première enfance et que les vrais artistes conservent toute leur vie. » Ainsi, l'Ile-de-France, mère nourricière de l'ogive et de la flèche gothiques, est-elle constamment présente dans l'art des xiiᵉ et xiiiᵉ siècles. Par son poids d'humanité, sensible dans la statuaire comme dans le détail pittoresque, elle différencie fondamentalement l'art de ce temps, religieux plus que sacré, de l'intemporalité du roman qui l'a précédé. Elle le fait cependant sans rupture brutale. Cette humanisation se déchiffre à plusieurs niveaux. Le frémissement printanier de la forêt et de l'adolescence, avec l'esquisse du sourire et du geste, conduit tout autant l'artiste que le fidèle à élever son cœur vers le printemps éternel ouvert par la Résurrection du Christ, ce que le symbolisme saisonnier de Pâques évoque si puissamment pour le contemporain de Saint Louis. Ainsi, le chevet de Saint-Denis, la flèche aérienne de Senlis, saluée dans *La Cathédrale* de Huysmans, l'espace large et unifié de Notre-Dame de Noyon ou le croisillon sud du transept de Soissons, l'un et l'autre représentatifs du style de transition du milieu du xiiᵉ siècle, l'harmonie pourtant hétérogène de la collégiale d'Étampes ou la sereine majesté du Parthénon gothique de Saint-Leu-d'Esserent, dont le vaisseau surplombe l'Oise, tel un navire de haut bord, traduisent ce que Léopold Sédar Senghor a appelé une « résurgence poétique de l'esprit celtique », empreint d'une « élégance légère, rêveuse ».

Le cas le plus particulier est celui de la cathédrale Saint-Pierre de Beauvais, que l'évêque Milan de Nanteuil, pour une fois d'accord avec son chapitre, décide, en 1226, de reconstruire de façon grandiose. Les discordes urbaines, qui contraignent Saint Louis à durement réprimer les affrontements entre l'évêque et les bourgeois, puis l'effondrement d'une partie du chœur, en 1284, retardent les travaux. L'exubérance flamboyante des XIVe, XVe et XVIe siècles atteint ses limites, au point d'élever une flèche de 153 mètres qui s'écroulera en 1573. Sur le plateau venteux où s'élève la ville, le gigantesque chœur, seul survivant de projets trop ambitieux, est comme un adieu démesuré du dernier gothique. On est loin de l'art français des XIIe et XIIIe siècles.

En 1314, lorsque s'éteint brutalement Philippe IV le Bel qui a réduit la papauté à l'obéissance et mis le Temple à merci, l'Ile-de-France ne ressemble plus du tout à ce qu'elle était en 987. Elle est devenue le cœur cuirassé du plus puissant Etat d'Europe. Aux frontières, ses points névralgiques sont fortifiés. Un glacis supplémentaire, dont le Vexin normand est un élément, s'étend au-delà de son territoire. Remarquablement administrée, riche en hommes et en ressources, l'Ile-de-France stupéfie par ses villes aux grandioses cathédrales, par ses puissantes abbayes, ses gros bourgs ruraux qu'entourent des campagnes fertiles et peuplées, par sa grande métropole où affluent docteurs et étudiants.

La croissance démographique a fait reculer forêts et marais. Les nouveaux châteaux, aux donjons moins sévères, parfaitement soumis, ouvrent des fenêtres sur ce monde nouveau, prospère et vivant. L'émulation, de guerrière qu'elle était naguère dans l'anarchique contexte féodal de l'an mille, est devenue architecturale. Les flèches du nouvel art français, né entre Seine et Oise, les façades dentelées et polychromes d'hôtels de ville de plus en plus majestueux, traduisent des rivalités plus paisibles, non seulement tolérées mais sollicitées par le seigneur commun, le roi des lys, empereur en son royaume, fils aîné et protecteur de la sainte Église.

Hélas, des jours sombres approchent. La richesse et l'intérêt stratégique de l'Ile-de-France deviennent l'enjeu de convoitises redoutables. Certes, une histoire commune, déjà longue, unit le Capétien à un peuple qu'il a émancipé avec une prudence mêlée d'amour, mais ses « bonnes villes », que mille fidélités lui attachent, sauront-elles résister aux factions fratricides, aux séductions venues d'ailleurs, à leur cortège de trahisons ?

Un saint authentique, attentif à la veuve et à l'orphelin, mort à la croisade après avoir enrichi sa capitale du joyau sacré de la Passion, veille sans doute sur la pérennité de l'œuvre accomplie. Malheureusement, la guerre de Cent Ans ne sera pas qu'une longue et douloureuse parenthèse. L'Ile-de-France, occupée, dépeuplée, divisée, exploitée, en sortira affaiblie et durablement meurtrie.

CHAPITRE V

ARMAGNACS ET BOURGUIGNONS

Au début du XIVe siècle, l'Ile-de-France est une province épanouie et florissante. Le terroir est bien mis en valeur. La région offre, grâce à de riches terres limoneuses, des conditions favorables à la culture des céréales. Sur les coteaux bien exposés, prospère la vigne. On en tire des petits vins acides, pour la consommation locale, mais aussi pour l'exportation vers la Flandre et la Normandie. L'activité commerciale, très intense, est favorisée par d'importantes novations comme les moulins à vent qui complètent les moulins à eau, ou les nouveaux modes d'attelage du cheval.

Cette conjonction d'atouts fait de l'Ile-de-France une région très peuplée. La capitale compte deux cent mille habitants. Les campagnes sont deux fois plus habitées que les autres provinces du royaume. Il y a, bien sûr, des inégalités géographiques. Les vallées de la Seine et de la Marne, bien irriguées, favorisent les échanges, attirent les communautés les plus importantes. Au contraire, sur les plateaux encore boisés, la population est moins nombreuse. La région est toutefois, et de loin, la plus dense du royaume. Elle est une des premières places de l'Occident.

C'est ce pays qui est frappé de plein fouet par la guerre de Cent Ans. La région-capitale se trouve au cœur du cyclone. Pendant un siècle, elle subit calamités naturelles, campagnes militaires, pillages, exactions de tous ordres... Elle en sort exsangue. La profonde modification de ses structures sociales marquera la fin de l'ère féodale.

Trente ans après une terrible famine, un désastre nouveau, plus épouvantable encore – la peste noire –, s'abat sur la France. Venue d'Asie par l'Italie, elle frappe la Provence au cours de l'hiver 1347-1348. Les rats s'échappent des navires génois et transmettent la maladie à leurs congénères du continent. La puce est le relais entre le rat et l'homme. Les mauvaises conditions d'hygiène font le reste.

Au cours de l'été 1348, le mal noir se propage aux abords de la capitale. Il gagne certaines cités. Les premiers décès sont enregistrés à Roissy, à Pontoise, à Saint-Denis. En automne, la peste entre dans Paris par la porte Saint-Denis. L'affolement saisit une population incapable de comprendre et, surtout, de maîtriser le fléau. La contagion est si terrible que bien des prêtres refusent de visiter les malades, ce qui n'est pas l'attitude des moniales de l'Hôtel-Dieu dont le courage et l'abnégation soulèvent l'admiration.

Les chroniqueurs de l'époque ont laissé d'effroyables descriptions des ravages et de la panique des gens.

« Les hommes et les femmes, écrit le carme Jean de Venette, avaient tout à coup des grosseurs sous les aisselles et dans l'aine, et l'apparition de ces grosseurs était un infaillible signe de mort. Ils n'étaient malades que deux ou trois jours et mouraient rapidement le corps presque sain. »

Aucun traitement ne s'avère efficace. Les médecins sont désemparés devant l'ampleur du mal que la plupart attribuent à des causes astrologiques. En octobre, le roi consulte la Faculté de médecine qui, faute d'expérience, se contente d'une réponse doctrinale. Cela est d'autant plus regrettable que son audience est considérable. Cette réponse, le *Compendium de epidemia*, sera recopiée et diffusée dans toute l'Europe sans, malheureusement, contrarier l'épidémie.

Difficile de comptabiliser le nombre de victimes. On estime qu'environ le quart de la population francilienne a disparu. La région est, cependant, inégalement frappée. Au nord, certaines communes, surtout dans le bailliage de Senlis, sont presque épargnées ; d'autres, au contraire, payent un lourd tribut, telles les villes de Saint-Denis, Pontoise, et, bien entendu, Paris.

Le nombre de testaments rédigés à l'époque donne une idée de l'ampleur du phénomène. Ainsi, sur le registre de la paroisse de Saint-Germain-l'Auxerrois qui compte environ 3 000 habitants, le nombre de legs posthumes en faveur de la paroisse passe de 48, en 1347, à 582 en 1349, un an après le début de l'épidémie.

« La mortalité fut si grande à Paris, précise Jean de Venette, que, pendant longtemps, on portait des corps chaque jour sur des chariots pour les ensevelir au cimetière des Saints-Innocents. » Très vite, d'ailleurs, celui-ci est saturé et fermé jusqu'en 1351. Un autre cimetière est alors ouvert hors les murs de la ville.

L'épidémie ne frappe pas aussi durement tous les habitants. Elle s'attaque essentiellement aux paysans, aux pauvres, aux enfants, les moins armés socialement et physiquement. Quelques seigneurs en sont également victimes. La famille royale elle-même n'est pas épargnée. Le déclin démographique entraîne de graves difficultés économiques. Les campagnes étant particulièrement atteintes, il n'y a plus assez de bras pour exploiter les terres. La disette aggrave l'épidémie. La crise sociale s'ensuit. Les survivants réclament, pour continuer à travailler les terres, de meilleures conditions.

Comme si le fléau et ses conséquences ne suffisaient pas à éprouver la société et à détruire l'équilibre économique, la guerre – et quelle guerre ! – accable bientôt le pays. Pendant une centaine d'années, l'Ile-de France va vivre des moments terribles. Cadre de nombreux combats, elle subit les méfaits causés non seulement par les troupes anglaises qui occupent le territoire, mais également par les bandes armées qui se constituent spontanément, au terme de chaque combat. Celles-ci pillent et incendient tout ce qui se trouve sur leur passage. De surcroît, la région est également victime des déchirements entre les Armagnacs et les Bourguignons.

En 1346, le roi d'Angleterre, Édouard III, après avoir débarqué dans le Cotentin, chevauche jusqu'à Poissy. Il s'établit dans l'abbaye des Dames. Six jours durant, ses troupes saccagent et incendient fermes, récoltes, bétail ; elles s'emparent du château de Saint-Germain et poussent leur œuvre de pillage jusqu'à Neuilly.

A la tête d'une puissante armée, le roi de France se dirige vers Saint-Denis, mais Édouard III se retire dans ses terres du Nord, brûlant tout sur son passage, notamment la demeure royale de Poissy, ancienne résidence des rois capétiens, et celle de Saint-Germain.

Les combats se poursuivent dans le pays jusqu'à la bataille de Poitiers, en 1356, où le roi, Jean II le Bon, est fait prisonnier en dépit des injonctions de son fils : « Père, gardez-vous à droite ! Père, gardez-vous à gauche ! » Le Dauphin – le futur Charles V – regagne Paris en hâte et prend la tête du gouvernement avec le titre de lieutenant du roi. Mais dans la capitale, le peuple gronde et s'agite. Les caisses sont vides. Le prévôt des marchands, Étienne Marcel, représentant la puissante association des « marchands de l'eau », discute les décisions du Dauphin et réclame des réformes.

Au cours de la réunion des « États généraux de langue d'oïl », en 1356, les députés manifestent leur hostilité au Dauphin. Après le massacre de deux de ses conseillers, celui-ci se retire à Compiègne, et engage une lutte armée contre le prévôt des marchands. Il s'empare des villes de Meaux et Montereau qui, situées sur la Marne, permettent de contrôler une grande partie du ravitaillement de la capitale, qui transite très largement par voie fluviale.

C'est alors qu'éclate, dans le Nord, dans le Soissonnais et le Beauvaisis, une révolte paysanne, la « Jacquerie », ainsi dénommée du fait du surnom traditionnel du paysan de l'époque, *Jacques Bonhomme*. Parmi diverses causes, c'est surtout le sentiment d'exploitation des ruraux qui génère ce soulevement. Ceux-ci sont obligés de contribuer à l'équipement du seigneur, à sa rançon quand il est fait prisonnier, tel Jean Le Bon à Poitiers, aux subsides concédés au roi par les nobles...

L'insécurité règne partout. Mercenaires, aventuriers, « anciens combattants », se regroupent en « compagnies de routiers ». Les paysans menacés, attaqués, cherchent à se protéger, à l'abri des remparts des villes ; ils fortifient les églises de leurs villages pour s'y réfugier ; ils se cachent dans les bois et dans les cavernes en tentant de sauver quelques biens. Au couvent de Saint-Leu-d'Esserent, une rixe les oppose à une bande armée.

En moins d'une semaine, la révolte se propage dans le Vexin, dans la Plaine de France. Certaines communes telles Montmorency, Pontoise, au nord-ouest, Vémars, à l'est, Corbeil et Longjumeau au sud, sont particulièrement touchées. Les paysans prennent d'assaut les châteaux et les mettent à sac à leur tour. Parfois, ils tuent. Les chroniqueurs sont impressionnés. Ainsi, Froissart écrit : « Alors s'assemblèrent et s'en allèrent, sans autre conseil et sans nulle armure, fors que de bâtons ferrés et de couteaux, en la maison d'un chevalier qui près de là demeurait. Ils brisèrent la maison et tuèrent le chevalier, la dame et les enfants, petits et grands, et ardirent la maison. Secondement ils s'en allèrent en un autre château-fort et firent pis : car ils prirent le chevalier et le lièrent..., puis tuèrent sa femme..., et sa fille et tous les enfants, et puis ledit chevalier à grand martyre, et ardirent et abattirent le château. Ainsi firent-ils en plusieurs châteaux et bonnes maisons... Si que chaque chevalier, dames et écuyers, leurs femmes et leurs enfants les fuyaient ; et laissaient leurs maisons toutes vagues et leur avoir dedans ; et ces méchantes gens assemblés sans chef et sans armures, dérobaient et ardaient tout, et tuaient et faisaient violence... sans pitié et sans merci, comme chiens enragés... Entre les autres désordres et vilains faits, ils tuèrent un chevalier et le boutèrent en une broche, et le tournèrent au feu et le rôtirent devant la dame et ses enfants... »

Il s'agit là de certains excès. Les « Jacques » sont plutôt des pillards qui s'attaquent aux possessions des nobles. La réaction des seigneurs ne se fait pas attendre. Très vite, ils se rassemblent et les écrasent sans épargner leur chef, Guillaume Carle, près de Creil. C'en est fait de la Jacquerie. Elle cède la place à la Contre-Jacquerie, infiniment plus cruelle et violente. Fin juin, plus de vingt mille paysans sont massacrés en Ile-de-France. Il est, heureusement, moins conséquent, aujourd'hui, de « faire le Jacques » !

Étienne Marcel décrit la fureur des nobles dans une lettre du 11 juillet adressée aux communes de Picardie : « Églises, abbayes, priorés que ils ne ardaient, mis à rançon, les pucelles corrompues et les femmes violées en présence de leurs maris... » Après avoir, en vain, tenté de faire alliance avec les Jacques, il est de plus en plus isolé. Il charge alors le roi de Navarre de négocier avec les Anglais, mais il est assassiné, le 31 juillet 1358, à la porte Saint-Denis, alors qu'il s'apprête à remettre les clefs de la ville aux envahisseurs, dont le roi revendique toujours le trône de France.

Le régent rentre à Paris, mais la paix n'est pas rétablie pour autant. Édouard III vient, en effet, de débarquer à Calais. Il se dirige vers le Bassin parisien. Pendant plusieurs jours, il brûle tout, entre Corbeil, Longjumeau et Châtres, l'ancien nom d'Arpajon. Les paysans vivent des heures sombres. Ils cherchent à nouveau refuge dans les lieux fortifiés, mais même les églises ne sont plus des asiles sûrs. Le 3 avril, jour du Vendredi Saint, l'église Saint-Clément de Châtres, bondée de réfugiés, est incendiée par les troupes anglaises. Il y a neuf cents victimes. Dans certains villages, les paysans tentent de résister, mais il ne s'agit que d'initiatives défensives isolées. Ainsi, à Longueil-Sainte-Marie-sur-l'Oise où, retranchés dans un manoir appartenant à une abbaye de Compiègne, ils mènent la vie dure aux Anglais de Creil. L'un des leurs, le « Grand Ferré », de Rivecourt, en massacre un grand nombre avant de succomber.

Ils réussiront, cependant, à résister jusqu'à la paix. Peu à peu se développe dans leur esprit l'idée de « terre-patrie » qu'il faut défendre.

En 1360, est conclue la trêve de Brétigny qui n'apporte

qu'un bref répit. Dans les campagnes, les combats s'éternisent. Les bandes armées écument les villages et hameaux. Il faut attendre la victoire de Cocherel pour que la situation s'améliore. En 1364, Bertrand Du Guesclin reprend aux Anglais Mantes et Meulan, deux villes clefs pour le ravitaillement par voie d'eau.

S'ensuit alors une période d'une trentaine d'années au cours de laquelle la région, comme le pays tout entier, va tenter de se reconstruire, économiquement et politiquement. Comme Charles V aime se reposer en été en ses villes et châteaux situés à l'extérieur de Paris, il entreprend, dans les années 1360-1370, la rénovation du château de Vincennes, confiée au maître d'œuvre Guillaume d'Arondelle.

Conçu et bâti par Philippe VI puis Jean II le Bon, Vincennes est une forteresse destinée à la défense de l'est parisien. Vaste ensemble architectural, le château est composé d'un donjon royal carré, à tourelles rondes sur les angles, protégé par un mur d'enceinte garni de neuf autres donjons carrés, à l'instar des Neuf Preux, et traités comme autant de donjons de châteaux indépendants, mais soumis « au donjon royal comme les vassaux au suzerain ». Avec Charles V, le château présente un nouveau visage. Disparaît le village constitué dans la traditionnelle enceinte regroupant magasins, maisons et chapelles. Son seul service est celui du Seigneur. Destiné à la chasse du fait de son implantation au cœur d'une forêt giboyeuse et aux divertissements « hors Paris », il préfigure les châteaux idéaux tels Chambord, en Val de Loire, ou Marly. La ville royale de Vincennes, initialement imaginée par Charles V à la périphérie de Paris, annonce celle de Versailles. La période troublée contrariera la réalisation du projet.

Louis Ier, duc d'Orléans et frère du roi Charles VI le Fol, imite son oncle, Jean de Berry, dans ses entreprises architecturales, essentiellement situées au nord de Paris. Il rénove, au début du xve siècle, le château de Coucy, qu'il a acheté aux descendants d'Enguerrand VII, seigneur de Coucy. Il crée un véritable réseau de forteresses sur ses terres du Valois, au nord-est de la région, avec les châteaux de La Ferté-Milon, Villers-

Cotterêts, Crépy-en-Valois, Pierrefonds, Béthisy et Verberie, selon une ligne de défense qui s'étend d'est en ouest, de l'Ourcq à l'Oise. A cette fin, il fait rebâtir le château de Pierre-fonds par Jean le Noir, maître d'œuvre de son frère Charles VI et, à partir de 1398, celui de La Ferté-Milon, avec ses tours en éperon ornées des statues des Neuf Preux.

En 1392, Charles VI, est frappé par la folie. L'absence du roi laisse le gouvernement aux mains de la famille royale sensée contrôler la politique et les ressources du pays. En fait, guidés par les intérêts personnels, les parents se déchirent. De nouveaux conflits se profilent à l'horizon.

Deux grandes familles cousines se dressent face à face. D'une part, les Armagnacs, soutiens de la famille royale sous la conduite de Louis Ier d'Orléans, d'autre part, les Bourguignons, sous la bannière de leur duc Jean Sans Peur. La guerre éclate entre elles en novembre 1407 quand les hommes de Jean Sans Peur assassinent Louis Ier d'Orléans. Le royaume est déchiré. En 1411, les Bourguignons demandent l'aide des Anglais. L'entrée en guerre de ces derniers sonne la reprise de la guerre de Cent Ans. Le 13 janvier 1419, une tentative de réconciliation entre le Dauphin, futur Charles VII, et Jean Sans Peur se déroule à Montereau. Mais les Armagnacs, voulant venger Louis Ier d'Orléans, assassinent Jean Sans Peur.

La repartie est brutale. Menés par Philippe III le Bon, fils de Jean Sans Peur, les Bourguignons, alliés aux Anglais d'Henri V, conquièrent la moitié de la France, au nord de la Loire.

Lorsque meurt Charles VI, en 1422, Henri VI d'Angleterre, âgé d'à peine quelques mois, est proclamé roi de France et appelé « roi de Paris » pour le différencier de Charles VII, sur-nommé, par dérision, « roi de Bourges » où il s'est réfugié depuis 1418. L'enjeu de la lutte est la possession de Paris, c'est-à-dire le pouvoir sur les organes administratifs du royaume.

Le peuple parisien, les bourgeois comme l'Université, embrassent la cause des Bourguignons. Ceux-ci suscitent le déchaînement de colère que l'on appellera la « dictature des abattoirs ». Pendant quelques semaines, en 1413, les bouchers se rendent maîtres de la ville. L'hôtel Saint-Pol, est envahi ; le château de Beauté de Nogent, si cher à Charles V, est dévasté ; les prisons sont vidées ; les Armagnacs sont pourchassés et massacrés. A nouveau, c'est la terreur. La tuerie est sauvage.

Au mois d'août, le mouvement perd de sa vigueur. Les Armagnacs reviennent en force dans la capitale. Revers de fortune, les Bourguignons sont arrêtés et massacrés. L'Hôtel de Nesle, résidence du frère du roi, le duc Jean de Berry, situé sur la rive gauche de la Seine où une rue rappelle son existence, est mis à sac. Le château de Bicêtre, qui lui appartient aussi, subit le même sort.

Et pourtant, le calme ne se rétablit pas. A leur tour, les Bourguignons battent les campagnes et tentent d'affamer Paris. La guerre civile ne connaît aucun répit. Les soldats des deux camps brûlent, pillent sans rien respecter, pas même les églises. A Saint-Denis, les granges et celliers sont dévastés, les marchandises emportées, les maisons envahies, le mobilier brisé... Cette situation génère de graves perturbations dans le ravitaillement de la capitale. On en vient même à tenter de véritables expéditions pour aller chercher les indispensables céréales.

Profitant de ces luttes fratricides, les Anglais sont de retour. Ils écrasent, en 1415, l'armée des Armagnacs à Azincourt, puis font mouvement vers Paris. En dépit de l'imminence du péril, Armagnacs et Bourguignons refusent tout rapprochement et persistent à se déchirer. Le mécontentement et la peur s'emparent de toute la région. Les Bourguignons investissent à nouveau la capitale qui connaît, une fois encore, un climat de panique. Des centaines de personnes sont massacrées.

Dans l'incapacité de tirer profit de leur victoire d'Azincourt, les Anglais rentrent chez eux... pour redébarquer, en 1417, et entreprendre la conquête de la Normandie. En 1420, est conclu le traité de Troyes. En livrant Paris et toute la province à l'envahisseur, ce traité semble mettre fin à la guerre. Il répond aux attentes d'une grande partie des Parisiens qui ne souhaitent que la fin des combats, le rétablissement de l'ordre, de la paix, de la prospérité. Il reçoit même l'approbation du Parlement et de l'Université.

Si Paris tolère l'occupation anglaise, il en va différemment alentour. Les troupes anglaises ont, en effet, beaucoup de mal à contrôler l'ensemble de la région dont les habitants demeurent, en majorité, fidèles au roi de France. Les Armagnacs, portés par un sentiment national qui se manifeste réellement pour la première fois en Ile-de-France, parviennent à se maintenir dans le Hurepoix, en Beauce, dans la Brie française. La présence pesante des soldats, la rigueur de l'occupation, la levée de lourdes taxes pour financer la guerre déçoivent profondément la population. Années sinistres pour les Franciliens, contraints d'approvisionner l'armée ennemie qui assiège Orléans au prix de lourdes privations.

C'est alors qu'apparaît Jeanne d'Arc, cette brave paysanne lorraine. Elle affirme que sa mission est de rétablir l'ordre et la royauté. Après avoir délivré Orléans et fait sacrer roi le Dauphin, elle pénètre en Plaine de France. Avec ses compagnons, elle tente de regagner progressivement la région.

En 1429, le roi entre avec elle dans Compiègne et Beauvais où sévit le tristement célèbre évêque Cauchon. Ces deux villes font soumission. Saint-Denis, demeuré fidèle aux Valois, lui ouvre ses portes. C'est le terme du parcours victorieux. Sonne alors l'heure des revers qu'accompagnent de nouvelles difficultés pour les Franciliens.

Au printemps 1430, Jeanne échoue devant la capitale où l'opinion publique lui est profondément hostile. A Senlis, les habitants refusent de l'accueillir. Cherchant à porter secours à Compiègne, elle tombe aux mains des Bourguignons qui la vendent aux Anglais. Condamnée pour sorcellerie par un tribunal composé de Français, elle est brûlée vive, à Rouen, le 30 mai 1431.

Charles VII s'attache à poursuivre l'œuvre entreprise avec Jeanne d'Arc. En février 1436, débute la campagne militaire d'Ile-de-France. Charenton, Vincennes, Corbeil, Brie-Comte-Robert, Saint-Germain-en-Laye sont repris. Le roi fait bloquer le ravitaillement fluvial de Paris. En 1437, la chute de Pontoise achève la libération de la région, mais au prix de bien des destructions dont les villes portent la trace.

**
* **

La guerre de Cent Ans laisse en grand désarroi le royaume de France. Son état misérable est relaté par tous les témoignages : suppliques en langue latine du clergé, chroniques en langue vernaculaire, complaintes des poètes. L'évêque de Lisieux, Thomas Basin, raconte que, partout en France, de la Loire à la Seine, les champs sont en friche, envahis de ronces, églises et abbayes dévastées. En particulier, les églises de Jouy-en-Josas et de Gif-sur-Yvette sont saccagées et ouvertes à tous vents. Les linges d'autel sont déchirés ou pourris, les livres liturgiques lacérés, tandis que les bénitiers et fonts baptismaux sont devenus le royaume des limaces. Les chroniques se font l'écho des émouvantes suppliques des prêtres, adressées au Saint-Père et implorant son secours. Grâce à ses relations avec les cours de Bourgogne et d'Angleterre, Jean Froissart nous relate ce qu'il a constaté, en témoin oculaire de cette désolation. Le sort de Paris, aux mains des Anglais, ressemble à celui des autres provinces du royaume. Toutes les abbayes sont mises à sac, ruinées.

Durant ces si longues années sombres, les structures sociales ont évolué, dans les villes comme les campagnes. L'absence du roi, qui s'est fait cruellement sentir, menace tous les métiers d'art dont Paris était la capitale : orfèvres, ivoiriers, enlumineurs, tapissiers de haute et basse lice... Le monde paysan a enduré mille calamités. Sécheresses et inondations ont détruit les récoltes, entraînant disettes et famines. En 1373, une crue violente de la Seine a ravagé Ivry et ses environs. En 1407, la Seine et la Marne gèlent; les moulins sont bloqués; plusieurs ponts sont emportés. Les épidémies font des ravages. Certains villages, épargnés en 1348, sont à leur tour frappés par le retour de la peste. Le poids des prélèvements, la chute brutale des revenus éprouvent dramatiquement les familles.

La population parisienne, gravement décimée, est, peu à peu, remplacée par des paysans qui fuient leurs villages et leurs terres. On vit un des premiers exodes paysans de notre histoire.

Cette désertion entraîne une sous-exploitation agricole. Les champs connaissent la déshérence. La production s'effrondre. Dans le Hurepoix, en Brie française, aux environs de Saint-Denis ou de Pontoise, les terres ont perdu toute valeur. Elles sont devenues de véritables déserts. Ce n'est que dans le Vexin, en Plaine de France, dans la proche banlieue que la moitié des champs sont encore cultivés.

Guerre, famines et épidémies, morts et déplacements de populations, effrondrement de l'économie agricole contribuent aux difficultés de la noblesse féodale. Les coûts de production s'envolent. Les seigneurs, poussés par le besoin d'argent, se montrent de plus en plus favorables aux affranchissements. A cette crise des revenus s'ajoute une crise d'autorité. La guerre rend l'exercice du commandement plus que délicat. Lorsque le fief n'est pas confisqué, le seigneur est au combat. Ses liens personnels avec ses vassaux se relâchent. Progressivement, les petits fiefs disparaissent.

La guerre de Cent Ans a, par ailleurs, influé sur le prestige de la culture française. Les lettres et les arts se sont surtout développés pendant le règne de Charles V. De constitution fragile, le roi ne peut mener la vie de chevalier et de guerrier de ses prédécesseurs. Il se tourne alors vers les plaisirs de l'esprit. Le sentiment d'insécurité le conduit à inspirer un type d'architecture protecteur, l'architecture militaire.

Pour la défense de Paris, il prend une triple initiative. L'enceinte fortifiée, construite, sous Philippe Auguste, entre 1190 et 1220, est restaurée, rehaussée et dotée de deux fossés, dont l'un rempli d'eau. Sept nouvelles portes sont renforcées de puissants châtelets afin de rendre les accès difficiles. La plus imposante est la « Bastille Saint-Antoine », impressionnante forteresse à huit tours, qui permet de surveiller la route de l'est. Le roi transforme le château de Vincennes en résidence de prestige pour la Cour, en même temps qu'il en fait une citadelle protégée par une muraille entourée de fossés mis en eau.

Ailleurs, les églises, les châteaux, les villes et les villages sont également fortifiés. Plus tard – peut-être en réaction aux misères du temps – cette architecture militaire se transforme en architecture flamboyante. Rien n'est trop beau pour magnifier les constructions qui se chargent d'ornements. Un style qui s'impose aussi bien dans les petites églises de campagne, les hôtels de ville, les hôpitaux que dans les châteaux. D'anciennes demeures royales sont, ici ou là, restaurées, modernisées pour accueillir la cour.

Les écrivains privilégient la poésie et l'histoire. La grande poésie courtoise et chevaleresque est toujours d'actualité, mais apparaissent les petits poèmes, les chants royaux, les ballades, les rondeaux destinés à plaire au souverain et à distraire la cour. L'histoire se dégage des grandes chroniques. Froissart, l'historien du XIVe siècle, tient à la fois du mémorialiste, quand il parle en témoin, et du chroniqueur, quand il évoque le passé.

La littérature prend une place importante dans la vie royale. Pour la mettre à l'honneur, Charles V crée, dès 1368, la première bibliothèque royale qu'il installe dans le donjon central du Louvre, ancêtre de la bibliothèque nationale. Le premier inventaire fait état de 1 200 manuscrits. Il s'agit essentiellement de bibles, de livres d'heures, d'ouvrages de droit canonique et civil, d'encyclopédies, de traités d'histoire naturelle, de médecine, d'astronomie, d'astrologie et de sciences divinatoires. Plutôt fâché avec le latin, le roi fait multiplier les traductions.

Le XIVe siècle est aussi celui des juristes et des règles de droit coutumier. La jurisprudence se développe à travers les sentences du Châtelet, rédigées en français. De cette époque datent les « notes d'audience » prises au Parlement de Paris, entre 1384 et 1386, ainsi que la littérature doctrinale coutumière. Le *Grand Coutumier de France* – en fait, d'Ile-de-France – est compilé vers 1388.

Meurtrie, pillée, ravagée par la peste, notre région sort affaiblie de ces longues années d'épreuves. Le domaine royal a perdu de sa puissance. Il ne représente plus qu'un sixième de la France. Il se confond pratiquement avec l'Ile-de-France. De nombreuses donations – le comté de Clermont aux Bourbons, le comté de Valois aux Orléans, le comté de Montfort au duc de Bretagne – l'ont réduit. Ne demeurent dans le domaine royal que Paris, les bailliages de Senlis, Chartres, Mantes, Melun, et le Vexin français. L'organisation politique, l'administration, l'économie comme l'agriculture sont très fragilisées.

La reconstruction sera lente. Même si les villes vont se relever plus rapidement que les campagnes, il faudra attendre quelques décennies avant de retrouver une situation florissante. La fin du XVe siècle porte toutefois en germe les grandes découvertes et le souffle de la Renaissance.

CHAPITRE VI

RENAISSANCE FRANCILIENNE

La fin du xve siècle et le xvie siècle constituent une période tout à fait étonnante pour l'Ile-de-France. Sans aller jusqu'à reprendre l'expression de « beau seizième siècle » employée par Jean Jacquart et H. François, il faut reconnaître le formidable dynamisme qu'a connu alors la région qui sort du trou noir de la guerre de Cent Ans. On pourrait s'attendre à une période de repli sur soi où chacun ne chercherait qu'à panser ses plaies. Au contraire, l'Ile-de-France entre alors pleinement dans le mouvement de renaissance.

Elle est, durant toute cette période, tirée par ses élites qui se lancent dans un vaste mouvement de renouveau qui recouvre autant le domaine de l'architecture, avec l'apparition d'un style francilien, que celui des idées ou des évolutions institutionnelles. Tout est à repenser, à rebâtir, dans les corps, comme dans les esprits.

La guerre enfin terminée, il faut renaître. Ce sera l'occasion de donner un visage nouveau à la région-capitale. Certains châteaux franciliens sont remaniés ou reconstruits de toutes pièces,

tandis que de nouvelles demeures sont édifiées. Ainsi, le château de Savigny-sur-Orge, aujourd'hui lycée Jean-Baptiste
Corot. Étienne de Veze, chambellan de Charles VIII, obtient du
roi, en 1480, l'autorisation d'effectuer de nombreuses transformations.

Dans le village de Forfry, le château de Boissy est, lui aussi,
complètement restructuré pour la famille Bureau à laquelle la
crise a été bénéfique. De ces travaux du xve siècle, seuls subsistent aujourd'hui la façade de la tour-porte carrée à mâchicou-
lis, le pont-levis charretier-piéton, et, à l'étage, une tour ronde
abritant la chapelle. Après l'acquisition, en 1491, de la seigneurie des Marêts, voisine de celle de Montglas, détenue par son
père, Gaspard Bureau, grand maître de l'artillerie de
Charles VII, Pierre Bureau met en chantier un château neuf.
Dans sa conception, celui-ci marque un tournant. Le projet,
ambitieux, d'ailleurs inachevé, répond à un plan novateur reposant sur de nouveaux critères. Ce n'est plus l'esprit de défense
qui domine. On aspire à autre chose, à une certaine harmonie.
Ainsi, l'édifice est constitué de deux ensembles carrés, décalés
en profondeur, qui traduisent une recherche de symétrie entre le
logis et le jardin. A l'instar du château des Marêts, celui de
Limours comporte quatre ailes disposées autour d'une cour rectangulaire. Antoine Duprat, retenu en Ile-de-France par ses
fonctions de premier président du parlement de Paris et de
chancelier de France, fait construire, selon la même inspiration,
le château de Nantouillet, au cœur d'une seigneurie qu'il a
acquise. A Pontoise est conçue, dans un style gothique flamboyant qui prend naissance, une des premières résidences
urbaines, un hôtel particulier pour Guillaume d'Estouteville,
archevêque de Rouen, l'actuel musée municipal Tavet-
Delacour.

Le renouveau des villes passe aussi par une architecture vernaculaire qui trouve, à cette époque, un nouvel essor. Il faut, en
effet, loger les nouveaux cadres qui sont les relais de la reprise
économique et sociale. Dourdan, Houdan sont riches de remarquables maisons du xve siècle en pans de bois, aux façades parfois décorées, signes d'une aisance retrouvée. De cette époque

date également l'hôtel à colombages des pèlerins de Saint-Jacques de Compostelle, situé sur la Place Royale de Moret-sur-Loing. Le mouvement gagne toute la région. A la frontière séparant le domaine royal du comté de Champagne, Rozay-en-Brie et Provins conservent de nombreuses et remarquables habitations, témoins de cette architecture francilienne à pans de bois de l'après guerre de Cent Ans.

A partir de 1450, après la déroute des Anglais, nombre d'églises sont partiellement ou totalement reconstruites dans le style gothique flamboyant, désormais en vogue : les églises Saint-Clair, d'Hérouville, Notre-Dame et Saint-Maclou, de Pontoise, Notre-Dame-de-l'Assomption, de Taverny, Saint-Martin, de Triel-sur-Seine, ainsi que les collégiales Notre-Dame, de Poissy et Saint-Martin, de Montmorency. L'église Saint-Clair d'Hérouville, située dans le Vexin français, présente une remarquable tour-clocher carrée du XIIe siècle, remaniée à cette époque grâce aux dons généreux de Jeanne de Laval, dame d'Hérouville. A Pontoise, l'église Saint-Maclou, aujourd'hui cathédrale, comme l'église Notre-Dame, sont profondément transformées : réfection des voûtes et des fenêtres dans le déambulatoire, réalisation de la nef et de la façade au triple portail flamboyant, la sacristie étant placée sur le flanc sud du chœur. Les églises Saint-Pierre de Montfort-l'Amaury et Saint-Jacques-le-Majeur-et-Saint-Christophe de Houdan, mises en chantier à la fin du XVe siècle, se poursuivent au XVIe siècle. Les églises Saint-Étienne, de Brie-Comte-Robert, Saint-Aspais, de Melun, la collégiale Notre-Dame-et-Saint-Loup, de Montereau-Faut-Yonne, la cathédrale Saint-Étienne, de Meaux, les églises Saint-Pierre, de Jouarre, Saint-Ayoul, Sainte-Croix et Saint-Quiriace, de Provins, sont également remaniées. Le mouvement est général sur l'ensemble de la région qui renouvelle son visage. Les techniques évoluent. Les guerres d'Italie suscitent un nouveau souffle. C'est tout particulièrement en Ile-de-France, où les destructions ont été nombreuses, où une légitime soif de vivre succède à cent ans d'horreur, que le style « Renaissance » s'épanouit, conférant à notre région un caractère propre.

Selon Philippe de Commynes, chroniqueur de l'expédition française à Naples, Charles VIII ramène, à la fin de 1495, une équipe composée de vingt-deux « ouvriers et gens de métier » italiens. Parmi ceux-ci, le sculpteur Guido Mazzoni, dit Paganino, auteur du tombeau de Charles VIII à la basilique Saint-Denis. Egalement, Dominique de Cortone, le « faiseur de chasteaulx et menuisier », dit le Bocador, concepteur célèbre de l'Hôtel de Ville de Paris dont il commence la construction en 1528, au retour de François Ier, mais qui ne sera terminé que longtemps après sa mort, survenue en 1539. C'est aussi du règne de François Ier que date la publication de la première édition critique et illustrée du traité *De Architectura* de Vitruve que l'on redécouvre à cette époque.

A Paris, Jacques d'Amboise, abbé de Cluny de 1485 à 1510, fait élever l'Hôtel des abbés de Cluny. Appelé « Palais d'Amboise », cet hôtel, au plan en U, plus régulier et plus ouvert que celui de Jacques Cœur, à Bourges, préfigure les futurs hôtels du début XVIIe siècle que se font bâtir, entre cour et jardin, les riches bourgeois et les seigneurs parisiens du temps d'Henri IV.

La période est également riche en matière de sculptures monumentales. Le tombeau de Louis XII, réalisé entre 1515 et 1531, à la demande de François Ier, pour la nécropole royale de Saint-Denis, par les sculpteurs Antoine et Jean Juste est l'un des premiers monuments d'Ile-de-France, totalement inspiré par la mode italienne et d'où toute référence gothique ornementale a disparu.

Après son retour de captivité de Madrid, à la suite de la défaite de Pavie, François Ier décide de s'installer définitivement à Paris et Fontainebleau, de préférence aux bords de Loire. Changement radical pour notre région. Riche pour son avenir. Le 15 mars 1528, le roi déclare « son intention de dorésnavant faire la plus part de sa demeure et séjour en sa bonne ville et cité de Paris et alentour plus qu'en aultre lieu du royaume ». Avec une telle proclamation, la vie de cour des rois de France, jusqu'alors itinérante sur les bords du fleuve paresseux, devient tout autre.

L'adoption de Paris, comme « résidence habituelle » du roi, confirme son rôle de capitale politique du royaume. C'est alors qu'est définitivement fixé le cadre administratif avec l'installation, en 1542, du « Gouvernement de l'Ile de France », l'un des vingt créés par le souverain. Il s'agit d'une circonscription à la fois politique et militaire. C'est aussi de cette époque que date le premier plan moderne de la ville, celui de Truchet et Hoyau.

Ébloui par les splendeurs italiennes découvertes lors des Guerres d'Italie, François Ier décide de transformer les châteaux du Louvre et de Fontainebleau. « Cognaissant nostre chastel du Louvre estre lieu plus commode et à propos de nous loger, avons délibéré faire réparer et mettre en ordre ledict chastel. » De même, Fontainebleau, sa demeure préférée, devient le cadre d'une cour extrêmement raffinée. « Nous avons l'intention et sommes délibéré y faire ci-après et la plupart du temps notre résidence pour la plaisir que nous prenons au-dit lieu et aux déduits de la chasse des bêtes rousses et noires qui sont en la forêt de Bière et aux environs. » Résolu à créer, dans cette cité, un foyer d'italianisme, François Ier fait appel, pour la décoration des chambres et des galeries du nouveau château en construction, à des artistes venus d'outre-monts. Son installation au palais du Louvre et au château de Fontainebleau promeut un art royal.

A partir de 1530, l'architecture religieuse adopte, selon un schéma qui se prolongera jusqu'à la création de l'esthétique du XVIIe siècle, le décor italien. Paris construit ou rénove ainsi ses églises paroissiales, comme Saint-Séverin, Saint-Nicolas-des-Champs, Saint-Merry, Saint-Étienne-du-Mont ainsi que Saint-Eustache, commencée en 1532 et seulement achevée en 1637. L'important jubé de Saint-Étienne-du-Mont, le seul jubé parisien qui ait subsisté après le Concile de Trente, témoigne d'un étonnant modernisme.

Pour bien marquer son dévolu en faveur de l'Ile-de-France, François Ier « qui aimoit tant à bastir », édifie les trois grands châteaux de chasse de Madrid, de Saint-Germain et le château neuf de Challeau, tous trois aujourd'hui détruits. L'innovation capitale de Challeau que le roi offre à sa favorite, Anne de Pisseleu, duchesse d'Étampes, réside dans son toit en plate-forme destiné à servir de terrasse, belvédère à ciel ouvert pour découvrir le monde et de nouveaux horizons. Tel est le goût du jour. François Ier n'est-il pas le roi qui, quarante ans après l'Espagne et le Portugal, lance la France dans la découverte du Nouveau Monde ?

Commencé à partir de 1527, le château de Boulogne, dit de Madrid, est achevé vers 1552 pour le roi Henri II. D'une architecture totalement novatrice, il présente la particularité de n'avoir ni fossés, ni cour, ni dépendances. La surélévation du rez-de-chaussée résulte de la présence de cuisines en sous-sol, éclairées par des soubassements partiellement enterrés.

Le règne de François Ier s'inscrit très fortement dans l'histoire du château de Saint-Germain-en-Laye. Son mariage avec Claude de France, fille de Louis XII, alors qu'il n'est encore que François, duc d'Angoulême, est célébré dans la chapelle du Château-Vieux, en 1514, un an avant son avènement. De 1515 à 1539, le roi habite le château sans lui apporter de modifications. Puis, au retour des campagnes d'Italie, le jugeant trop sévère, il signe, le 12 mars 1539, les premières lettres patentes ordonnant sa reconstruction qui débute sans tarder. Le gros œuvre est achevé à sa mort, en 1547.

A la différence des châteaux de chasse, le château de Fontainebleau est, comme celui de Saint-Germain-en-Laye, une vraie résidence. Il est réédifié, entre 1528 et 1540, sur les restes d'un ancien pavillon médiéval. Alors qu'à l'origine ne sont prévus que des travaux relativement modestes, c'est un nouvel et important ensemble de bâtiments qui est réalisé et qui devient le symbole de l'art de la cour de la Renaissance, l'École de Fontainebleau. L'alternance des matériaux – murs enduits et briques – se développe non seulement en Ile-de-France, mais dans tout le pays. Quant à l'insolite présence, dans une partie des jardins, de pins maritimes, essence alors inconnue dans la région, elle inaugure un nouveau rapport avec la nature dont les grands domaines ne se départiront plus.

Cette conception nouvelle, qui se veut « à l'italienne », est pourtant sans équivalent en Italie. Elle est vraiment « francilienne ». Sous le règne d'Henri II, entre 1547 et 1559, le premier souci de la nouvelle génération des architectes de retour d'Italie, comme Pierre Lescot, Philibert De L'Orme, ou Jean Bullant, est d'allier la beauté italienne à la commodité française, d'adapter la « villa italienne » aux contraintes du climat français, plus rigoureux, en introduisant des toits pentus, des cheminées monumentales et des galeries fermées.

A partir de 1540, s'impose dans la région une architecture plus simple, originale, qui se définit par un plan régulier et symétrique, la suppression des tours au profit de pavillons carrés, la création de portails d'entrée monumentaux, l'abandon du pavillon de l'escalier, au centre de la façade, et l'adoption de la travée rythmique à fronton, c'est-à-dire l'alternance de travées larges et étroites. Le nouvel art se caractérise également par la régularité des percées, l'importance accordée au rez-de-chaussée par rapport à l'étage, et par la réduction des ornements. Très différents des maîtres maçons des décennies antérieures, comme Gilles Le Breton, ou Pierre Chambiges, Pierre Lescot et Philibert De L'Orme sont les deux plus grands architectes français du milieu du xvie siècle. C'est essentiellement en Ile-de-France qu'ils développent cette architecture novatrice, dite « architecture Henri II », durant les dernières années du règne de François Ier.

Lescot doit surtout sa renommée à la reconstruction du Louvre. Insatisfait de l'antique palais, le roi décide, en 1527, de le reconstruire au goût du jour. On commence par la démolition du donjon médiéval situé dans la cour Carrée. Le 2 août 1546, François Ier nomme Lescot architecte du projet avec mission d'élever un bâtiment neuf à l'emplacement de l'ancienne aile occidentale. A la mort du roi, quelques mois plus tard, celui-ci se voit confirmer sa mission par Henri II. Le chantier sera, finalement, réalisé sous les règnes de Louis XIII et de Louis XIV. La façade de Lescot marque l'apparition du classicisme à la française. La construction royale lance un mouvement dont Paris profite.

L'hôtel Carnavalet, commencé vers 1545 pour Jacques de Ligneris, président au Parlement, constitue un autre exemple de ce nouveau style. Il est aujourd'hui le seul hôtel parisien du milieu du XVIᵉ siècle à avoir survécu, même s'il fut altéré par les remaniements ultérieurs,

Dans le même temps, est construite, à l'angle d'un immeuble de la rue Saint-Denis, la Fontaine des Innocents, en vue des manifestations prévues pour l'entrée solennelle dans Paris du roi Henri II, le 16 juin 1549. Son plan originel, bouleversé au XVIIIᵉ siècle, est rectangulaire et non carré, comme aujourd'hui. Il présente des façades à deux travées sur une rue, à une seule sur l'autre, tandis que son décor sculpté est composé de reliefs, aujourd'hui au Louvre, d'un style extrêmement raffiné, représentant nymphes, tritons et putti, dus au ciseau de Jean Goujon.

Vers 1540-1541, au retour de son ambassade à Rome, où il s'est lié d'amitié avec Philibert De L'Orme, le cardinal Jean du Bellay appelle celui-ci à Paris et lui fait élever une résidence d'été, dans le domaine de l'ancienne abbaye bénédictine de Saint-Maur. A la suite de la disgrâce du cardinal, à l'avènement d'Henri II, ce château inachevé échoit à Catherine de Médicis, en 1563. Détruit en 1795, il est connu par les plans de Jacques Androuet Du Cerceau et de Philibert De L'Orme. Ce dernier écrit, en 1559, dans son *Instruction*, qu'il est le seul à avoir « porté en France la façon de bien bâtir, osté les façons barbares, montré à tous comme l'on doit observer les mesures de l'Architecture. Que l'on se souvienne comme l'on faisoyt quand je commençoy Sainct-Mort pour Mons ». Protégé par le cardinal, Philibert De L'Orme est introduit dans le cercle du Dauphin, futur Henri II, et de Diane de Poitiers. En 1547, à son avènement, le roi nomme l'architecte surintendant des bâtiments, fonction nouvelle vouée à un grand avenir, un siècle plus tard, tandis que Diane, sa favorite, le charge de construire son château d'Anet dont la conception influencera bien des édifices franciliens. La chapelle est le premier exemple d'architecture basée sur le cercle que l'on considère, selon le grand principe de la Renaissance, comme la forme la mieux adaptée à un espace religieux. Le cercle s'applique au plan, au volume et à l'élévation de la chapelle. Le périmètre extérieur s'inscrit dans un cercle, simplement altéré par les angles des deux sacristies. L'espace central, couvert en coupole, est, lui aussi, construit sur un cercle. Le dessin du pavement, composé d'arcs de cercle, reproduit rigoureusement la projection des caissons de la coupole, dont les mosaïques romaines ont laissé de nombreux témoins.

L'autre exemple remarquable d'œuvre religieuse de Philibert De L'Orme est la chapelle du parc de Villers-Cotterêts, élevée en 1552. Ce petit édifice trilobé exprime la synthèse opérée par l'architecte entre son expérience romaine et son interprétation personnelle d'une « architecture à la française ». Pour la première fois apparaît l'« ordre français » que l'architecte saura merveilleusement mettre en valeur, pour la reine Catherine de Médicis, au palais des Tuileries, avant de l'adapter à toutes les formes de l'art. C'est lui qui, à la demande d'Henri II, réalise, à partir de 1547, le tombeau de François Ier destiné à l'abbatiale Saint-Denis, avec son arc de triomphe à la romaine et sa profusion d'ornements décoratifs.

A Saint-Germain-en-Laye, Philibert De L'Orme bâtit pour Henri II, entre 1556 et 1559, un palais d'été, situé sur l'escarpement qui borde la Seine, appelé « Château-Neuf », afin de le distinguer du Château-Vieux, l'actuel château. « A Saint Germain en Laye, écrit-il, s'ilz eussent eu patience que j'eusse faict achever le bastiment neuf que j'ay commencé auprès des logis des bestes, je suys persuadé qu'aujourd'huy l'on n'eust veu le semblable ne plus admyrable, tant pour les portiques, vestibule, théâtre, estruves, baignières, comme le logis... » Le Château-Neuf, presque entièrement détruit par le comte d'Artois, en 1777 et 1782, annonce les châteaux postérieurs de Maisons à Maisons-Laffitte, ou de Vaux-le-Vicomte.

Après l'acquisition, en 1563, du château, non terminé, de Saint-Maur-des-Fossés, la reine mère, Catherine de Médicis, confie à Philibert De L'Orme le soin d'en entreprendre l'achèvement, pour son fils Charles IX.

C'est en cette même année que celle-ci acquiert des terrains situés en dehors des limites de Paris, à proximité du palais du Louvre. Son intention est de lui construire un palais voisin, mais distinct du Louvre. Le futur palais des Tuileries sera le dernier chantier de Philibert De l'Orme que sa mort viendra interrompre, en 1570. N'était alors réalisée que la partie basse du pavillon central abritant un escalier ovale, flanqué de deux corps de bâtiments symétriques. Ses successeurs poursuivront la construction.

En l'espace d'environ soixante ans, la guerre et ses ravages sont oubliés ; le visage de l'Ile-de-France s'est complètement transformé.

Mais si l'Ile-de-France est le cadre privilégié d'un nouveau style architectural qui s'impose rapidement dans la France entière, et même bien au-delà des frontières nationales, le dynamisme réformateur concerne également d'autres fonctions sociales. C'est, en particulier, à cette époque que sont réglementées les chasses. La première capitainerie – celle de Fontainebleau – résulte d'une ordonnance de Francois Ier, en 1534. Jusqu'à cette date, la police des délits de chasse relevait des maîtrises des Eaux et Forêts qui, après la nouvelle réglementation, conservent la responsabilité des coupes et du reboisement.

Situées, pour la plupart, dans la région, affectées aux forêts de Fontainebleau, Sénart, Saint-Germain, Rambouillet, Versailles, Meudon, Halatte, Chantilly, Compiègne et aux bois de Boulogne et de Vincennes, les capitaineries royales se voient attribuer un territoire délimité par déclaration royale. C'est une charge très prisée et très recherchée qui revient souvent à un gentilhomme ou à un seigneur de l'entourage du roi. Les privilèges sont de qualité alors que les fonctions ne sont pas très absorbantes. Les capitaines veillent au respect des règles et, au cours des chasses royales, à la protection de la personne du roi. Les délits sont jugés par un tribunal dont les jugements peuvent être contestés devant la « Table de Marbre », le Conseil du Roi conservant la haute juridiction.

Dans le même temps, la littérature évolue. Par la célèbre « ordonnance de Villers-Cotterêts », promulguée en 1539, Francois Ier impose la substitution de la langue française au latin dans tous les actes officiels, publics et notariés. Dix ans plus tard, en 1549, paraît le manifeste de *La Pléiade* ou *La Défense et illustration de la langue française,* dont Joachim Du Bellay et Pierre de Ronsard sont les hérauts. « C'est un crime de leze-majesté d'abandonner le langage du pays, vivant et florissant, pour vouloir déterrer je ne scay quelle cendre des anciens », déclare Pierre de Ronsard dans *La Franciade.*

Dans le domaine des arts, Philibert De L'Orme incarne cette même résistance nationale aux influences antiques. « La plupart des Français, dit-il dans le premier tome de son *Traité d'archi-tecture* publié en 1567, ne trouvent rien bon s'il ne vient d'estrange païs. Voilà le naturel du Français qui, en pareil cas, prise beaucoup plus les artisans et artifices des nations étranges que ceux de sa patrie. »

C'est cette évolution identitaire qui a progressivement, et dans tous les domaines, marqué le siècle.

CHAPITRE VII

DU GROUPE DE MEAUX À LA RÉVOCATION DE L'ÉDIT DE NANTES

Paris et l'Ile-de-France ont toujours constitué un carrefour des idées et des sentiments, un centre d'élaboration et de diffusion des formes nouvelles d'expression artistique et spirituelle. S'y manifeste, à la fin du xve et au début du xvie siècle, une certaine « fermentation des esprits ». Les milieux intellectuels sont pétris d'humanisme chrétien. Parmi les penseurs parisiens, Jacques Lefèvre d'Étaples, professeur de philosophie au collège du Cardinal-Lemoine, ami d'Érasme, occupe une place à part. Homme de recherche et d'enseignement, helléniste platonicien autant qu'aristotélicien mystique, il acquiert une grande influence dans les milieux littéraire et religieux. Il ne tarde pas à jouer un rôle de premier plan dans ce que les historiens vont appeler la pré-Réforme française.

Les communautés réformées d'Ile-de-France sont assez disséminées. Leur nombre n'atteindra jamais celui du Bas Languedoc, du Béarn, du Périgord ou du Poitou. Les communautés se situent essentiellement autour de Meaux ainsi que dans le pays de France. A celles-ci s'ajoutent quelques petits foyers à

Mantes, Pontoise, Houdan et au sud-est de la capitale, où sont situés les lieux de culte des huguenots de Paris.

Si, à la fin des années 1520, les idées réformées sont bien implantées à Meaux, cela tient, en particulier, à l'influence de son évêque. Guillaume Briçonnet, ancien évêque de Lodève et abbé de Saint-Germain-des-Prés, y est nommé, en 1514. « Un des meilleurs prélats de son temps », souligne le chanoine Veissière, son principal biographe.

Dès le début de son ministère, et grâce à la protection de Marguerite de Navarre, sœur du roi François Ier, l'évêque cherche à assainir son diocèse et à mettre fin aux abus, courants à cette époque. En 1518, il entreprend une première visite et réunit ses prêtres. Il les exhorte à résider dans leurs paroisses, à se préoccuper de l'état moral et spirituel de leurs paroissiens, à soigner leurs prédications, spécialement pendant l'Avent et le Carême. Il accorde une très grande importance à la prédication, atout majeur, à ses yeux, de la rénovation chrétienne. Sur les 127 prêtres qu'il examine, il en trouve 14 capables, 53 incapables et 60 auxquels il consent une année probatoire. Ceux-ci sont, ensuite, contrôlés en synode et, en fonction de leurs progrès, démis ou maintenus.

Le zèle réformateur de Briçonnet ne s'arrête pas là. Il fixe une orientation théologique très nette. En 1521, il fait appel à Lefèvre d'Étaples, qu'il avait accueilli quelques années auparavant dans son abbaye de Saint-Germain-des-Prés. Or, Lefèvre est sous le coup d'une poursuite de la Sorbonne pour les idées qu'il défend dans ses œuvres. Sa doctrine semble assez proche de celle de Luther, mais n'en adopte pas les outrances.

Peu après son arrivée à Meaux, où il échappe temporairement aux poursuites de la Sorbonne, Lefèvre est nommé maître de la maladrerie, puis, vicaire général. Il devient le bras droit de Briçonnet. Il fait alors appel à ses amis théologiens de Paris qui forment le « groupe » ou « cercle » de Meaux.

En juin de cette même année, Lefèvre d'Étaples fonde une école de théologie destinée à la formation des jeunes ecclésiastiques. Il explique les écritures dans des réunions particulières, puis, dans les chaires publiques. Il crée une école de cadres, centre de formation chrétienne où sont préparés des prédicateurs laïcs. Ceux-ci font la lecture de l'Évangile en français. Ils ont recours à des explications familières. Ils prônent le pur sentiment religieux et incitent les fidèles à abandonner les superstitions populaires. Les prédications de Lefèvre et de ses collaborateurs connaissent une grande audience dans les milieux populaires, spécialement chez les nombreux artisans tisserands qui peuplent la ville de Meaux.

Ces réformes s'engagent au moment où, en Allemagne, Luther commence à faire parler de lui. Lefèvre d'Étaples et ses amis de Meaux prennent connaissance des nouvelles doctrines venues d'Allemagne sans pour autant s'y convertir. Le mouvement qu'ils animent est parallèle à celui de Luther. Il s'inscrit dans une volonté de réforme propre à une époque et aux tendances intellectuelles de l'humanisme chrétien. A la différence de Luther, Briçonnet, Lefèvre et leurs disciples ne cherchent pas la rupture avec Rome. Ils veulent faire évoluer l'Église de l'intérieur. Ils créent cependant un terrain favorable à la future implantation des idées nouvelles.

L'amalgame entre les réformes conduites par Briçonnet et celles de Luther ne tarde pas à se manifester. En 1522, l'évêque de Meaux est dénoncé au roi François Ier comme prêchant contre le culte des saints et dénigrant les théologiens de la Sorbonne. Il n'est cependant pas inquiété et peut poursuivre son œuvre, fort de la protection de Marguerite de Navarre dont il est devenu le directeur spirituel.

Cette même année, Lefèvre publie un commentaire en latin sur les Évangiles, puis, à la demande de Briçonnet, s'attelle à une traduction française des mêmes Évangiles à laquelle il associe son entourage. Cette traduction paraît en 1523. Elle connaît aussitôt un énorme succès et pénètre dans les milieux populaires. A Meaux, des groupes d'artisans, tisserands, cardeurs, foulons et peigneurs, se réunissent. Ils lisent en commun les textes traduits, en discutent certains passages. Ces « conventicules », qui se forment de manière spontanée, s'organisent bientôt à Paris.

Briçonnet, qui ne souhaite qu'une réforme de la discipline

ecclésiastique et de l'enseignement religieux, commence à s'inquiéter du courant qui se développe dans son diocèse. Les conventicules se multiplient. Les écrits de Luther circulent partout. Les manifestations d'hostilité à l'Église romaine se succèdent.

En avril 1523, pour faire cesser les accusations, prouver son orthodoxie et mettre fin à la pénétration des idées luthériennes, Briçonnet révoque les prédicateurs qu'il juge trop excessifs dans l'expression de leurs idées, trop compromettants. Il en appelle d'autres, tels Pierre Caroli, docteur en théologie et chanoine de l'église de Sens, Jean Lange, ancien élève de Lefèvre, Jean Canaye, Jacques Pauvant, Mathieu Saunier. Ainsi se constitue le « second groupe de Meaux ».

En octobre, à l'occasion d'un synode diocésain, il condamne publiquement les écrits de Luther. Il prend parti pour le purgatoire, pour le culte de la Vierge et des Saints. Dans son décret synodal du 15 octobre, il désigne Luther comme fauteur de troubles « renversant l'ordre hiérarchique et bouleversant l'état qui contient tous les autres dans le devoir ». Pour preuve de sa bonne foi, il réintroduit les cordeliers, qu'il avait évincés au profit des prédicateurs recrutés par Lefèvre d'Étaples. Il leur offre des chaires en continuant de révoquer les autorisations de prêcher de certains membres du groupe, comme Gérard Roussel ou Michel d'Arande.

Le 25 mai 1525, un bref papal autorise la réunion d'une commission composée de deux docteurs en Sorbonne et de deux conseillers au parlement de Paris, afin de juger les « luthériens ». Meaux est spécialement visé car, depuis 1524, les idées évangéliques ont progressé dans la ville, spécialement dans le quartier du marché, parmi les ouvriers du textile. Les autorités constatent la présence d'un petit groupe de contestaires, partisans de doctrines hétérodoxes, qui s'opposent au pape, au culte de la Vierge et des saints. Un cardeur de laine, Jean Leclerc, affiche dans la cathédrale un placard proclamant que le pape est l'Antéchrist. Il est arrêté, publiquement fouetté, promené trois jours durant dans la cité et marqué au fer rouge d'une fleur de lys sur le front. Il se réfugie à Rozay-en-Brie, puis à Metz où il se distinguera par sa rage iconoclaste, détruisant statues de la Vierge et des saints. Des membres du groupe de Meaux – Caroli, Mazurier, Pauvant, Saulnier – sont arrêtés à leur tour. Pauvant est condamné au bûcher en 1526.

Meaux continue pourtant d'être le théâtre de manifestations d'hostilité à l'Église Romaine et à ses dogmes. Des formules de prières à la Vierge, collées sur des panneaux de bois, sont retrouvées lacérées dans la cathédrale. Briçonnet paraît dépassé par un mouvement qui s'oppose de plus en plus violemment aux enseignements de l'Église et qui commence à nouer des relations avec les autres grands centres de réforme, tels Strasbourg, Zurich ou Bâle. Un procès est intenté devant le parlement de Paris, mais le propre frère de Briçonnet, conseiller à ce parlement, réussit à rejeter l'accusation d'hérésie.

Parallèlement, la Sorbonne prend position contre Lefèvre d'Étaples. Le 28 août 1525, elle condamne sa traduction française du Nouveau Testament et, spécialement, ses *Espitres et évangiles des cinquante deux dimanches de l'année* qui connaissent un grand succès auprès du peuple. En octobre, des informations sont de nouveau lancées contre Caroli, Mazurier, Gérard Roussel, Nicole Mengin, curé de Saint-Saintin, Jean Provost et Jean Fabry. Briçonnet est contraint, une nouvelle fois, à comparaître devant la Cour. La plupart des inculpés s'enfuient. Lefèvre d'Étaples, Gérard Roussel et Michel d'Arande se réfugient à Strasbourg où ils retrouvent le réformateur Capiton. D'autres gagnent la Suisse. Le « groupe de Meaux » se disperse.

La pression se relâche avec le retour de François Ier, en mai 1526. Le roi se montre plutôt favorable aux savants et aux partisans des réformes. Lefèvre et Roussel rentrent en France. Michel d'Arande reprend ses fonctions auprès de Marguerite de Navarre.

Quant à Briçonnet, il donne de multiples gages d'orthodoxie. Il organise des processions solennelles du Saint-Sacrement. Il institue, en 1528, la fête de la Visitation de Notre-Dame et mène à terme la rénovation monastique des abbayes de Faremoutiers et de Jouarre, dans son diocèse. Les autorités le laissent tranquille jusqu'à sa mort, en 1534, au château d'Esmans, près de Montereau. Il est enterré devant le maître-autel de l'église paroissiale, où l'on peut encore voir sa pierre tombale et son épitaphe.

L'évêque de Meaux, véritable pionnier de la Réforme, s'est appliqué, de toutes ses forces, à incarner, à l'intérieur de l'Église traditionnelle, l'idéal, prôné par Érasme, de l'évêque « bon pasteur ». Sa démarche l'a vite dépassé. Il a fait le lit d'idées plus radicales, inspirées d'Allemagne, qui ont trouvé un terrain favorable dans une population sensibilisée par les prêches des disciples de Lefèvre d'Étaples. Comme l'écrit Dom Toussaint du Plessis, dans son histoire de l'église de Meaux, parue en 1731, Briçonnet a eu « le malheur de voir naître l'hérésie dans son diocèse et il en fut la cause, quoique innocente, mais il la combattit de toutes ses forces et Dieu lui a épargné d'en voir les plus funestes progrès ». Dans ce contexte, la réforme proprement dite s'est propagée.

En décembre 1526, à propos de l'amende honorable d'une jeune fille de Meaux convaincue d'hérésie, le journal d'un bourgeois de Paris signale que « la plus grande partie de la ville est infectée de la faulce doctrine de Luther » et qu'un nommé Fabry, « prestre étudiant avec autres estoit cause des dicts embrouillements et entre autre choses qu'il falloit avoir ès églises aucune image, ne prendre eau beniste pour effacer tous les péchés, ne prier pour les trépassez à cause d'incontinent après le trépaz ils allaient en paradis ou en enfer et qu'il n'y avait pas de purgatoire et qu'il n'estoit vray et ne le croyait pas ». En 1528, une fausse bulle, révoquant celles de Léon X et d'Adrien VI contre Luther, est affichée aux portes de la cathédrale. Un habitant de Rieux-en-Multien est brûlé pour avoir tenu des propos contraires à l'Eucharistie. A la fin de cette même année, un « bastelier en la rivière de Seine », originaire de Meaux, est brûlé en Grève, à Paris, pour avoir dit que « la Vierge Marie n'avait non plus de puissance qu'une image d'icelle qu'il tenait et rompit par dérision ».

Il faut pourtant attendre 1546 pour voir l'Église réformée s'organiser, officiellement, à Meaux. Quelques fidèles de la ville et de sa région décident, en effet, de se donner « une certaine forme d'Église ». Pierre Leclerc, simple cardeur de laine, et Étienne Mangin, nommé, en 1528, distributeur des secours par Briçonnet, se rendent à Strasbourg pour prendre modèle d'organisation. A leur retour, ils fondent une Église. Pierre Leclerc occupe les fonctions de ministre. Les premièrcs assemblées rassemblent plusieurs centaines de personnes de la ville et des villages voisins.

La situation des premiers réformés est difficile. Les bûchers se multiplient. Les réunions se tiennent en secret. Le 8 septembre 1546, le Lieutenant et le Prévôt de la cité surprennent, avec leurs sergents, une assemblée. Ils arrêtent une soixantaine de participants. Les prévenus sont conduits à Paris et condamnés pour « hérésie, blasphèmes, schisme, dogmatisation et prédication abusive qui se font par des laïcs sur les saincts Évangiles, lectures et interprétation par des gens laïcs et mécaniques de livres en français réprouvez et damnez ». Tous sont astreints à faire amende honorable. Quatorze d'entre eux sont condamnés au bûcher. La maison d'Étienne Mangin, où se tenait l'assemblée, est rasée et remplacée par une chapelle dédiée à la Vierge. Cette même année, deux autres habitants, Étienne Poillot et Pierre Bompain, manufacturiers de draps, sont brûlés à Paris. En 1547, Jean Lefèvre subit le même sort.

Dans la capitale, la première église calviniste est fondée en 1555, elle est organisée par deux ministres, envoyés par Genève.

En dépit des persécutions, les idées réformées progressent assez vite. Dans les années 1550-1560, des communautés protestantes se forment dans un grand nombre de communes, en même temps que la question religieuse devient une affaire d'Etat qui divise jusqu'à la Cour elle-même.

La Réforme fait, ainsi, son apparition à Provins, en 1555, avec les prêches de Jacques Privé. Celui-ci préside des assemblées à la ferme des Montais, dans les faubourgs de la ville. En

1560, quatre étudiants en théologie de la région figurent à l'académie protestante de Genève. En 1561, Jean de Lépine représente la communauté de Provins à l'assemblée des théologiens catholiques et protestants réunie à Poissy, à l'instigation de Marie de Médicis et de Michel de l'Hospital, en vue d'un rapprochement entre catholiques et calvinistes. Malheureusement, ce colloque de Poissy se solde par un échec, les parties ne réussissant pas à s'entendre sur le problème de la présence réelle dans l'Eucharistie. Au lieu de continuer à rétablir la paix civile, il débouche sur les guerres de Religion, auxquelles l'Ile-de-France va payer un lourd tribut.

Le protestantisme se développe à Melun, à partir de l'assemblée de Fontainebleau du 23 août 1560, au cours de laquelle Coligny demande la liberté de culte dans certains lieux. Dans cette ville, pourtant considérée comme très catholique, puisque s'y est tenue, en 1544, une conférence préparatoire au Concile de Trente, les réformés sont protégés par le procureur du roi, Jehan Chabouillé. En 1561, les réformés de Melun écrivent à Calvin pour lui demander l'envoi de ministres. Une Église se forme. Des prêches s'organisent régulièrement, dans une maison du faubourg Saint-Liesne, en dehors de l'enceinte de la ville.

A Nemours, la première prédication date de janvier 1561. Elle regroupe trente à quarante personnes autour d'un pasteur venu de Châtillon-sur-Loire. Cette même année, des assemblées réformées se tiennent à Brie-Comte-Robert. L'exercice du culte y est autorisé l'année suivante. L'évêque de Troyes, Carracioli, passé à la Réforme, vient y prêcher en 1562. C'est l'année d'où l'on fait commencer les guerres de Religion.

Dès ce moment, des assemblées sont autorisées à Quincy. Les registres mentionnent que ses quinze cents habitants sont majoritairement protestants. Des synodes provinciaux se tiennent à Lizy-sur-Ourcq, en 1565, à Lumigny, les années suivantes, preuve d'une solide implantation. En 1560, au moment où Coligny présente à Catherine de Médicis sa liste des deux mille cinq cents églises réformées du royaume, la Brie compte quinze à seize mille réformés, huit à neuf mille dans le seul bailliage de Meaux. A cette époque, sur les mille deux cents feux du quartier du marché, il n'y en a plus que douze qui se déclarent catholiques. En 1562, les réformés de la ville font bâtir un temple au faubourg Cornillon. Cet édifice est détruit en 1567 par les Suisses du roi, venus à Montceaux pour ramener à Paris Catherine de Médicis et Charles IX.

A la fin des guerres de Religion, si le protestantisme est affaibli dans le sud de la région, il se maintient bien dans le nord où ses racines sont plus profondes et plus anciennes. Au moment de la signature de l'édit de Nantes, trois à quatre mille réformés sont encore signalés à Meaux-Nanteuil où se célèbrent environ quatre-vingt-dix baptêmes par an. On en compte mille à Quincy-La-Ferté-sous-Jouarre, cinq mille à Fontainebleau, Melun, Nemours et Provins.

L'édit de Saint-Germain, du 8 août 1570, provoque un changement. Promulgué par Charles IX, il met fin à la troisième guerre de Religion. Il accorde aux protestants la liberté de conscience dans tout le royaume et les autorise à célébrer leur culte dans tous les lieux où il se célébrait avant la guerre, dans les faubourgs de deux villes par gouvernement et dans les demeures des seigneurs hauts justiciers. Plusieurs temples sont alors construits.

Les principaux lieux de culte autorisés sont à Nanteuil, avec le temple de Chermont, à Lizy-sur-Ourcq, Mortcerf et Bois-le-Roi. Le temple de Chermont-Nanteuil regroupe les communautés de Meaux, de Quincy, Mareuil, Condé, Couilly, Fublaines, Magny, Saint-Loup, Courtevroult, Boutigny, Trilport, Saint-Jean-les-Deux-Jumeaux et La Ferté-sous-Jouarre.

Reconstruit en 1601, ce dernier comprend six grandes travées de 66 pieds de long sur 34 de large. Le temple de Mortcerf regroupe les protestants de Coulommiers, Lumigny, Touquin, Saint-Denis-les-Rebais, Rozay-en-Brie et Provins. Celui de Bois-le-Roi attire les protestants disséminés du Melunais, du Gâtinais, ainsi que les dignitaires ou gentilshommes protestants qui suivent la Cour à Fontainebleau. Il est construit sur le modèle de celui de Chermont-Nanteuil. La Brie accueille également un grand nombre d'églises de fief, c'est-à-dire d'églises autorisées chez les seigneurs hauts justiciers, beaucoup de familles nobles, titulaires de fiefs, s'étant converties à la Réforme. Parmi celles-ci, les églises de La Ferté-sous-Jouarre, de Fontainebleau, de Claye, de Lizy-sur-Ourq, de Lumigny, de Bois-le-Comte, de Touquin. En fait, le protestantisme touche à peu près toutes les classes de la société briarde. La majeure partie de la noblesse s'est ralliée à la Réforme ainsi que les artisans, les vignerons ou les paysans.

La Plaine de France connaît aussi une assez forte implantation protestante. Des petites communautés de réformés y naissent dès les années 1550, à Luzarches et à Villiers-le-Bel notamment. On trouve des groupes isolés à Sarcelles, à Groslay, au Thillay, à Vaudherland, à Écouen. Au xviie siècle, la communauté qui demeure la plus importante est celle de Villiers-le-Bel qui compte un peu plus de deux mille habitants, dont un grand nombre de marchands dentelliers. Un culte, présidé par un ancien, y est régulièrement célébré. En 1648, la population protestante de ce bourg n'est que de quatre-vingt-dix familles ; en 1673, l'archidiacre de Paris l'évalue à cinq cents personnes ; à la veille de la révocation de l'édit de Nantes, on estime qu'un tiers de la population de la commune est acquise à la Réforme, ce qui lui vaut le surnom de « petite Genève ».

C'est effectivement à l'activité dentellière que l'on attribue généralement la propagation de la Réforme. La fabrication de la dentelle est le fait d'une main-d'œuvre dispersée, qui travaille à domicile, souvent en famille. En fin de journée, ces familles se regroupent pour économiser la lumière. De tels rassemblements sont propices à l'échange de réflexions, à la contagion des idées nouvelles. Sur un total de cent vingt-huit marchands dentelliers des paroisses de Villiers-le-Bel et de Groslay, trente-quatre sont protestants. Ceux-ci assurent l'encadrement religieux de la région. Au xviie siècle, deux marchands dentelliers, Nicolas Tavernier et Zacharie Chastelier, prennent en main la communauté réformée de Villiers-le-Bel, le premier faisant fonction de ministre, le second d'ancien.

Les huguenots parisiens qui, à partir de l'édit de Nantes, se sont vu interdire la célébration de leurs offices à moins de cinq lieues de la capitale, installent d'abord leur temple à Grigny, près de Juvisy. Ce site est choisi en raison de la présence d'un ancien du consistoire de Paris, Josas Mercier, seigneur des Bordes et de Grigny. Par lettres patentes du 14 octobre 1599, Henri IV autorise le transfert de ce lieu de culte à Ablon, où Sully possède des terres. En août 1606, le temple est déplacé à Charenton, village plus proche de Paris, plus facilement accessible par route ou par la Seine. Ce premier temple, incendié, est reconstruit en 1621 sur les plans de Salomon de Brosses. Il contient quatre mille places. Il sera entièrement détruit au moment de la Révocation de l'édit de Nantes.

Une église de La Norville, village situé près d'Arpajon, à sept lieues au sud de Paris, figure sur les actes des synodes réformés du milieu du XVIIᵉ siècle. Il s'agit d'une église de fief, la seigneurie de La Norville appartenant aux protestants, d'abord à Charles Le Prince puis, par mariage, à Josas Mercier. Cette église, qui connaît une vie intermittente, est, en fait, une annexe de celle du Plessis-Marly. Le culte y est suivi par des familles de la petite noblesse ou de la bourgeoisie des alentours. La famille Mercier abjurant en 1673, il y est alors supprimé. Au Plessis-Marly, le culte est célébré, à partir du début du siècle, grâce au seigneur du lieu, Philippe de Mornay. Le temple, mentionné dans les actes du synode de 1679, subsiste jusqu'à la Révocation.

Dans le Vexin, la Réforme s'exprime à Buhy, Hazeville, où, selon la légende, Calvin aurait séjourné et écrit une partie de *L'Institution de la religion chrétienne*, ce qui n'est en rien prouvé. Elle se développe également à Boury, Avernes ainsi qu'à Boisemont sous l'influence de quelques familles nobles parmi lesquelles les Mornay, les Bec-Crespin et les La Saussaye. Des communautés sont signalées à Pontoise et à Meulan, en 1562, à Mantes, en 1583. Les protestants de Mantes ont un temple à Limay. Dans l'élection de Montfort, on trouve, dès 1561, des communautés à Houdan. On en trouve également plus au sud, à Dourdan, à Étampes, à Ablis.

Le 17 octobre 1685, la Révocation de l'édit de Nantes marque l'aboutissement de toute une série d'entraves portées au culte protestant. Celles-ci commencent parfois très tôt. Dès les années 1630, les protestants de Brie font l'objet de tracasseries. A Claye, quatre arrêts du parlement de Paris interdisent le culte sous prétexte que le seigneur n'y réside pas ordinairement. Le 21 avril 1637, un arrêt du conseil du roi y interdit l'exercice public de la religion réformée. Les cérémonies reprennent cependant, en 1644, mais, en 1661, interdiction est signifiée aux pasteurs de Meaux, Lizy, La Ferté, Paris et Orléans qui ne doivent poursuivre « aucun exercice de leur religion » à Claye. Les fidèles sont même invités à tapisser leur maison le jour de la Fête-Dieu.

A la veille de la Révocation, les mesures vexatoires se multiplient. Bossuet intervient auprès du roi pour faire cesser le culte privé chez Anne Hevrart, conseiller au parlement de Paris, dans la chapelle de son château de Bois-le-Vicomte. Toutes ces mesures contraignent les derniers « résistants » de ce secteur à l'émigration vers Sedan, Genève ou les Pays-Bas, ou à l'abjuration.

Dans les mois qui suivent, les établissements scolaires, les lieux de culte protestant sont supprimés. Les cimetières sont confisqués. La destruction du temple de Bois-le-Roi est décidée le 6 juillet 1682 ; le terrain est offert aux mathurins ou aux trinitaires de Fontainebleau. Les protestants des environs sont obligés de se rabattre sur le temple de Charenton. La démolition des temples de La Ferté et de Lizy intervient en mai 1685. Celui de Chermont est rasé entre le 24 et le 26 octobre 1685, sur ordre du procureur du roi de Meaux. L'emplacement et les matériaux sont légués à l'hôpital de la ville. Les lieux de culte privés ne sont pas épargnés. Les boiseries de la chapelle de Lumigny sont démontées et replacées dans l'église de Mortcerf où elles se trouvent toujours, marquées du chiffre du seigneur de Copincourt. Le temple de Claye est transformé en église paroissiale.

Les Réformés n'ont donc le choix qu'entre la conversion ou l'exil. Quinze cents soldats sont envoyés, en 1686, dans le diocèse de Meaux pour contraindre les derniers récalcitrants à la fuite ou à l'abjuration. Si les élites et la paysannerie optent pour la conversion, préférant conserver leur patrimoine foncier, les négociants, les petits marchands, les artisans dont la fortune est en argent et en marchandises, n'hésitent pas à émigrer, emportant hors des limites du royaume leurs capitaux et leur industrie.

Les réfugiés briards partent généralement pour l'Allemagne. On les retrouve en Franconie, à Schwabach, à Erlangen, à Bayreuth, en Westphalie, à Wessel, en Prusse, à Magdebourg, en Basse Saxe, à Brunswick, à Celle, à Neu-Isenburg ainsi qu'à Brême. Après une première phase de grande dispersion, c'est à Neu-Isenburg, au sud de Francfort, qu'ils se regroupent. Le comte Jean Philippe von Offenbach accepte d'y recevoir les huguenots français. Soixante-dix familles briardes se voient ainsi offrir des terres dans cette cité.

Les convertis demeurés sur place font l'objet d'une surveillance particulière de la part des pouvoirs publics, civils et religieux. A Meaux, Bossuet se montre partisan d'une « contrainte modérée » qui consiste à obliger les nouveaux convertis à envoyer leurs enfants dans les écoles catholiques, à rester ferme sur les mariages et à procurer « des instructions solides et de véritables éclaircissements » à ceux qui paraissent les mieux disposés. Aux alentours, les nouveaux convertis sont assez nombreux. Dom Toussaint du Plessis les estime à neuf cents à la fin de l'année 1685. Dans un mémoire adressé à Ponchartrain, Bossuet parle de deux mille quatre cents convertis dans son diocèse, répartis en une cinquantaine de paroisses.

Les chiffres fournis dans le mémoire sur la généralité de Paris, bien qu'approximatifs, donnent un ordre de grandeur intéressant du résultat de quinze années de conversions forcées. Le mémoire signale notamment que, sur les 1 933 familles protestantes recensées dans la généralité au moment de la Révocation, 1 200 ont quitté le royaume entre 1685 et 1700.

La révocation de l'édit de Nantes n'empêche pas la tenue d'assemblées clandestines, communément appelées « Assemblées du désert ». Les pasteurs surpris risquent la mort ; ceux qui assistent à leurs assemblées clandestines, les galères. Après la destruction du temple de Nanteuil, des réunions se perpétuent pourtant dans une maison isolée ou dans les taillis de Bois-le-Comte. En mai 1692, le pasteur Gardien Givry prêche à Nanteuil devant deux assemblées de quatre et sept cents personnes. Il préside aussi des assemblées à Châlons, Vitry, Monceaux et Villeneuve-Chalendos. Il finit par être arrêté et transféré à l'île Sainte-Marguerite. D'autres assemblées clandestines sont signalées dans la région de Mortcerf, au bois du Ménillot, près de Saint-Denis-les-Rebais, à La Grande-Villeneuve et dans la région de Bois-le-Roi-Melun. Le 30 juin 1717, trois cents huguenots du village de Nanteuil sont arrêtés au cours d'une assemblée tenue au hameau de Chermont.

Les protestants d'Ile-de-France devront attendre l'édit de Tolérance de 1788 pour voir cesser les persécutions. Cet édit confirme l'interdiction de tout culte public, mais permet aux huguenots de vivre en France, d'y exercer une profession sans être inquiétés, de se marier, de faire constater les naissances devant un officier de justice, d'être inhumés et de faire réhabiliter des mariages contractés illégalement. Ces réhabilitations permettent de se faire une idée de la population réformée de certaines parties de l'Ile-de-France à la fin de l'Ancien Régime. En Brie, 635 réhabilitations sont sollicitées par les habitants des paroisses de Nanteuil, Saint-Denis-les-Rebais, Mortcerf et Saacy, dont 457 pour le seul secteur de Nanteuil.

CHAPITRE VIII

LABOURAGES ET PÂTURAGES EN PLAINE DE FRANCE

« Labourage et pâturage sont les deux mamelles de la France. » « Il faut que chaque Français puisse mettre la poule au pot tous les dimanches. » Par cette double affirmation, Henri IV et Sully ont enraciné leur magistère. Nul doute que la fin du xvie, et plus encore les xviie et xviiie siècles privilégièrent l'agriculture en Ile-de-France. Les fermiers sont alors les vrais gagnants. Bénéficiant d'une forte croissance des prix, ils façonnent l'âme de notre région en formant ses cadres aux dures exigences de la terre. Cette période est exceptionnelle pour l'Ile-de-France, et, en dépit des difficultés nées des guerres de Religion, son développement s'accélère. La personnalité du roi, plus francilien qu'on le pense souvent, compte pour beaucoup. Quant à la ville de Paris, c'est au souverain qu'elle doit une part de son visage actuel.

L'étude des fonds notariaux, des archives fiscales, domaniales ou ecclésiastiques permet de connaître les structures sociales et les conditions de vie matérielle de la paysannerie qui représente, par ses effectifs et sa diversité, la classe dominante de la région pendant deux siècles. C'est par elle que se vit et se forge le quotidien. La terre occupe une place essentielle dans les patrimoines. « Labourages et pâturages » constituent effectivement les principales richesses, le cœur des actifs familiaux. Des études comme celle de Jean Jacquart, sur le Hurepoix, ou celle de Jean-Marc Moriceau, sur les marchands-laboureurs de la Plaine de France, ainsi que bien des monographies locales brossent un tableau précis des caractéristiques et de l'évolution d'une société rurale originale qui a modelé l'identité francilienne. Les fermiers-laboureurs, devenus marchands-laboureurs, y ont contribué de façon déterminante comme, ailleurs, les marins bretons ou les bergers landais ont personnalisé leurs régions.

La culture des céréales – les « bleds » – est à la base de l'activité paysanne dans la plupart des terroirs. C'est une activité valorisée par la proximité de la capitale. Pour nourrir ses habitants, dont le nombre passe de 200 000, en 1540, à 400 000, vers 1680, il faut produire d'énormes quantités de grains. L'appel du marché parisien ne cesse de croître, même si, à partir du XVIIIe siècle, la part du pain dans l'alimentation a quelque peu tendance à se réduire. Dès le Moyen Age, l'Ile-de-France s'est d'ailleurs spécialisée dans la culture des céréales, combinée à un élevage extensif des animaux de trait et à la fumure, indispensable pour amender des terres très sollicitées.

Les « bleds » se développent un peu partout, sur les grands plateaux limoneux qui entourent Paris. Compte tenu de la qualité de leurs sols et du climat, les secteurs les plus productifs sont le Valois, le Multien et la Plaine de France, au nord, le Longboyau, qui correspond à l'emplacement actuel de l'aéroport d'Orly, au sud. Les terres labourées y occupent la majeure partie de l'espace. Au milieu du XVIe siècle, 88 % des sols sont labourés à Arainville, 80 % à Trappes, 48 % seulement à Chevreuse, où les bois sont assez étendus. A la veille de la Révolution, 60 % des terres du Hurepoix sont céréalières.

L'Ile-de-France est, par excellence, la région des vastes exploitations. Les grandes fermes sont, souvent, fort anciennes. Elles remontent à l'époque médiévale. Leur importance se calcule en « charrues », une charrue représentant à peu près une trentaine d'hectares. Au nord de Paris, l'importance moyenne des exploitations céréalières est de deux charrues, soit une soixantaine d'hectares. Sur 98 fermes recensées par Jean-Marc Moriceau dans la Plaine de France et le Multien, les exploitations à deux charrues représentent un peu plus de 42 % des terres, celles à trois charrues, 27 %, celles à quatre charrues, 15 %. Au sud, les fermes sont moins étendues. Elles ne dépassent que très rarement les trois charrues.

Le parcellaire de l'*openfield* parisien est caractérisé par un extrême morcellement, avec toutefois des différences notables selon les terroirs. Au XVIIe siècle, les agronomes considèrent que la taille idéale des parcelles, en plaines céréalières, doit être comprise entre 2,5 et 8 hectares. Au-dessous, le cultivateur ne rentabilise pas au mieux son attelage. Il est obligé de multiplier les manœuvres pour tourner la charrue. Si les grandes fermes isolées réussissent souvent à regrouper leurs parcelles, celles des villages sont très éclatées. Plus la ferme est petite, plus les parcelles sont exiguës. A Gonesse, la ferme Jubert a une superficie de 48 hectares répartis en 106 pièces d'environ un demi-hectare chacune. Les petites parcelles demeurent donc nombreuses, ce qui ne facilite pas toujours l'assolement.

L'assolement triennal, c'est-à-dire la rotation des cultures, est, de très longue date, la règle générale. Dans un champ se succèdent, sur trois ans, les blés d'automne, les « mars » – céréales de printemps, en particulier l'avoine – et la jachère pour ne pas épuiser le sol et favoriser la levée des blés d'automne.

La clause de mise en jachère se retrouve, d'ailleurs, dans tous les baux. Les preneurs s'engagent à cultiver et à labourer les terres « par soles et saisons convenables sans jamais les dessoler ni les dessaisonner ». La non-observation de cette clause peut entraîner rupture du bail.

Les trois soles – blés, mars, jachère – sont généralement d'importance équivalente, surtout dans les grandes exploitations. En 1629, la ferme de Choisy-le-Temple, en Plaine de France, répartit équitablement ses terres en trois lots d'une quarantaine d'hectares pour les blés d'hiver, les céréales de printemps et la jachère. Si l'assolement est très complexe sur les petites exploitations, dans les grandes fermes, les parcelles appartenant à la même sole sont généralement regroupées. Tel est le cas pour la ferme de Chaversy en Valois qui, en 1604, est découpée en quatre grands lots : deux pour la jachère, un pour les blés et un pour les « mars ».

La première sole porte les céréales nobles destinées à la fabrication du pain : le méteil, un mélange de seigle et de froment, très répandu, et le froment. Ce dernier est plus nutritif, mais plus exigeant. Il est cultivé sur les grandes exploitations des plateaux limoneux, seules susceptibles de permettre un apport suffisant en engrais. Produit dès le début du XVIIᵉ siècle en Plaine de France, dans le Multien et le Vexin, le froment se répand, plusieurs décennies plus tard, dans le Valois et la Brie. En Plaine de France, il occupe une part de plus en plus importante de la première sole. Il recouvre les trois quarts de l'espace au début du XVIIᵉ siècle, 93 % à la fin du XVIIIᵉ.

Inversement, le méteil, qui sert surtout à fabriquer le pain consommé sur place ou à payer les ouvriers, recule tout au long de l'Ancien Régime. Il disparaît pratiquement vers 1650. Le seigle, dont les rendements sont supérieurs à ceux du froment, est également en net retrait. S'il est encore cultivé un peu partout, c'est en quantités limitées, pour sa paille longue et souple qui sert à lier les gerbes, à botteler le foin et à attacher la vigne sur les échalas. On note également la présence, ici et là, sur cette première sole, de l'escourgeon, ou « orge carrée », et de la navette crucifère, proche du colza, dont on tire une huile.

La seconde sole est semée en céréales de printemps : avoine, tramois – sorte de blé de printemps –, orge et autres « mars » selon l'expression de l'époque. L'orge est assez rare car il a la réputation d'épuiser les sols. L'orgias, mélange d'avoine et d'orge, cultivé sur de très petites superficies, sert à nourrir poules et cochons. L'avoine, indispensable aux chevaux, occupe la plus grande place de la seconde sole. La sole de mars fait également place aux légumineuses – les vesces, les fèves – qui engraissent les sols grâce à leur apport en azote et en humus. Au XVIe siècle, elles occupent encore un quart de la sole en Plaine de France, mais plus que 15 % au XVIIe siècle. Les lentilles et les féverolles n'apparaissent que plusieurs décennies plus tard. Ces légumineuses sont généralement mangées sur pied par le bétail.

La troisième sole est laissée en jachère. Elle sert de pâturc au bétail. Comme le souligne Jean Jacquart, la jachère n'est pas le signe d'une agriculture arriérée « mais, bien au contraire, d'une agriculture adaptée aux conditions techniques et humaines du temps ».

Dès le début du XVIIe siècle, les agriculteurs franciliens cherchent à rentabiliser la jachère en y pratiquant ce que l'on appelle les « cultures dérobées ». La sole en jachère est ensemencée, au printemps, en pois, fèves ou haricots récoltés avant les labours d'automne. Cette pratique, interdite dans les baux, les propriétaires craignant l'épuisement des terres, se répand vers 1620-1640. Les « cultures dérobées » se pratiquent généralement sur les champs les plus proches du village, les mieux soignés et les mieux enrichis.

A la même époque, les fermiers laboureurs du Hurepoix et de la Brie commencent à soustraire des parcelles à l'assolement triennal et à les ensemencer en luzerne et sainfoin. La culture de ces plantes fourragères permet d'augmenter le cheptel et, par conséquent, le volume de la fumure en même temps que la production de viande, de lait et de fromages, facilement écoulée à Paris. Toutefois, ces tentatives, révolutionnaires pour l'époque, seront brisées par la grande crise agraire du milieu du XVIIe siècle. Elles se développeront de nouveau au siècle suivant sous l'influence des agronomes physiocrates et de certains grands propriétaires fonciers. En 1762, sur les terres de la ferme d'Ergal, appartenant aux Phélypeaux de Pontchartrain, une famille qui multipliera les expériences agronomiques, 170 arpents sont cultivés selon l'assolement triennal et 70 en prairies artificielles.

Mais quelles sont les techniques de culture des paysans céréaliers d'Ile-de-France ? La première sole reçoit trois à quatre « façons », c'est-à-dire trois ou quatre labours pour préparer l'ensemencement du blé. Ces labours sont souvent entre-croisés et suivis d'un hersage. La sole de « mars » reçoit un labour pour l'avoine, deux pour les orges, les pois ou les fèves. La jachère est travaillée une fois dans l'année afin d'aérer et d'ameublir le sol. Toutes ces opérations requièrent un personnel nombreux contribuant à rendre la société rurale très active.

La charrue est pratiquement toujours tirée par des chevaux. Les attelages de bœufs, nécessaires pour effectuer un labour profond, ne se pratiqueront qu'à la fin du XIXe siècle, avec l'apparition de la betterave. La rareté des herbages explique aussi l'absence des bœufs, grands consommateurs de fourrage.

Quatre types de charrues sont utilisées : la charrue de Brie, la plus répandue, la charrue à versoir, la charrue à chaîne ou à maille, dite aussi charrue de Champagne, et la charrue tourne-oreille, ou charrue de France. La charrue de Brie comporte un coutre vertical destiné à fendre la terre, un soc qui la soulève, un versoir qui la rabat sur le côté gauche et un sep, pièce infé-rieure longitudinale qui permet à l'ensemble de glisser sur le sol tandis que l'âge, muni de mancherons, sert à soutenir et à gui-der l'appareil. L'avant-train de la charrue est porté par deux roues de diamètres inégaux ; la gauche, qui roule sur le sillon, est un peu plus petite que la droite. L'attelage se compose de la traie, ou flèche, et des palonniers. La charrue à déversoir diffère de la précédente par l'assemblage de ses pièces. La charrue à chaîne, par la manière dont l'avant et l'arrière-train sont assem-blés. La charrue tourne-oreille est plus légère que les pré-cédentes ; elle convient aux terres souples et sablonneuses et aux surfaces planes ; elle est très utilisée dans le nord de la région.

Ces charrues, composées de nombreuses pièces en fer entre-tenues sur la ferme elle-même ou un village par tout un peuple d'artisans, sont lourdes. Elles sont tirées par deux chevaux pla-cés en ligne, ou parfois, chez les paysans peu aisés, par un che-val et un âne. Elles sont bien adaptées à la forme des parcelles, souvent très cornues, qui exigent un attelage suffisamment mobile.

Les herses sont triangulaires ou, plus rarement, quadrangulaires. Leurs dents sont d'abord en bois, puis en fer, à partir du début du XVIIIᵉ siècle. Elles sont tirées par un cheval, parfois deux quand il s'agit de grandes herses. Les rouleaux, en bois, n'apparaissent qu'à partir de 1750, au nord de l'Ile-de-France.

Les terres sont amendées de trois manières : par l'engrais vert, c'est-à-dire les racines de défriches ou les chaumes enfouis lors de la préparation du sol, par le fumier épandu ou de pacage et, plus tard, par le marnage.

Le fumier est fourni par le cheptel que chaque agriculteur est censé posséder. Dans les baux, les fermiers ont souvent l'obligation d'entretenir un cheptel suffisant pour permettre la fumure des terres. En 1573, les célestins de Paris demandent au fermier de leur ferme de Villesaussaye de nourrir plus de 120 « bestes à laine » pour l'amélioration de leurs terres.

Le fumier, principalement étendu sur la sole en jachère, est souvent insuffisant. La trop faible superficie des prairies empêche un élevage intensif qui permettrait de collecter des quantités suffisantes de fumier. Les soles ne sont donc jamais complètement fumées. En Plaine de France, un tiers seulement de la sole des blés est fumée, ce qui correspond à un apport d'engrais animal par parcelle tous les neuf ans. Le volume de fumure répandu à l'hectare varie selon les terroirs. Dans le Hurepoix, Jean Jacquart l'estime au plus à dix tonnes, ce qui est assez peu. En Plaine de France, Jean-Marc Moriceau donne le chiffre de seize tonnes et demie, mais il s'agit là d'un maximum. En matière de fumure, l'Ile-de-France se situe loin derrière les régions riches en élevage comme le pays de Caux, où l'apport est beaucoup plus important. Le développement, au XVIIIᵉ siècle, des prairies artificielles qui permettent de nourrir à l'étable le bétail et de récolter davantage de fumier contribuera à un meilleur amendement des sols.

Ces apports sont coûteux en temps et en argent, car ils nécessitent de nombreuses manipulations. Aussi, la pratique de laisser, en été, les bêtes, spécialement les ovins, engraisser directement les terres se développe progressivement. Au XVIIᵉ siècle, le pacage entre pour 40 % dans le total des fumures. Il augmente un peu au siècle suivant.

Le marnage est très rare. Il est expérimenté, au début du XVIIᵉ siècle, dans l'élection de Rozay-en-Brie. Il connaît un assez grand succès dans les plaines du nord de Paris. En 1680, Michel Olin débourse 120 livres pour marner plusieurs arpents de son exploitation. En 1695, le fermier seigneurial du Plessis-Gassot marne 13,5 % de ses terres, soit presque vingt hectares. Le développement du marnage, à la fin du siècle, s'explique probablement par un cycle d'années pluvieuses qui lessivent les limons et entraînent une décalcification des terres. Il se réduira par la suite.

Après les labours et les fumures viennent les semailles. Les semences font l'objet de sélections empiriques. N'est choisi que le meilleur grain, c'est-à-dire le grain « sec, beau, pesant, point altéré, moucheté ni ridé, sonnant lorsqu'on le fait sauter dans la main, ferme sous la dent », comme le précise *La maison rustique*, dans son édition de 1743. Les semences sont renouvelées tous les trois ou quatre ans pour éviter la dégénérescence. Afin de faciliter leur germination, elles sont « chaulées », c'est-à-dire trempées dans de l'eau mêlée de chaux. Cette pratique, inconnue dans d'autres régions, est courante dans le nord de l'Ile-de-France, dès la seconde moitié du XVIIᵉ siècle.

Le grain est semé à la volée. Le paysan porte un semoir de treillis qui a la forme d'une grande poche de toile suspendue au cou, à la manière d'un tablier. La quantité de semence utilisée varie avec la qualité de la terre. Plus la terre est médiocre, plus le semis est clairsemé. Sur les riches plateaux limoneux, la densité du semis de froment est assez élevée : 2,5 hectolitres à l'hectare au XVIIᵉ siècle, 3 à 3,5 au XVIIIᵉ. Elle est nettement moins importante en Brie ou en Hurepoix. Les autres céréales sont semées moins denses. A Juilly, on sème 2,16 hectolitres d'avoine à l'hectare, 2,2 hectolitres de seigle au Mesnil-Aubry. L'époque des semailles varie selon l'espèce et la sole. Les blés d'hiver sont semés en septembre-octobre ; les blés de printemps en mars-avril. Après les semailles, le paysan passe la herse pour enfouir les graines et, plus tard, un rouleau pour comprimer la terre fraîche. Des sarclages à la main contre les mauvaises herbes se perpétuent jusqu'à la moisson.

Celle-ci s'effectue de la mi-juillet à la mi-août. Elle commence par les blés d'hiver et finit par les « mars ». Les céréales d'hiver sont coupées à l'aide de grandes faucilles, ce qui évite l'engrènement et permet de trier les mauvaises herbes. Les faucheurs sont suivis par les femmes et les enfants qui lient les gerbes. Le blé est coupé à mi-hauteur ou à ras selon que l'on veut avoir du chaume ou de la paille. Les gerbes sont mises à sécher sur place, puis ramassées avec des charrettes traînées par trois ou quatre chevaux avant d'être stockées dans des granges. Le battage s'effectue avec des fléaux. Il peut durer plusieurs mois.

Les rendements sont fonction de la qualité des semences, de la nature de la parcelle et des années. Ils varient entre 10 et 15 quintaux à l'hectare. En Brie, la ferme de Noisy-le-Grand enregistre, en 1732, un rendement de 15,6 quintaux pour le froment et le seigle ; il ne sera que de 7 quintaux en 1735. La ferme de Chilly en Hurepoix a un rendement de 6 pour 1 pour le blé en 1769 et seulement de 3,7 pour l'année suivante. En Plaine de France, les rendements sont supérieurs. Fin XVIe siècle, l'orge rapporte 20,3 quintaux à Louvres, 14,8 au Thillay. A Gonesse, le rendement du froment est de plus de 22 quintaux en 1668. Ces rendements relativement élevés expliquent la richesse de ceux qui possèdent ou exploitent les terres ; expliquent la richesse de l'Ile-de-France qui a permis son développement économique complémentaire de sa puissance politique.

Comme toutes les régions céréalières, l'Ile-de-France compte peu de prairies naturelles, même si toutes les exploitations y consacrent quelques arpents pour nourrir le bétail. A la fin du XVIIIe siècle, les prés ne représentent que 4,3 % du sol de l'élection de Paris et 4,4 % de celle de Meaux. Ceux-ci se concentrent surtout dans les vallées, spécialement dans celles de la Seine et de la Marne. Ils sont beaucoup plus rares en plaine, comme au Thillay, où moins de 3 % des sols sont en herbages.

Les prairies artificielles compensent le manque de prairies naturelles. Le sainfoin apparaît à la fin du XVIe siècle ; il commence à se développer à la fin du règne de Louis XIII, notamment dans les plaines du Nord et en Hurepoix.

En 1651, la ferme de Stains, qui compte 233 hectares de terres labourables, n'en réserve que deux au sainfoin. Dans l'exploitation de Jean Le Duc, à Louvres, les prairies n'occupent qu'à peine plus de 1 % des terres. Quelques années plus tard, en 1660, la ferme de la Saussaie, située sur le Long-boyau, consacre 17 hectares au sainfoin, c'est-à-dire près du cinquième de son domaine. En 1692, dans le marquisat d'Ormesson, deux fermiers y consacrent des espaces de même importance. Au XVIIIe siècle, les prairies artificielles ne cessent de s'étendre. Elles gagnent surtout du terrain dans les régions de coteaux proches de la capitale dont les besoins en fourrage vont croissant. Elles progressent nettement moins sur les plateaux céréaliers.

*
* *

Contrairement à la Normandie voisine, l'Ile-de-France n'est pas une région d'élevage. Le bétail, indispensable pour travailler les champs, pour fumer les terres et assurer un complément de revenu, est associé aux cultures et à l'assolement triennal et non élevé pour lui-même. On le trouve surtout dans les grandes fermes. En 1561, Michel Gillot, laboureur à Grand-Vaux en Hurepoix, qui exploite 42 hectares, élève 6 chevaux, 6 vaches, 2 taureaux, 3 truies, 11 cochons, 21 porcelets, 130 moutons, 51 agneaux, sans compter deux douzaines de poules et une vingtaine d'oies. Un peu plus tard, en 1684, Bonaventure Langlois, propriétaire d'une ferme de 72 hectares à La Grande-Paroisse en Brie, possède 12 chevaux, 3 ânes, 22 vaches, 2 taureaux, 19 porcs, 160 brebis et agneaux et 140 têtes de volaille. A Sivry, Louis Noël, qui exploite 200 hectares, possède une bergerie de 480 moutons auxquels il faut ajouter 17 chevaux, 2 ânes, 23 vaches, 2 taureaux et 11 porcs. Les petits exploitants ont beaucoup moins de bétail. L'examen des inventaires après décès en atteste. Sur 126 inventaires de paysans étudiés par Jean Jacquart, à Villejuif en Hurepoix, et couvrant la période

1577-1662, 57 ne mentionnent aucune pièce de bétail; 16 ne signalent que la possession d'une vache, d'un porc, d'un âne ou de quelques volailles. En milieu vigneron, le bétail semble un peu plus répandu. En 1701, un vigneron d'Ivry est propriétaire d'un cheval « soubz poil gris », d'une « beste asine », de 2 vaches laitières, de 12 poules et d'un coq.

Le cheval occupe une grande place, spécialement sur les plateaux céréaliers. Il commande l'essentiel de l'activité agricole, mais il représente un investissement lourd. Au début du XVIIe siècle, une paire de chevaux de labour peut coûter de 120 à 200 livres, soit quatre fois plus que le chariot, dix fois plus que la charrette, vingt fois plus que la charrue! Les chevaux sont nourris par les produits de la deuxième sole : l'avoine, la paille, et parfois les vesces. Leur entretien est également onéreux. En 1680, dans une ferme du village de Silly-en-Multien, un cheval consomme 11 litres d'avoine par jour et une botte de vesces tous les trois jours. Les chevaux ne sont pas élevés sur place mais achetés à l'extérieur. Les fermiers du nord de Paris s'approvisionnent aux marchés aux chevaux de Senlis, de Luzarches, de Crépy ou de Beauvais.

L'âne, assez répandu chez les vignerons, commence à apparaître dans les grandes fermes céréalières, et se diffuse assez rapidement à partir de 1650 avant de régresser quelques décennies plus tard. Cet animal, peu difficile, est bon marché; il ne coûte qu'une dizaine de livres entre 1630 et 1700. Il sert surtout aux menus charrois sur de courtes distances.

Les ovins sont assez nombreux. Ils s'associent parfaitement bien à l'assolement triennal et à la culture des céréales car ils se contentent de la médiocre pâture sur les chaumes ou les jachères. Ils nettoient les terres tout en les engraissant. Ils sont d'un bon rapport, car ils produisent de la laine et de la viande. Les grandes exploitations céréalières ont toutes leur troupeau de « bestes à laine » à raison de deux têtes à l'hectare. Les petites exploitations à une charrue n'en possèdent généralement pas.

L'élevage des bovins est rendu difficile par manque de prairies naturelles. Les prés appartiennent souvent aux propriétaires citadins qui s'en réservent la jouissance. Les bovins d'Ile-de-

France sont élevés pour la viande, le lait et le fromage ; les vaches de la ferme de Chilly, au sud de Paris, produisent 6,4 litres de lait par jour en période de lactation. C'est dans les grandes fermes céréalières que l'on en trouve le plus. En 1588, Simon Le Maire, marchand-laboureur à Louvres, possède 12 vaches ; en 1641, une ferme de Villerson a un troupeau de 9 vaches. Plus on avance dans le temps, plus les fermiers ont tendance à se concentrer sur l'élevage des vaches à lait, délaissant celui des bœufs, bouvillons ou génisses.

L'élevage des porcs est moins courant dans la région, qu'en pays de bocage. Les porcs font toutefois partie du cheptel habituel des fermes céréalières. Ils sont consommés localement ou vendus pour l'approvisionnement de Paris. Ils sont souvent mentionnés dans les baux. En complément de fermage, le fermier fournit un ou plusieurs pourceaux gras. En 1555, les fermiers de Choisy-aux-bœufs doivent à leurs propriétaires, les moines de Chaalis, 5 pourceaux gras par an. Jusqu'en 1650, les fermes céréalières de la Plaine de France possèdent toutes 20 à 30 porcs, parfois plus, nourris avec les déchets céréaliers, avec ceux de la consommation domestique, avec les fèves ou l'escourgeon ou directement sur la jachère.

Le droit de glandée organise la transhumance des bêtes. Sous la direction d'un garde, nommé par la communauté villageoise, les porcs sont conduits, en automne, dans des forêts dont les propriétaires adjugent à bail court, en général pour deux mois, l'exploitation de leur droit de paison. Ces troupeaux de porcs effectuent parfois un trajet assez long ; en 1573, les 105 porcs des fermiers du village de Goussainville font 70 kilomètres pour atteindre la forêt de Laigne, au sud de Compiègne. Les grandes réformes de Colbert qui régissent le droit de paissance vont limiter ce système d'engraissement. Pour cette raison et pour d'autres, l'élevage du porc régresse très nettement à partir du milieu du xviie siècle.

Les volailles connaissent, en revanche, un grand essor et une forte diversification tout au long de l'Ancien Régime. Les plus répandues sont les poules, les chapons, les oies et les pigeons. La dinde, venue d'Amérique du Nord, se développe au xviie siècle.

Globalement, tout au long des trois siècles, l'élevage progresse en Ile-de-France, notamment celui des ovins. Cependant, cette progression, qui se poursuivra au XIXe siècle, demeurera toujours insuffisante pour satisfaire les besoins tant en fumure qu'en approvisionnement du marché parisien. L'industrie chimique devra remédier aux premiers et l'appel aux cheptels provinciaux, menés à pied jusqu'au grand marché de Poissy ou de Sceaux permettra de nourrir la capitale.

L'Ile-de-France a développé un type particulier de gestion humaine et économique de la propriété agricole. Dans les grandes plaines céréalières, les ruraux ne possèdent qu'une faible partie des terres. La propriété ecclésiastique, nobiliaire ou bourgeoise domine. Le mode de mise en valeur des sols est donc celui du faire-valoir indirect. Les familles urbaines, en particulier celles de la capitale, possèdent des terres « hors les murs ». Elles leur fournissent une partie de leurs revenus. Cette interaction entre leurs deux types de patrimoine est une des caractéristiques de la bourgeoisie parisienne qui ne peut vivre sans l'apport de la campagne francilienne. L'unité économique des patrimoines privés renforce, dès cette époque, l'unité géographique et politique, désormais bien affirmée, de l'Ile-de-France.

Le système du « bail à ferme », très courant, donne naissance à une catégorie originale d'exploitants agricoles, les fermiers-laboureurs, autour desquels gravite tout un monde rural moins favorisé, très varié, le peuple des campagnes composé de petits propriétaires-exploitants, de manouvriers et d'artisans ruraux. Dans les vignobles, la situation est un peu différente. Le faire-valoir direct est plus répandu et les contrastes moins marqués.

Cette société rurale ne reste pas figée pendant les trois siècles de l'Ancien Régime. Les crises qui accompagnent les guerres de Religion, entre 1560 et 1598, ainsi que la Fronde, entre 1648 et 1653, contribuent à faire évoluer le paysage social. Pourtant, le trait dominant, spécialement dans les plaines céréalières, demeure l'appropriation de la terre et la montée en puissance des « fermiers-laboureurs ». A la fois propriétaires et fermiers, ces « coqs de village » consolident leurs positions financières et sociales. Ils forment une puissante oligarchie de la terre aux liens multiples. Leur ascension est d'autant plus nette que la catégorie intermédiaire des petits propriétaires est sensiblement moins représentée en Ile-de-France que dans d'autres provinces. Certains de ceux-ci parviendront à pénétrer dans le cercle restreint des « fermiers laboureurs », tandis que d'autres disparaîtront, en particulier après la Fronde. Quant au petit peuple des campagnes, manouvriers et artisans ruraux, assez nombreux, car il faut des bras, il forme le fond de la population mais ne marque pas son temps. Ce sont, à cette époque, les fermiers-laboureurs qui sont les vrais bâtisseurs de la région, comme le seront les entrepreneurs au XIXe siècle.

Progressivement, les petits propriétaires et manouvriers perdent leur assise terrienne, d'ailleurs très limitée, et entrent au service des gros exploitants. Employés de manière discontinue, ils sont très sensibles à l'augmentation du prix des grains. Ils sont les premières victimes des crises de subsistance qui, sans atteindre la gravité des famines médiévales, n'en occasionnent pas moins une forte mortalité. Seuls les vignerons connaissent un sort plus enviable. Souvent propriétaires de modestes lopins de terre, ils résistent mieux aux crises. Bénéficiant du dynamisme du vignoble francilien, ils conservent un certain degré d'aisance et d'indépendance, concourant à l'émergence de la petite notabilité du XIX^{e}siècle.

Les petits propriétaires forment une population variée, qui sait s'adapter autant aux sols qu'à la demande. Dès le XVIe siècle, la croissance de la capitale pousse les paysans des abords immédiats de Paris à developper des activités originales. La culture des arbres fruitiers est en progression constante sur les coteaux de la région. Certains villages se spécialisent. Montmartre, Antony, Montmorency et Groslay sont réputés pour les cerises. La culture des pêchers se pratique à Bagnolet, à Corbeil, et surtout à Montreuil, où Pépin inaugure une nouvelle technique avec les fameux murs qui emmagasinent la chaleur pour favoriser le mûrissement des fruits. Dans le parc de Malassis, entre Bagnolet et Montreuil, un ancien officier de Monsieur, frère du roi, Edmé Girardot, et son fils, René Claude, introduisent, dès le milieu du XVIIe siècle, la culture des pêchers en espaliers selon la technique dite du « palissage à la loque ».

Le mémoire sur la généralité de Paris précise que, dans l'élection de la capitale, se cultivent, avec de « bons soins », les figuiers, les grenadiers, les orangers et les citronniers. La plupart des grands châteaux possèdent leur orangeraie. Certaines sont importantes. En 1742, celle de Pontchartrain contient 170 orangers cultivés pour leurs fleurs, vendues à Paris. La culture du figuier est attestée à Saint-Brice, près de Montmorency. Les pommiers et les poiriers sont répandus dans l'élection de Montfort.

Dans les grandes plaines céréalières, les petits propriétaires possédant 5 à 15 hectares sont peu nombreux. En Hurepoix, Jean Jacquart n'en trouve que 50 sur l'échantillon de 1 100 familles de son étude. Ces petits propriétaires sont qualifiés de « laboureurs », ou, dans le Vexin, d'« haricotiers » – ceux qui labourent avec un mauvais cheval – ou de « sossons » – ceux qui, ne possédant qu'un seul cheval, sont obligés de s'associer pour constituer un attelage. Leur train de culture est plus ou moins complet. Certains accèdent, cependant, à des baux d'importance moyenne. Ils occupent une position charnière, mais, en période de crise, ils peuvent retomber dans la catégorie des manouvriers. S'ils sont habiles gestionnaires, ils parviennent à intégrer la catégorie des fermiers-laboureurs.

La crise économique qui fait suite à la Fronde les fait beaucoup souffrir. Celle-ci frappe d'abord ceux qui travaillent sur des terres médiocres, dans de modestes fermes. Les mauvaises récoltes, les vols de cheptels, les incendies de bâtiments dus aux campagnes militaires provoquent une chute brutale de leurs profits, déjà fragiles. La plupart s'endettent et font faillite. Noël Herbillon, laboureur à Villejuif, fait partie des victimes. Au moment de sa mort, en 1650, il laisse 5 400 livres de dettes dont 4 080 à son propriétaire, alors que ses actifs ne représentent que 3 500 livres. Dans certains endroits, les exploitations moyennes disparaissent. A Choisel, entre 1662 et 1663, sept exploitations de petite taille sont abandonnées ; trois demeurent en friche ; quatre sont reprises par les propriétaires qui les exploitent directement, par « valets » interposés. Ces petits laboureurs en faillite sont condamnés à servir comme ouvriers chez les riches fermiers qui récupèrent les baux vacants ou achètent les terres des faillis.

Les manouvriers, nombreux dans les régions de labour, sont des ouvriers agricoles qui louent leurs services aux paysans. Au xvi⁰ siècle, la plupart sont propriétaires de quelques lopins de terre ou simplement d'une portion de logis. En Hurepoix, 9/10⁰ des familles rurales possèdent en propre moins de 2,5 hectares, généralement des tenures minuscules, très disper-sées, qui ne peuvent suffire à leur subsistance. A Chevreuse, en 1564, le plus « riche » des manouvriers possède 1,55 hectare réparti en huit parcelles. Vers 1550, dans les sept seigneuries du sud de Paris ayant servi de cadre à l'étude de Jean Jacquart sur la crise rurale, 6 000 hectares – 34 % des sols – appartiennent à 2 010 manouvriers dont vingt seulement sont propriétaires de plus de dix hectares, et 1844 de moins de 2,5 hectares.

Les artisans villageois, les charrons, les serruriers, les maré-chaux, les maçons, les menuisiers, les bourreliers, les charpen-tiers, les couvreurs, les tailleurs, les barbiers connaissent le même régime de « médiocrité matérielle ». Ce sont souvent des ruraux mal dotés qui ont cherché dans l'artisanat un moyen d'améliorer leur situation. C'est, cependant, cette population qui donne à nos villages, qui dépassent rarement une centaine de feux, une véritable animation que l'on a du mal à imaginer aujourd'hui. Bien que leur vie soit souvent difficile, ils consti-tuent de vraies communautés sociales.

Dès le début du xvi⁰ siècle, le petit patrimoine des manou-vriers a tendance à s'amenuiser, car le partage égalitaire, entre tous les héritiers, stipulé par la coutume de Paris, entraîne, à chaque génération, un morcellement des tenures. La crise qui secoue l'Ile-de-France au moment des guerres de Religion accélère ce processus. A la suite de mauvaises récoltes et des déprédations diverses, les manouvriers ne parviennent plus à subvenir à leurs besoins. Leurs salaires ne suivent pas, loin s'en faut, la hausse des prix des grains. Leurs charges augmentent, d'autant que les seigneurs refont leurs terriers, remettent à jour les censiers et réclament des arriérés sur des droits féodaux tombés en désuétude. La taille et les autres impôts royaux, dont la gabelle et les aides, sont de plus en plus lourds. Les petits paysans empruntent en s'adressant aux gros fermiers ou aux bourgeois des villes. Pour rembourser, ils ont recours à des constitutions de rentes qui grèvent le budget familial, ou à la vente de leur patrimoine foncier. Les archives notariales mettent en relief ce mécanisme qui conduit à « l'expropriation de la masse rurale ».

Le phénomène n'est pas particulier à la région, mais il y est plus précoce qu'ailleurs. Au début du XVIIe siècle, la part de la terre détenue par la petite paysannerie est considérablement réduite, particulièrement dans les zones où les ravages de la guerre sont les plus importants ainsi qu'aux abords de la capitale ou des villes secondaires, là où la bourgeoisie a multiplié les rachats. Au lendemain des guerres de Religion, à Wissous, 100 feux, dont 83 possèdent moins d'un hectare, ne se partagent que 11 % du terroir. A Corbreuse, aux limites du plateau beauceron, 42 % du terroir appartient aux paysans, mais le morcellement est considérable : 84 agriculteurs sur 149 ne disposent que de moins d'un hectare.

A travers des textes de l'époque, des gravures, des actes notariaux, on constate qu'un paysan s'avoue rarement « manouvrier », car « c'est se classer d'emblée parmi les plus pauvres des ruraux, c'est avouer sa complète dépendance économique ». En réalité, les manouvriers sont, généralement, employés par les fermiers pour des travaux temporaires, saisonniers. Tout se fait à la main. Les tâches sont multiples. Ceux qui sont sans qualification particulière sont embauchés pour épandre le fumier, curer les bergeries, entretenir les fossés, et surtout, participer aux moissons dans leur village ou dans des villages voisins. Aux femmes sont confiés la nourriture des volailles, la sélection des semences, le sarclage et le désherbage des blés, avec l'autorisation appréciée de conserver les herbes arrachées pour nourrir leurs bêtes, ou pour lier des javelles. Pendant leur travail, les ouvriers sont nourris : une soupe deux fois par jour, du vin, de la viande et parfois du poisson. Le repas est pris en commun dans la grande salle de la ferme ou, l'été, quand il faut gagner du temps, aux champs. A la fin des grands travaux, est organisé un repas plus copieux dont le souvenir s'inscrit dans notre culture régionale. On y chante et on y danse.

A la fin du XVIᵉ siècle, le salaire journalier d'un manouvrier des environs de Paris équivaut à 5,5 kilos de froment ou à 9 kilos de seigle. Le fauchage d'un arpent de pré est payé 35 sols, un peu plus d'une livre et demie, celui d'un arpent d'avoine, 9 sols. La moisson d'un arpent de froment rapporte 21 sols. En Plaine de France, les batteurs en grange sont payés en nature avec le vingt-cinquième minot pour le blé et en argent au setier ou au muid pour l'orge et l'avoine. Vers 1730, au Plessis-Gassot, le salaire annuel des ouvriers agricoles varie de 76 à 110 livres, soit l'équivalent de 3 livres de pain par jour. Les salaires diffèrent selon les terroirs et leur richesse. Ainsi, la Brie fait figure de parent pauvre. C'est en Plaine de France que les salaires sont les plus élevés.

Pourtant, les conditions de vie apparaissent, globalement, acceptables puisque, dès cette époque, les provinciaux sont attirés par l'Ile-de-France. On y vient travailler de Bretagne, de Picardie, du Centre ; ne fût-ce que pour la saison des gros travaux, pour la moisson. Aussi, les manouvriers doivent-ils mettre des provisions et de l'argent de côté pour les périodes d'inactivité. Les distinctions sociales se creusent entre ceux qui savent épargner et les autres.

En dehors des mauvaises saisons ou des périodes de guerre, le manouvrier francilien n'est, effectivement, pas miséreux. Nourri à la ferme, il vit convenablement. Il possède presque toujours un petit jardin, près de sa maison, ainsi qu'une étable avec un peu de bétail. Il a recours au glanage. Sa femme travaille de temps en temps ou prend un nourrisson de Paris en pension. Les familles restant le plus souvent groupées, les solidarités de voisinage jouent. Les fermiers font parfois preuve de générosité. Ils fournissent des habits aux enfants ou avancent de l'argent pour payer les impôts.

Cependant, en cas de trop forte hausse du prix du blé, cet équilibre fragile peut se rompre et entraîner des émeutes. Il ne faut pas non plus qu'il soit rompu par les événements extérieurs, comme ce fut le cas avec les guerres de Religion, ou avec la Fronde. La terre offre ses richesses aux hommes. Encore faut-il que les hommes soient suffisamment sages pour ne pas les gâcher.

CHAPITRE IX

PARIS VAUT BIEN UNE MESSE!

Celui que l'on nomme « Le Béarnais » – Henri IV – trouve en Ile-de-France ses attaches familiales par nombre de ses aieux qui y sont nés ou y ont leurs racines. Lui même y vivra une partie de sa jeunesse. Il s'y mariera. Et c'est en Ile-de-France qu'il dénouera les trente ans de guerres de Religion, après avoir, cinq années durant, guerroyé pour reconquérir Paris. Son entrée dans la capitale, plus encore que son sacre, sera le vrai signe de la paix rétablie.

De cette aventure, de très nombreux villages conservent la trace. Ayant libéré et réhabilité la capitale dont il avait compris l'importance pour le pays, Henri IV saura être généreux avec elle. Il sera, après François Ier, le roi qui fera le plus pour elle, en l'embellissant, en la modernisant. Aussi contribuera-t-il grandement à renforcer son rayonnement national et international. Paris s'imposera de plus en plus comme un exemple en Europe. C'est, sans doute, cette promotion, ce rôle historique joué par la région qui expliquent l'élaboration, à cette époque, de la première vraie carte de l'Ile-de-France, réalisée par Ortelius à la fin du XVIe siècle. C'est la plus ancienne représentation que nous possédions, faisant d'ailleurs apparaître des limites très proches des limites actuelles.

Les Bourbons sont alors implantés dans l'est de l'Ile-de-France, où la famille royale trouve depuis longtemps ses lieux de séjour favoris. Elle y a bâtit ses résidences, à Nogent, par exemple ; elle y trouve ses terrains de chasse, comme à Vincennes.

Le grand-père d'Henri IV, Charles de Bourbon, duc de Vendôme, est installé près de Meaux. En 1521, il est nommé Gouverneur de Paris et de l'Ile-de-France. Quant aux cousins du futur roi, les fils de son oncle Louis, frère de son père, ils sont nés à La Ferté-sous-Jouarre. Henri de Condé, le premier des Bourbons-Condé, le 29 décembre 1552, et François, prince de Conti, le 19 août 1558. Le premier, après avoir été un des chefs des calvinistes, se convertit au catholicisme le 3 octobre 1571. L'année suivante, il épouse, d'abord, au château de Blandy, en juillet, puis, à Paris, en l'église de Saint-Germain-des-Prés, le 4 décembre, Marie de Clèves. Quant à l'épouse d'Henri IV, Marguerite de France, duchesse de Valois, fille d'Henri II, roi de France, et de Catherine de Médicis, elle voit le jour à Saint-Germain-en-Laye, le 14 mai 1553.

Né à Pau, le futur Henri IV arrive en Ile-de-France à sept ans, accompagnant sa mère Jeanne d'Albret, reine de Navarre, venue rejoindre son époux que le devoir de ses charges oblige à demeurer à Paris. Après un voyage de plusieurs semaines, ils arrivent le 20 août 1561, à Longjumeau, où les protestants de la capitale leur font un accueil chaleureux. Pour eux, Jeanne est un peu leur souveraine depuis qu'à Noël 1560 elle s'est convertie avec passion, si ce n'est avec excès, à la religion réformée, entraînant dans sa conversion son jeune fils. Le lendemain, ils entrent dans Paris. Henri IV en témoigne dans une lettre à Catherine de Médicis : « Je vous dirais, Madame, que le roi, mon père, et la reine, ma mère, m'amenait, en l'âge de sept ans, en votre cour, afin de me rendre aussi affectueuse à vous bien et fidèlement soumis comme mon père. » Le Béarnais, par sa mère, devient « Francilien », en rejoignant la terre de son père.

Trente ans plus tard, Henri IV devra reconquérir une à une de nombreuses villes d'Ile-de-France, celles-ci étant passées à la Ligue. En 1561, on n'en est pas encore là. Si troubles il y a déjà, ils ne sont que partiels. Le développement des idées protestantes et, surtout, le rigorisme doctrinal des catholiques n'ont pas encore exacerbé les passions. L'Ile-de-France connaît encore une relative paix. D'ailleurs, la venue des princes de Béarn coïncide avec l'ouverture du « colloque de Poissy ». Du 9 septembre au 9 octobre 1561, il s'agit d'une véritable tentative de conciliation conclue par Catherine de Médicis, entre les forces religieuses opposées. Le lieu n'a d'ailleurs pas été choisi au hasard. Poissy, ville symbole depuis la naissance de Saint Louis, est à quelques kilomètres du château de Saint-Germain-en-Laye où sont allés s'installer, dès le 29 août, la reine Jeanne et son mari Antoine de Bourbon.

Le futur roi ne vit pas avec ses parents; il réside à Vincennes. La Cour s'y trouve plus en sécurité qu'à Paris où elle craint d'être prisonnière. Catherine de Médicis, la régente, se charge de l'éducation du jeune Henri, cadet de trois ans de son propre fils, le roi Charles IX. Ensemble, les deux princes apprennent à monter à cheval dans le bois de Vincennes qui fut « sa première académie ». En 1562, il est placé, pour deux ans, au collège de Navarre, le plus beau fleuron de l'université parisienne, « l'école de la noblesse française », selon le mot de Mézeray.

C'est donc en Ile-de-France que le futur Henri IV vit ses années de jeunesse, avant de retourner, en janvier 1567, dans le Béarn, que Jeanne d'Albret souhaite lui faire découvrir. Il reviendra, cinq ans plus tard, pour son mariage avec Marguerite de Valois, la sœur de Charles IX. Par cette union, Henri lie définitivement son avenir au siège du pouvoir que représente déjà l'Ile-de-France. C'est là que se noue, à dix-neuf ans, son destin, l'année de la Saint-Barthélemy. En effet, en quelques mois, les événements se précipitent.

C'est d'abord sa mère, la reine de Navarre, qui, quittant Vendôme le 16 mai 1572, s'installe à Paris, soucieuse d'organiser les derniers préparatifs du mariage. Elle choisit pour résidence, nous dit Jean-Pierre Babelon, une maison de la rue de Grenelle-Saint-Honoré (aujourd'hui rue Jean-Jacques Rousseau), soit l'Hôtel de Condé, soit, plus vraisemblablement, celui de l'évêque de Chartres, Charles Guillart, un prélat suspect de sympathie pour la réforme qui sera chassé de sa ville à coups de pierres lors de la Saint-Barthélemy. La maison se situe à côté de l'ancien hôtel de la famille d'Albret, que Catherine de Médicis vient de réunir à la grande demeure qu'elle fait construire – l'hôtel dit de la Reine – à l'emplacement de notre bourse de commerce. Il en reste la fameuse colonne astrologique.

Aussi se trouve-t-elle à proximité du Louvre où son fils doit loger, mais, quelques jours plus tard, le 9 juin, elle s'éteint, à quarante-trois ans. Henri, qui est encore en Poitou, devient, de ce fait, Henri III, roi de Navarre, ce qui complique singulière-ment sa situation. En effet, sa mère ayant imposé la religion réformée comme religion d'État, le jeune roi, Henri III de Navarre, doit prendre la religion de ses sujets. La nouvelle est très mal accueillie par les catholiques parisiens et engendre des troubles nombreux qui agitent la région – capitale que le futur roi rallie à la hâte.

Le 8 juillet 1572, il fait étape à Palaiseau où plusieurs princes et hauts dignitaires l'attendent. Poursuivant sa route, il arrive à Paris où il est accueilli par le Corps de la ville qui lui adresse, au Faubourg Saint-Jacques, une harangue de bienvenue. De là, il se rend au Louvre où il retrouve sa sœur, Catherine. Au même moment, au cœur de son domaine d'Ile-de-France, au château de Blandy-les-Tours, son cousin se marie, lui aussi, le 10 août 1572. Le jeune prince de Condé épouse, dans le strict cérémonial calviniste, Marie de Clèves, belle-sœur du duc de Guise, chef des catholiques. Le choc des religions est à son comble.

Le mariage d'Henri de Navarre avec Marguerite de France est hautement politique. Avant de porter son choix sur le prince Henri, Catherine de Médicis a d'abord songé à faire épouser sa fille par le fils de Philippe II d'Espagne. C'était au moment où les catholiques étaient très puissants. Avec le mariage béarnais, l'enjeu est tout autre ; il s'agit de jouer la carte du dialogue et de la conciliation. La régente espère ainsi obtenir la paix à l'intérieur du royaume par la reconnaissance officielle des protestants en la personne de leur chef.

Hélas ! la cérémonie tourne vite au drame. L'arrivée de nombreux protestants dans Paris, ville où les catholiques les plus virulents sont majoritaires, suscite un mouvement comme la capitale en a connu quelques-uns dans son histoire, où l'irrationnel le dispute à la passion pour, en ce jour de la Saint-Barthélemy, écrire en lettres de sang une vraie tragédie. Le massacre du 24 août 1572 demeure à jamais inscrit dans la mémoire collective des Français. Comme le dit le texte qui accompagne une gravure d'époque de Hogenberg « Voici le massacre fait aux noces qui furent tenues dans la ville de Paris, du Roy de Navarre et la sœur du Roy de France, Charles IX, auquel massacre furent tuez l'amiral de France ensembles touts ses gentilshommes et serviteurs jusqu'au nombre de 300. Plus y furent massacrez tant hommes femmes qui enfants puisque au nombre de 5 000 du party des protestants. » C'est Paris qui est le plus touché avec le quart des victimes, mais la province est également fortement endeuillée.

Après la Saint-Barthélemy, Henri, qui craint pour sa sécurité, se retire dans ses Etats du Béarn. S'ouvre alors une période de douze années de conflits religieux pendant lesquelles l'Ile-de-France, comme d'autres régions, paye un lourd tribut à l'intolérance. Ce n'est que le 15 juin 1584 que les choses prennent un tour nouveau lorsqu'à la suite de la mort de François, duc d'Anjou, dernier frère du roi Henri III qui n'a pas d'enfant, Henri de Bourbon devient l'unique héritier du trône de France.

Dans un premier temps toutefois les conflits redoublent de violence sur l'ensemble du royaume. La France est coupée en deux. L'une et l'autre parties sont convaincues de leur bon droit. Années terribles durant lesquelles chacun doit survivre. Les paysans sont inquiets pour leurs récoltes et leur bétail. Les artisans vivent sous la menace constante d'un siège ou d'un pillage. Les citadins se terrent derrière les murs de leurs villes. L'Ile-de-France se replie sur elle-même et fait le gros dos.

Le conflit commence à évoluer après la victoire de Coutras, le 20 octobre 1587, qui marque le point de départ du rapprochement entre Henri III et son successeur légitime. Le roi, après les avoir soutenus, s'éloigne de plus en plus des extrémistes de la Ligue dirigée par les Guise. Le nombre de ses partisans s'accroît. Quant au futur Henri IV, il perçoit que, pour conquérir le royaume, il lui faut d'abord maîtriser sa capitale et s'imposer en Ile-de-France, ce qu'il devra faire, village après village. Stratégie sans précédent. Jusqu'alors – et cela avait encore été vérifié avec le « tour de France » que la régente Catherine avait fait effectuer au jeune Charles IX – la reconnaissance du souverain passait par la province. Il fallait, en priorité, se faire apprécier jusqu'aux marches les plus reculées. Par le succès de ses armes, Henri s'impose à la province, mais sait qu'il ne sera véritablement roi que par son entrée dans Paris. Il s'y prépare dès 1587. Ce qu'il a compris, ses ennemis l'ont également compris. Avec l'aide des Espagnols, ils tiennent fermement Paris, lui en interdisant l'entrée jusqu'en 1594.

A partir de mars 1588, la capitale est totalement aux mains de la Ligue. Le Conseil de la Ligue – les Seize, qui tirent leur nom des seize quartiers de la ville, mais qui sont plusieurs centaines – la quadrille littéralement, y imposant un rigoureux régime policier. Les ligueurs entendent se rendre maître du roi qui continue de prendre ses distances et se sait de moins en moins en sécurité au Louvre. Averti de menaces contre ses proches, il cherche à imposer des mesures sévères. Il interdit à Henri de Guise, le Balafré, de pénétrer dans Paris. C'est pourtant ce que fait celui-ci, le 9 mai, ce qui entraîne la journée des barricades du 12 que les troupes royales, trop faibles, ne peuvent réprimer. Le lendemain, le roi abandonne la capitale aux ligueurs. Il faudra six années au pouvoir royal pour s'y réinstaller. La ville connaît alors une période très dure, qui anticipe de deux siècles sur la Terreur.

Une fois hors les murs, relativement en sécurité, Henri III entreprend une démarche très habile, avançant et reculant tout à la fois pour mieux déstabiliser ses ennemis. En juillet 1588, il promulgue l'édit d'Union qui impose le principe de catholicité du roi. Mais, en décembre suivant, à Blois, où sont réunis les états généraux, il fait assassiner Henri et Louis de Guise, les deux principaux chefs catholiques. La rupture est alors consommée entre la Ligue et le roi. Paris et l'Ile-de-France, tenus par les ligueurs, font sécession. La Ligue n'hésite pas à se donner un nouveau roi. Après l'assassinat des Guise, elle reconnaît, sous le nom de Charles X, Charles, cardinal de Bourbon, dont tous les actes sont, en fait, dus au duc de Mayenne, lieutenant général du royaume pour les ligueurs, puisqu'il est prisonnier de son neveu, Henri de Navarre.

Dans le même temps, ce dernier continue de développer une politique de conciliation. Dans sa proclamation du 4 mars 1589 « Aux trois États de ce royaume », texte empreint de modération et d'affection pour ses sujets, il s'adresse solennellement à toute la France. Ensuite conseillé par Duplessis-Mornay et par la duchesse d'Angoulême, fille naturelle d'Henri II, il se rapproche d'Henri III. Durant l'été 1589, les deux souverains décident d'organiser le siège de Paris pour en reprendre le contrôle. C'est alors que la mort d'Henri III, à Saint-Cloud, vient bousculer leurs plans communs.

Henri de Navarre avait établi son camp à Meudon, résidant dans le château des Guise. Henri III était installé sur une terre de Saint-Cloud, dans la demeure de l'archevêque de Paris, François de Gondy. Saint-Cloud n'est pas encore résidence royale. Le 1er août 1589, un moine, nommé Clément, qui avait demandé audience au roi, le frappe d'un coup de couteau. En un premier temps, les jours d'Henri III ne paraissent pas en danger. Pourtant, le Béarnais franchit immédiatement les quelques kilomètres qui le séparent de Saint-Cloud. Henri III le reçoit et, conscient de son état, exige de tous les siens qu'il le reconnaisse : « Je vous prie, comme mes amis, et vous ordonne, comme votre roi, que vous reconnaissiez après ma mort mon frère que voilà et que pour ma satisfaction et votre propre devoir, vous lui prêtiez le serment en ma présence. » Tous prêtent serment. Le 2 août, à deux heures du matin, le roi expire. Henri de Navarre devient Henri IV, roi de France. Il lui faudra patienter près de cinq années pour entrer dans sa capitale.

Le premier voyage du nouveau souverain est celui du cortège qui accompagne le corps de son prédécesseur, de Saint-Cloud à Poissy, car on ne peut envisager l'enterrement à Saint-Denis, tenu par les Ligueurs.

En état de sécession, Paris refuse de faire allégeance au nouveau roi. Plus exactement, les catholiques intransigeants, qui tiennent la capitale, refusent de reconnaître un roi protestant, et, qui plus est, renégat. Qui peut dire en effet ce que pensent les 300 000 Parisiens obligés de subir une situation de tension interminable ? Les excès des fanatiques, la lassitude de beaucoup, l'habileté politique du souverain et, finalement, sa nécessaire abjuration, conduiront à la reddition finale de la ville.

Mais d'abord, le roi s'installe en Ile-de-France qu'il doit convaincre. Il commence par le sud, avec Jargeau, Pithiviers, Étampes, Arpajon, Corbeil, Dourdan. Puis, il se déplace au nord-ouest, vers le Vexin, à proximité de Rouen et de la Normandie d'où lui viennent les aides anglaises. Il traverse Wy à qui la légende veut qu'il ait donné son surnom de « Joli-Village ». Puis se déroule la bataille d'Ivry, le 14 mars 1590, près de Maintenon.

La route de la capitale semble alors s'ouvrir. Paris se voit infliger un siège en règle, de la fin avril à la mi-septembre 1590. Une carte de l'époque montre le camp d'Henri IV, sur la colline de Montmartre, lui offrant une vision panoramique sur la cité. Le siège est une pénible épreuve pour les Parisiens. Dans la ville envahie de réfugiés des campagnes environnantes, les vivres manquent très vite. Il faut nourrir 200 000 personnes. Sur les marchés, les grains voient leurs prix multipliés par cinq, par sept, avant de disparaître complètement, sauf au marché noir. On mange du cheval, au mieux, mais aussi des chats et des rats. Les épidémies se propagent. Cependant, les curés ligueurs, les moines, entretiennent le moral à coups de sermons, de pamphlets, de fausses nouvelles de victoires, de processions en armes dont la « Satire ménippée » offre une critique violente.

Le 20 août, le roi accepte de laisser sortir de la ville des femmes et des enfants. Ce geste politique, payant à moyen terme, limite les effets du blocus au risque de prolonger le siège. Le 3 septembre, on laisse entrer des vivres. Dans sa *Relation du siège de Paris*, publiée en 1591, Pigafetta précise qu'un premier convoi de ravitaillement arrive de Dourdan, le 1er septembre, un deuxième de Chartres, tandis qu'un troisième, parti de Dreux, est en partie intercepté par les troupes royales. Sous la pression de l'armée espagnole, parvenue à Meaux, Henri IV est obligé, après une dernière et vaine tentative d'assaut menée les 9 et 10 septembre, à la Porte Saint-Antoine, de lever le siège. Paris, comme d'autres villes, telles Lagny, Corbeil, Saint-Denis, est profondement meurtri par les privations et les outrages de la guerre.

Pour reconstituer ses forces, le roi prend un peu de recul. Meulan, Mantes, Poissy lui servent de points d'appui. Meulan y trouvera sa devise, *semper fidelis*, faisant référence à sa soumission au roi. La vigilance des armées royales sur Paris demeure toutefois constante ; contrôles des routes de ravitaillement par des garnisons installées dans les villes-marchés et sur les ponts, attaques des convois ou perception de « droits de passage » se multiplient. On imagine la vie quotidienne pénible des Franciliens qui doivent se protéger contre les exactions des troupes des deux parties. La tension se prolonge jusqu'au printemps 1593, jusqu'à la signature de la trêve de Suresnes, d'abord pour dix jours, puis renouvelée et reconduite jusqu'à l'automne.

Mais Paris est toujours aux mains des Ligueurs. L'Université, la grande majorité du clergé, une partie des notables, de nombreux officiers des Cours souveraines soutiennent la cause du catholicisme intransigeant. Pour eux, mieux vaudrait sur le trône un prince de Lorraine – voire Philippe II d'Espagne – qu'un souverain hérétique. Ils contrôlent tout, font régner le soupçon, la menace, parfois la violence contre ceux que l'on accuse de tiédeur. Les plus extrémistes poussent l'intimidation jusqu'à faire assassiner, en novembre 1591, le président Brisson, prévôt des marchands, détenteur de l'autorité légitime, enfermé par les séditieux à la Bastille avec les autres échevins.

Le duc de Mayenne, frère du Balafré, et ses partisans, plus modérés, font entendre leur voix. Après avoir fait condamner et exécuter les meurtriers de Brisson, ils dénoncent les excès de la populace et louvoient entre la Ligue et le roi d'Espagne en rêvant, plus ou moins, au trône. Après 1592, les « Politiques », partisans de la légitimité monarchique, mais attachés à un souverain catholique, prennent de plus en plus de poids et cherchent à se rapprocher du roi en essayant de réconcilier les deux principes qui, jusqu'alors, ne sont pas réunis en sa personne.

La phase finale se joue au printemps 1593, lorsque Henri IV fait part de sa volonté d'abjurer la foi protestante. La cérémonie, empreinte de beaucoup de solennité pour marquer les esprits, a lieu le 25 juillet, à Saint-Denis.

Dans Paris, les Ligueurs extrémistes maintiennent la pression mais ils sont désormais minoritaires. La trêve permet de multiplier les contacts entre les deux camps. Le gouverneur, nommé par Mayenne, Charles de Cossé-Brissac et Jean Lhuillier, le prévôt des marchands, élu en novembre 1592, négocient secrètement avec le roi les modalités de la reddition. Encore huit mois et Paris accueillera son maître.

Entre-temps, Henri IV est sacré à Chartres, ce qui entraîne sa reconnaissance par un nombre croissant de cités d'Ile-de-France. A Meaux, par exemple, comme il l'écrit lui-même dans une de ses lettres, avant d'octroyer une charte à la ville : « Je vins coucher à Meaux le premier jour de l'an 1594 ; et si j'avais vu une très grand allégresse en ceux que j'avais vus dehors, elle me fut encore témoignée semblable, à mon arrivée, de tous les habitants généralement ; de sorte que j'ai commencé de faire quelques articles qu'ils m'ont présentés, dont le premier est qu'il n'y aura point autre exercice de religion que la catholique, lequel je ne leur ai moins volontiers accordé qu'ils me l'ont demandé.

« Par mes dernières lettres vous aurez entendu la réduction volontaire de cette ville en mon obéissance, à l'exemple du

Sieur de Vitry, son gouverneur. Étant audit Dammartin, un bon nombre des habitants d'icelle m'y vinrent trouver pour me protester et jurer fidélité avec une extrême ardeur et affection qu'ils montrèrent en mon endroit. La conclusion de leur propos fut, sans rien me demander de particulier, une très humble supplication qu'ils me firent de venir en leur ville, remettant à quand j'y serais de me représenter l'état de leurs affaires, pour y faire tel traitement et provision qu'il me plairait. »

A l'aube du 22 mars 1594, Paris ouvre enfin ses portes aux troupes royales. Le plus gros contingent gagne, par la Porte Neuve, le quai du Louvre ; d'autres entrent par la Porte Saint-Denis ou, arrivant en bateaux de Corbeil, par l'est, rejoignent l'Arsenal dont ils prennent possession. Vers six heures du matin, le roi fait lui-même son entrée, par la Porte Neuve, et se rend à Notre-Dame. Les Parisiens sont étonnés par la clémence du souverain qui rompt avec les trente ans de combats fratricides qu'ils viennent d'endurer. Seules 118 personnes, dont Pierre Acarie et quelques curés trop excessifs ou trop compromis, sont exilés, la plupart d'entre eux pour peu de temps. Pas une seule exécution sommaire ; pas une seule condamnation à mort. Le roi fait de l'indulgence et du pardon le fondement de la politique de conciliation qu'il a décidé d'appliquer. Tandis qu'il écoute le *Te Deum* à Notre-Dame, Brissac et le prévôt des marchands parcourent la ville pour annoncer son pardon et exhorter au calme. Ils sont suivis d'enfants criant « Vive le Roi » et distribuant des tracts, raconte Palma Cayel dans la *Chronique novénaire*. Les parlementaires retrouvent leur légitimité en même temps que leurs charges ; tous les arrêts rendus depuis le 19 décembre 1588 sont annulés. Henri IV, qui ne rencontre aucune résistance de la part des Parisiens, laisse la garnison espagnole quitter tranquillement la ville par la porte Saint-Denis. Sur une gravure, on le voit assister d'une fenêtre à ce départ, les Espagnols pliant les genoux devant lui en guise de soumission.

Maître de sa capitale, il lui reste à reconquérir son royaume. Il y mettra quatre ans, mais d'abord, il lui faut faire oublier à l'Ile-de-France les séquelles des années de conflit et permettre à Paris de redevenir la première ville d'Europe.

* *
*

Au gouvernement de l'Ile-de-France, pour être certain que ses ordres et sa volonté d'indulgence et de renaissance soient respectés, il nomme Pierre de Mornay, seigneur de Buhy, de l'illustre famille du Vexin. Son autorité étant ainsi garantie, il s'attaque à la réhabilitation de sa capitale pour laquelle il ambitionne une nouvelle dimension de ville-marché, de ville-lumière.

Axes nouveaux, nouvelles places sont, dans son esprit, aussi importants que les « hôtels » dont il encourage la construction par les riches bourgeois. En dix ans, Paris change de visage. La cité médiévale disparaît définitivement au bénéfice d'une cité moderne. Le Plan général édité, après la mort d'Henri IV, par Mathieu Merian, comparé aux plans précédents, par exemple à celui de Bâle, plus ancien d'un siècle, permet de se faire une idée du profond changement de physionomie de la capitale, les principales réalisations continuant à contribuer à sa réputation d'aujourd'hui.

La Place royale – actuellement Place des Vosges – illustre bien cette rupture avec le passé. Elle occupe, en partie, l'emplacement de l'ancien hôtel des Tournelles, acquis en 1407, qui fut, jusqu'à Henri II, une des demeures parisiennes préférées des rois de France. Il était situé en face de l'hôtel Saint-Pol, adossé à l'hôtel de Charles V, sis en bordure de l'actuel boulevard Beaumarchais. Lorsque Henri II y succomba, le 10 juillet 1559, blessé à mort par la lance de Montgomery, lors du tournoi organisé en l'honneur du mariage de sa fille, Élisabeth de France, avec Philippe II d'Espagne, il fut abandonné par Catherine de Médicis. Les bâtiments, non entretenus, sont démolis sur ordre de Charles IX, en 1563. Un marché aux chevaux y est alors installé, mais le lieu devient vite assez malfamé. Il faut lui trouver une autre vocation. Dans son souci de développer l'économie du royaume, Henri IV y implante d'abord une manufacture de soie qui périclite rapidement. Aussi, déplorant que Paris ne dispose pas d'espace pour les réunions ou la pro-

Clovis, le premier roi
des Francs, a compris
l'importance de
l'Ile-de-France
où il installe
le siège du pouvoir.

ROGER-VIOLLET

Crypte de l'abbaye
de Jouarre en
Seine-et-Marne.
Les Mérovingiens
firent les premiers
de l'Ile-de-France
une capitale religieuse,
culturelle et politique.

ROGER-VIOLLET

L'abbaye de Saint-Germain-des-Prés au début du XVe siècle. Les abbayes, qui possédaient de nombreuses terres, participèrent à l'essor économique de l'Ile-de-France. ROGER-VIOLLET

La basilique Saint-Denis vers 1850, encore avec la flèche que la foudre fera écrouler. On note au premier plan l'intense activité du marché. Toutes les petites villes d'Ile-de-France sont des villes-marchés pour les campagnes. ROGER-VIOLLET

Louis VII (1120-1180), continuant la politique de son père Louis VI, favorise le mouvement communal si caractéristique de l'Ile-de-France au XIIe siècle.

ROGER-VIOLLET

Mantes, la collégiale
(gravure de 1834).
Mantes préserve
l'autonomie
de la région face
à ses puissants
voisins féodaux
anglo-normands.

Construit sur une hauteur, le château de la Madeleine, à Chevreuse, permet de surveiller
les environs. Restauré depuis quelques années, c'est un des derniers exemples de château-fort féodal.

L'église de Saint-Sulpice-de-Favières
dans l'Essonne. Le gothique naît en Ile-de-France.

« Paris vaut bien une messe ! » Au sortir
de trente années de guerre civile, le roi
Henri IV consacrera son énergie à redonner
à la capitale prestige et grandeur.

Le Temple de Charenton en 1624. Détruit lors de la révocation de l'Edit de Nantes en 1685,
ce temple, durant tout le XVIIe siècle, fut celui des réformés de Paris.

Ville et château de Pontoise. Gravure du XVIIe siècle, d'après le plan établi vers 1550 par Châtillon.
Les villes franciliennes sont toujours construites comme au Moyen Âge.

Le château de Fontainebleau. Une histoire de passion entre les souverains
et le château, de François Ier à Napoléon.

Plan de Paris vers 1600. Les plans anciens sont précieux pour connaître la ville. Ils fourmillent
de détails sur des monuments souvent détruits depuis. Sur celui-ci, on voit nettement,
en bas à gauche, l'hôtel de la reine Margot construit « hors les murs » au moment où Paris,
avec Henri IV, connaît une nouvelle croissance. ROGER-VIOLLET

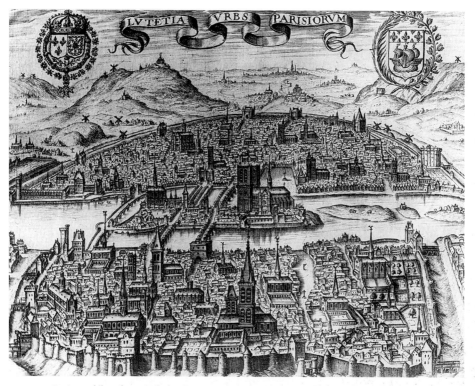

Paris au début du XVIIᵉ siècle. On note autour la campagne et les moulins nécessaires pour nourrir la ville la plus peuplée d'Europe depuis le Moyen Âge. ROGER-VIOLLET

Meulan au XVIIᵉ siècle. Cette gravure illustre bien la nature des villes dans le passé. Des ponts, une enceinte fortifiée, de nombreux couvents et églises. ROGER-VIOLLET

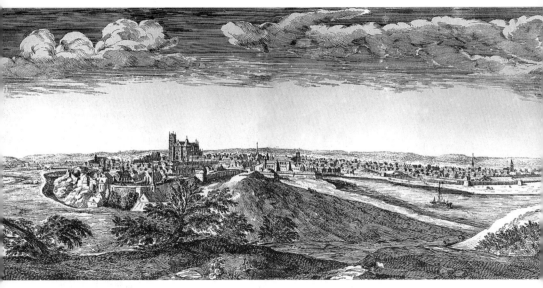

Meaux au XVIIᵉ siècle. L'importance de la ville a été constante durant dix siècles. ROGER-VIOLLET

Presque totalement détruit, le château de Montceaux fut longtemps un modèle
des résidences royales de l'Ile-de-France. ROGER-VIOLLET

Louis XIV (1638-1715), grand urbaniste autant que grand roi, changea la physionomie de l'Ile-de-France. GIRAUDON

C'est à Louis XV que l'on doit les grandes entrées dans la capitale et en particulier l'axe est-ouest, des Tuileries à la Défense. GIRAUDON

Versailles, non seulement le château, mais aussi une ville neuve, qui en un siècle atteindra 60 000 habitants. ROGER-VIOLLET

Une ferme de la vallée de Chevreuse. L'importance et la qualité architecturale de ses bâtiments montrent la richesse des fermiers-laboureurs qui, du XVIᵉ au XVIIIᵉ siècle, forment la classe dominante de l'Ile-de-France. CONSEIL RÉGIONAL D'ILE-DE-FRANCE

Le château de Dampierre, bel exemple de résidence des grands seigneurs de la cour du Roi-Soleil
CONSEIL RÉGIONAL D'ILE-DE-FRANCE

Le temple et le domaine de Méréville au XVIIIe siècle.
L'Ile-de-France berceau du romantisme né
pour une part de la confrontation entre
la grande ville – Paris – et la nature
de la campagne francilienne. ROGER-VIOLLET

Jean-Jacques Rousseau (1712-1778). Le Genevois
trouva l'inspiration en Ile-de-France. ROGER-VIOLLET

Au temps ou Nanterre était encore un village.
On remarque la densité de la population rurale.
Des métiers par dizaines. ROGER-VIOLLET

Provins au XIXe siècle. ROGER-VIOLLET

Château de Montmorency en 1816. Le beau XIXe siècle. Une société en plein essor économique.
ROGER-VIOLLET

Cent ans avant
Paul Delouvrier,
le baron Haussmann
fera de Paris
une métropole
moderne prête
à affronter
le XXᵉ siècle.
ROGER-VIOLLET

Habitants du Faubourg
Saint-Antoine vers 1870.
Avec la société industrielle,
le peuple de Paris évolue.
Cette gravure illustre bien
la densité de Paris au
XIXᵉ siècle. ROGER-VIOLLET

La Seine à Argenteuil
en 1872. Les Parisiens
viennent y chercher
la nature. C'est l'époque
des plaisirs du bord de l'eau.
ROGER-VIOLLET

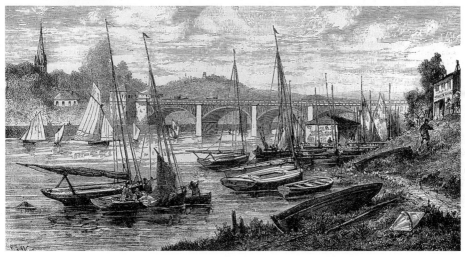

Le général Ducrot à la bataille de Champigny.
La guerre de 1870 fut le plus francilien des conflits modernes. LAUROS-GIRAUDON

La chocolaterie Menier à Noisiel, vers 1925. L'essor industriel de l'Ile-de-France. Cette usine – modèle
d'architecture fonctionnelle de l'époque – possédait aussi sa propre cité ouvrière dotée dès la fin du XIXᵉ siècle
d'un maximum de confort (éclairage des rues, eau courante dans chaque maison). ROGER-VIOLLET

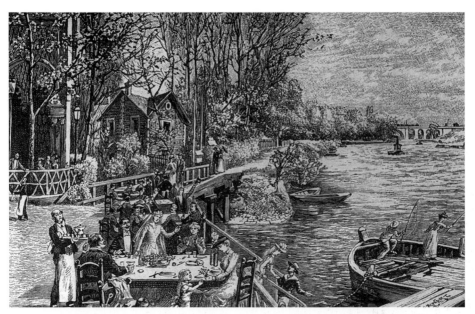

La pointe de l'Ile de Beauté, à Nogent-sur-Marne. L'économie fluviale aux portes de la métropole.
Cet échange ville/nature est une des constantes et des caractéristiques de l'Ile-de-France. ROGER-VIOLLET

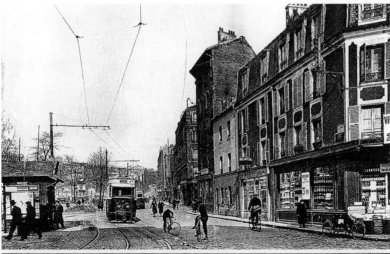

Puteaux au
début du siècle.
La banlieue
se développe.
Les premiers
transports
en commun
apparaissent.
ROGER-VIOLLET

Bataille
de la Marne.
De Gagny,
où se
regroupent
les taxis
parisiens,
les troupes
montent
au front.
ROGER-VIOLLET

Cité-jardin de Suresnes.
Concilier l'urbanisme avec le besoin
de nature. CONSEIL RÉGIONAL D'ILE-DE-FRANCE

Avec le schéma directeur, Paul Delouvrier
crée véritablement dans les années 60
l'Ile-de-France nouvelle. ROGER-VIOLLET

Le Louvre hier et aujourd'hui. Toujours le même souci, faire de Paris une capitale internationale,
un modèle, faire de l'Ile-de-France une métropole ouverte sur le monde. ROGER-VIOLLET

menade, il décide d'en faire une place royale, une place de prestige où doivent se mêler les fonctions d'habitat, de commerce et de marché, ce qui n'interdit pas de l'utiliser en place d'armes. Il fait percer quatre rues pour y accéder et impose aux acquéreurs un modèle uniforme de pavillons à arcades, première opération de promotion conjuguant intérêt public et intérêts privés.

A la mort du roi, en 1610, les travaux ne sont pas encore achevés. C'est Louis XIII qui inaugurera la place en y donnant des fêtes magnifiques lors de son mariage avec Anne d'Autriche, en 1612.

Deux autres places sont décidées et mises en chantier par le souverain : la place Dauphine et celle des Provinces. La première, inspirée du modèle italien, est créée en l'honneur de son fils, le dauphin, futur Louis XIII, sur le modèle d'une place fermée. Située à l'extrémité de l'île du Palais – aujourd'hui île de la cité – elle s'insère dans la construction du Pont Neuf. La belle ordonnance régulière, due à François Petit, avec deux étages de façade en briques et chaînage de pierre fut hélas ! compromise par les surélévations diverses, en dépit du règlement prescrit en 1607.

La place des Provinces de France est mise en chantier en 1603, sur la partie nord du Marais, alors non construite ; paradoxalement, alors qu'elle est la première des trois grandes places monumentales dont Henri IV entend doter Paris, c'est la seule dont l'achèvement ne put être mené à bien. De forme rayonnante, elle devait symboliser le message de la capitale, irradiant sur l'ensemble des provinces du pays.

C'est, bien entendu, Henri IV qui achève la construction du Pont Neuf, décidée par Henri III en 1577, à la demande du prévôt des marchands. Le plan de Jean-Baptiste Audrouet du Cerceau est adopté en 1579 et les travaux commencés par le passage du grand bras. Interrompus du fait des événements durant une dizaine d'années, ils sont repris en 1598, permettant au roi de traverser d'une rive à l'autre, sur des voûtes à peine achevées, le 20 juin 1603. Il est terminé en juillet 1606. En dépit de son nom, il est le plus ancien pont de pierres de la capitale.

D'une conception résolument moderne, il est aussi le premier pont libre de toute construction, si ce n'est la pompe de la Samaritaine, inaugurée en 1607, pour puiser l'eau de la Seine et alimenter le Louvre, les Tuileries et les quartiers alentour. Quant à la statue équestre du roi, il fallut encore plusieurs années pour l'achever, son inauguration n'ayant eu lieu que le 23 août 1614. Détruite en 1792, une nouvelle, due au sculpteur Lémot, la remplacera à partir de 1898.

Autre construction notable, l'hôpital Saint-Louis, lui aussi édifié selon des normes tout à fait nouvelles. Il s'agit, à l'origine, d'un hôpital pour les contagieux, ce qui explique qu'il soit bâti en bordure de la ville, éloigné des habitations. Son plan, en double quadrilatère, est conçu pour isoler les malades des contacts extérieurs.

Les riches particuliers s'associent à ce vaste mouvement de construction. Nombre d'hôtels, entre cour et jardin, notamment dans le marais ou dans l'île Saint-Louis, en témoignent, tels les hôtels Lambert ou de Beauvais. La famille royale elle-même donne l'exemple. Ainsi, la reine Margot, que le roi, après son remariage avec Marie de Médicis, autorise à quitter son exil d'Auvergne pour regagner Paris, en 1605, fait édifier, par Jean Antissier, un superbe hôtel sur un terrain hors les murs, acheté à l'abbaye de Saint-Germain-des-Prés et s'étendant de la rue de Seine à la rue du Bac. Le plan de Paris de Mérian, daté de 1615, montre une façade sur rue, alignant trois pavillons reliés par un corps de logis surbaissé, selon la mode du temps. Une terrasse arrière surplombe le jardin occupant l'ancien petit pré aux clercs. En 1608, Marguerite fait compléter l'ensemble par une chapelle ronde, avec dôme et lanterne, dite chapelle des Louanges où elle fait venir, en 1613, des augustins réformés qui donnent leur nom de « Petits Augustins » à ce qui deviendra l'actuelle rue Bonaparte. C'est dans son hôtel qu'elle meurt, le 27 mars 1615. Après avoir été d'abord déposé au monastère des Grands Augustins, son corps est transféré, en 1616, à la Basilique Saint-Denis. L'hôtel fut ensuite partagé en trois lots, à l'emplacement des n°s 2 à 10 de la rue de Seine. Dans les fenêtres à encadrement de bossages du bâtiment sur cour, au n° 6, on peut encore reconnaître les traces de la demeure de la reine Margot.

Si l'on construit Paris, on construit également aux alentours. Aussi le pavillon Cenamy, à Charenton, réalisé pour Barthélémy Cenamy, financier proche d'Henri IV. Avec sa famille, originaire de Lucques, en Italie, il fait partie de ces étrangers qui, depuis un siècle, s'installent en France, attirés par le prestige et, plus encore, par le développement économique et artistique de notre pays. Plusieurs plafonds peints, portant le monogramme « C », de Cenamy, ont été conservés et restaurés. Au XIXᵉ siècle, ce pavillon fut appelé pavillon Gabrielle d'Estrées ou pavillon Antoine de Bourbon; il y a toutefois peu de chances que la première l'ait connu; quant au second, il était mort au moment de sa construction.

Paris pacifié, Paris embelli, c'est toute une vie de Cour qui renaît et qui fait renaître les grands domaines de la couronne d'Ile-de-France. Montceaux, près de Meaux, retrouve son renom avec Gabrielle d'Estrées. C'est à Fontainebleau que le roi installe sa femme; c'est là que naissent ses enfants, en particulier le dauphin, futur Louis XIII, le 27 septembre 1601. C'est à l'abbaye de Saint-Denis qu'est couronnée Marie de Médicis, le 13 mai 1610. Elle sera, d'ailleurs, la dernière reine couronnée en la basilique royale.

L'événement précède d'une journée la mort brutale du roi, le 14 mai. Ravaillac, l'assassin, se mêle à la foule dès la sortie du Louvre du carrosse royal. Un embarras dans la rue de la Ferronnerie oblige les valets à descendre de la voiture pour dégager la rue. Un pied sur une borne, l'autre sur la roue arrière, Ravaillac frappe Henri IV de deux coups de couteau. La veine-cave tranchée, l'aorte percée, le roi murmure « je suis blessé », puis répond au « Qu'est-ce sire? » de Montbazon : « Ce n'est rien. » Le coup, pourtant, est mortel. Ramené en toute hâte au Louvre, le souverain expire peu après.

***

Son œuvre est considérable. Seize années de règne lui ont permis de ressusciter l'Ile-de-France et d'engager, avec l'aide inspirée de Sully, grand voyer de France, une exceptionnelle résurrection du pays à l'orée de ce siècle qui sera le « grand siècle » pendant lequel notre région connaîtra son apogée.

Jusqu'à sa mort, pour l'accompagner dans le formidable essor que permet la paix retrouvée après tant d'années de douleurs et d'incertitude, le roi trouve une aide précieuse autant qu'efficace auprès de l'Église. Elle aussi a compris l'impérieuse nécessité de gommer le passé. Elle s'engage pleinement dans l'œuvre de restauration. Elle y est conviée par l'application des orientations du Concile de Trente qui l'a profondément réformée. Au-delà des aspects doctrinaux, le renouveau spirituel se traduit, notamment en Ile-de-France, par un très important mouvement de constructions ou de réhabilitations d'établissements religieux aussi que par l'émergence de multiples relais d'influence qui profitent à l'ensemble de la population francilienne.

On s'attache à relever les ruines de la guerre. Le mouvement durera tout le XVIIe siècle. A son terme, le diocèse de Meaux compte neuf abbayes, dont quatre de femmes, et dix-huit couvents ou communautés. En 1700, le diocèse de Paris comprend, en dehors de la capitale où les établissements religieux sont particulièrement nombreux, vingt et une abbayes, cinquante-cinq prieurés, soixante monastères et communautés de réguliers ou de séculiers. Ces établissements regroupent 448 religieux et 1 214 religieuses, ce qui est considérable.

L'abbaye de religieuses bénédictines de Gif, déjà réformée en 1513, tombe de nouveau en décadence à la fin du XVIe siècle. Ce couvent est repris en main par son abbesse, Madeleine de Montmorency, qui le réforme une seconde fois en 1619. Le prieuré bénédictin de Saint-Nicaise de Meulan, en pleine déshérence – il n'abrite plus qu'un seul religieux et une partie de ses bâtiments est occupée par des ouvriers tonneliers – est, en 1620, rehabilité par un nouveau prieur, Nicolas Davanne. L'ordre monacal y est rétabli en 1648, date à laquelle huit religieux viennent s'y installer. A Chelles, les moniales se réforment en

1637. A la fin du XVIIᵉ, cette abbaye, fondée dix siècles plus tôt, figure, avec 30 000 livres de revenu annuel, parmi les plus florissantes d'Ile-de-France. L'abbaye d'Yerres, de moniales bénédictines, fondée en 1132, se réforme en 1639; toutefois, contrairement à celle de Chelles, elle continue d'être gouvernée par deux abbesses peu fidèles à la résidence, ce qui la conduit à la faillite. Dans le diocèse de Meaux, les abbayes de Saint-Faron et de Rebais sont rattachées à la congrégation de Saint-Maur, en 1621 et 1661. Quant à l'abbaye bénédictine de Faremoutiers, dévastée et ruinée par les guerres de religion, elle est restaurée, à partir de 1605 par son abbesse, Françoise de La Châtre, qui y rétablit l'esprit et les règles du concile de Trente.

L'abbaye Notre-Dame-du-Lys, près de Melun, fondée au XIIIᵉ siècle, est réformée en 1624 par son abbesse Marguerite de La Trémouille-Rohan qui s'affranchit de l'autorité de l'ordre pour se mettre sous celle de l'archevêque de Sens. Celle du Val Notre-Dame, près de L'Isle-Adam, adopte la réforme des feuillants, en 1616. Sous l'impulsion de sa supérieure, la mère Angélique, les religieuses cisterciennes de l'abbaye de Port-Royal rétablissent la clôture, dès 1609, avant de tomber dans la déviation janséniste.

Les réformes d'abbayes ou de prieurés s'accompagnent en général d'une remise en état des bâtiments. De très nombreux chantiers sont ouverts. Il se construit, en Ile-de-France, presque autant de monastères entre 1660 et 1760 que pendant tout le XIIIᵉ siècle, ce qui attire une main-d'œuvre abondante. A Paris les jésuites construisent leur maison principale autour de l'église Saint-Paul et des bâtiments qui deviendront le lycée Charlemagne. L'abbaye de Saint-Denis, qui avait beaucoup souffert des combats du temps de la Ligue, est entièrement reconstruite. A Lagny ou à Argenteuil sont engagés, dans les années 1640, d'importants travaux de réfection. Le prieuré Saint-Nicaise de Meulan, dont le cloître a disparu, est intégralement reconstruit ainsi que la chapelle et le cloître de l'abbaye de Livry. Les bâtiments conventuels et l'église de l'abbaye de Chelles sont réaménagés. En 1638, l'église abbatiale de Notre-Dame de Jouarre est richement décorée par l'abbesse Jeanne de

Lorraine. L'abbaye de Faremoutiers est rebâtie selon des plans de Mansart.

Conscients du rôle qu'ils peuvent jouer dans la campagne, les prêtres de la Mission, fondée à Paris, en 1625, par saint Vincent de Paul, ancien curé de Clichy et aumônier de la reine Margot, participent aussi à ce vaste mouvement encouragé par le pouvoir. Pour faciliter leur implantation, Louis XIII leur fait don, en 1641, de son château de Crécy. En 1661, ils sont également établis à Fontainebleau par Anne d'Autriche pour assurer des missions aux alentours, avant que Louis XIV ne les appelle à Versailles, en 1674. Ils reçoivent la charge de la nouvelle paroisse Notre-Dame, puis celle de la Chapelle-Royale. En 1688, ils essaiment à Saint-Cloud, où ils assurent le service de la chapelle et de l'hôpital. A la fin du XVIIe siècle, l'établissement de Versailles compte trente-huit religieux qui prêchent alentour.

Ces prêtres de la Mission sont très actifs dans le diocèse de Paris. Recrutés dans des milieux souvent modestes, ils savent s'adresser aux gens simples des campagnes et bénéficient des conseils avisés de saint Vincent de Paul. Le déroulement des parcours qu'ils organisent est adapté aux exigences du travail en milieu rural et à la mentalité paysanne. Chaque année, plusieurs groupes de « missionnaires » parcourent le diocèse. Jour après jour, village après village, ils prêchent, confessent et célèbrent la messe.

Les missions « réussies » sont souvent suivies de la création de confréries de charité. Celles-ci regroupent des fidèles qui s'engagent dans des actions d'assistance pour venir en aide aux pauvres et aux malades. Dans l'archidiaconé d'Étampes, les confréries créées au XVIIe siècle sont souvent vouées au Saint-Sacrement, ce qui répond parfaitement à l'idéal post-tridentin d'une piété orientée plus vers le Christ que vers les saints. Dans le diocèse de Meaux, la grande mission de 1664 est un parfait succès. Les exhortations du père Eudes sont riches de conséquences ; comme le souligne Dom Toussaint du Plessis, « en peu de temps, il se fit des restitutions considérables soit en argent, soit en meubles, soit même en fonds de terre ». A la fin de cette mission, des pénitents remettent au père Eudes « quantités de romans et de peintures lascives » qui sont jetés dans un grand brasier allumé au cœur de la place, face au grand portail de la cathédrale. Une confrérie du cœur de la Vierge et une assemblée de Dames de Charité sont aussitôt créées.

En sus du catéchisme, imposé par le concile de Trente, l'Église prend aussi en charge l'instruction primaire des jeunes enfants. Une des nouveautés de la Contre-Réforme catholique qui profite à tout le pays et, en particulier, à l'Ile-de-France où le niveau intellectuel des curés permet d'assurer cette fonction, est la création, dans les paroisses, d'écoles de charité gratuites. Celles-ci sont dirigées par le curé, par un vicaire ou, le plus souvent, par un clerc laïc qui est en même temps chantre, bedeau, sacristain et fossoyeur. Des fondations d'origine ecclésiastique ou laïque assurent le support matériel des écoles. En 1719, Mgr de Noailles, archevêque de Paris, constitue un fond de 25 000 livres en faveur des écoles de Saint-Cloud, Maisons, Créteil et Ozoir-la-Ferrière. Des curés, comme ceux de Gennevilliers, Bagneux, Saint-Sulpice-de-Favières, ou de pieux laïcs, parmi lesquels figurent des hommes célèbres, tels Lefèvre d'Ormesson, à Amboille, en 1708, Michel Le Tellier, à Chaville et Viroflay, en 1670, ou Louvois, à Meudon, en 1691, sont à l'origine de ce type de fondations.

En 1673, dans l'archidiaconé de Paris, 115 paroisses sur 131 sont dotées d'écoles de charité, avec une très nette prédominance pour les écoles de garçons, au nombre de 92 contre 23 pour les filles. A la fin du XVIIe, rares sont les paroisses du diocèse de Paris où les enfants se trouvent privés d'un enseignement élémentaire gratuit, mais non obligatoire.

Ainsi, l'instruction est-elle beaucoup plus répandue dans nos campagnes, au dernier siècle de l'Ancien Régime, qu'on ne se l'imagine généralement. Cet effort gigantesque, qui précède de deux siècles l'école gratuite laïque et obligatoire de Jules Ferry, a considérablement favorisé l'alphabétisation du monde populaire francilien. Quelques études réalisées dans le Vexin français à partir des signatures des registres paroissiaux attestent de progrès importants après les guerres de Religion. A Boissy-l'Aillerie, Jacques Dupâquier enregistre 90 % de signatures d'hommes et 72 % de femmes sur les actes de mariage de la période 1737-1757 contre 78 % et 50 % pour la période précédente. A Cléry, Léon Plancouard constate que 90 % des parrains signent les actes de baptême dans la seconde moitié du XVIIIᵉ siècle contre 73 % au XVIIᵉ. Le mouvement ne cessera de s'amplifier jusqu'à la Révolution.

Ainsi, en quelques décennies, l'Ile-de-France renoue avec son rôle moteur. La pacification assurée, elle redevient pleinement région-capitale. Si Montaigne a dû se réfugier dans son pays bordelais pendant les temps difficiles, l'élite littéraire et artistique retrouve progressivement le chemin de Paris et de Versailles.

Henri IV a relevé son défi et gagné son trône en Ile-de-France ; les Franciliens ont gagné, quant à eux, les moyens d'assurer une durable période de renouveau, de croissance et de rayonnement.

CHAPITRE X

LA SOCIÉTÉ DES VIGNERONS
ET DES FERMIERS-LABOUREURS

Durant l'apogée de l'ancien régime, dans les campagnes où vit la majorité de la population francilienne, ce sont essentiellement deux catégories de ruraux qui se distinguent : les vignerons et les fermiers-laboureurs. Ils en constituent l'ossature sociale, les premiers dans les bourgs ruraux, les seconds dans le plat pays. Ils sont à l'origine d'une bonne part de l'âme de notre région. Leurs activités principales en génèrent beaucoup d'autres. Ainsi, les grands fermiers font appel aux forgerons, aux charrons... Quant aux vignerons, ils font vivre des tonneliers, des charretiers...

Avec les céréales, la vigne est, en effet, la seconde grande richesse de l'Ile-de-France. C'est aussi le marché parisien qui en explique le développement.

Au XVIe siècle, la vigne est présente partout, sur les coteaux des vallées qui convergent vers Paris, mais aussi sur les riches terroirs céréaliers comme la Plaine de France ou le plateau du Longboyau. Dans certaines paroisses, elle occupe une grande partie des sols ; le quart à Thiais, Gentilly, Antony ou Montmartre. Le vignoble francilien compte parmi les principaux vignobles français par l'étendue et la qualité de ses productions. Les vins d'Argenteuil, d'Andrésy ou d'Herblay sont réputés.

Au début du siècle, on trouve deux sortes de vignes. Les vignes de qualité remontent au Moyen Age. Elles produisent de bons vins blancs, obtenus grâce à l'implantation de cépages importés de Bourgogne ou du Val de Loire, et consommés dans la capitale. En particulier, le pinot fromenteau ou pinot gris, le chardonnay de Suresnes, le pinot meunier, le meslier. Les vignes populaires, beaucoup plus productives, fournissent un vin médiocre. Elles sont plantées en cépages moins nobles, comme le gamay ou le gouais.

A partir de la fin du xvi⁰ siècle et durant tout le xvii⁰, le vignoble francilien connaît une double mutation : le recul général des superficies plantées, dû principalement à l'édit de 1577, et la modification des productions résultant de l'évolution des goûts.

L'édit royal de 1577, qui restera en vigueur jusqu'en 1776, interdit aux marchands de vin de Paris de s'approvisionner dans un rayon de 20 lieues – c'est-à-dire 88 kilomètres – autour de la capitale. Cet édit se révèle lourd de conséquences, car il prive les vignobles de la couronne parisienne d'une grande part de leurs débouchés naturels. Le vin d'Ile-de-France continue d'être consommé, mais dans des proportions très sensiblement moindres. A l'intérieur du rayon de 20 lieues, les habitants ne peuvent qu'acheter du vin pour leur propre compte ou faire venir celui de leurs propres vignes. Quant aux vignerons, s'ils ont toujours la possibilité de vendre directement leur production aux cabaretiers de Paris, ils le font rarement car les droits d'entrée sont très lourds. Les crus locaux se commercialisent alors dans les guinguettes situées hors des barrières fiscales, c'est-à-dire dans les faubourgs et dans les villes moyennes.

Cette nouvelle réglementation explique qu'un certain nombre de vignobles situés dans la zone des 20 lieues, mais trop éloignés des voies d'eau pour être acheminés en banlieue, périclitent. Les vignobles de Meaux, de Melun, de Pithiviers, qui jouissent pourtant d'une bonne réputation, disparaissent progressivement. A l'inverse, le vignoble de Brie, assez médiocre, mais situé à l'extérieur de la zone, se développe. Au sud-ouest, les vignes reculent vers Chevreuse et Dourdan. A Corbreuse, dans le Hurepoix, le vignoble, qui recouvrait 17 hectares au lendemain des guerres de religion, se réduit à 2,5 hectares. Sur les plateaux limoneux, les vignes sont remplacées par des prairies artificielles tandis qu'elles gagnent du terrain sur les rives de la Seine, de Montereau à Mantes, sur celles de la Marne ou de l'Essonne. Elles résistent à Vitry ou à Suresnes.

D'après le mémoire sur la généralité de Paris, la principale zone viticole en quantité comme en qualité, est, au XVIIIe siècle, l'élection de Paris où l'on produit 140 000 muids de vin par an, chaque muid représentant 268 litres. La production est consommée sur place ou exportée vers la Picardie, l'Artois et les Flandres. L'élection de Meaux produit 36 000 muids de vins « durs et grossiers », celles de Nemours et de Melun, respectivement 35 000 et 30 000 muids de vin « fort médiocre » et « médiocre ». Viennent ensuite les élections de Coulommiers – 12 000 muids consommés sur place –, de Montfort – 6 000 muids de « vin médiocre » – et de Pontoise – 4 000 muids sur 34 paroisses. Le mémoire ne signale aucun vignoble d'importance dans les élections d'Étampes et de Rozoy.

Dès la fin du XVIe siècle, les goûts changent. Les familles bourgeoises délaissent le vin de la région pour des vins importés, spécialement de Basse Bourgogne ; ceux-ci sont acheminés par la Seine. Le vin francilien devient un produit de consommation populaire. Les blancs font place aux rouges, sauf dans quelques terroirs, comme Chanteloup, où ils seront fabriqués jusqu'en 1900, ou Ivry, où les vignerons continuent quelque temps à produire un vin médiocre. De plus en plus, les vignerons privilégient la fabrication d'un vin rouge de qualité ordinaire, bon marché, consommé par le petit peuple dans les guinguettes des faubourgs. Les anciens cépages de blancs font place au gamay qui connaît de beaux jours, comme à Argenteuil. C'est là qu'après les grandes gelées de l'hiver 1709, les vignerons replantent, sur un millier d'hectares, un cépage beaucoup moins sensible aux gelées que le pinot.

Les vignes d'Ile-de-France sont généralement des vignes basses, très denses, alignées en sillons serrés, ne laissant le passage qu'à un homme ou à un âne. Les pieds sont rapprochés. En Brie, les vignerons plantent 8 000 pieds à l'arpent, soit 2 pieds au mètre carré. L'apport en fumier est assez rare car, en dehors d'un âne, de quelques porcs, les vignerons ne possèdent que peu de cheptel. Les seules vignes qui sont fumées sont celles des grandes abbayes. A la fin de l'Ancien Régime, l'abbaye de Saint-Denis fait enfouir annuellement 10 tonnes de fumier à l'hectare dans ses vignes de Cormeilles-en-Parisis.

L'outil principal des vignerons est la houe, avec une grande lame pleine et deux, trois ou quatre dents. Sont également utilisés le hoyau, ou besoche, pic large du bout, le croc ou crochet, pic à une ou plusieurs dents, la binette et la serfouette. Rares sont les vignerons possédant une charrue ou une herse ; ils se contentent de l'emprunter. Le transport des fumures ou des grappes se fait à dos d'homme ou à l'aide de bâts, montés parfois sur des chevaux, plus fréquemment sur des ânes. Lors des vendanges, les grappes sont mises dans des paniers, ou hottes d'osier, puis dans des « bachoues », récipients tronconiques de plus forte contenance. Les vignerons possèdent rarement leur propre pressoir. Ils utilisent celui du seigneur. La vendange est placée dans des cuves de 2 300 à 4 600 litres. Les tonneaux de conservation contiennent un demi-muid, soit 134 litres, ou une demi-queue, soit environ 200 litres. Dans beaucoup de vignobles, à Ivry par exemple, le vin ne se conserve pas d'une année sur l'autre ; aussi est-il rapidement vendu aux cabaretiers de banlieue.

Les rendements varient selon les années et les cépages. Les moins productifs donnent autour de 20 hectolitres à l'hectare pour les vignes non fumées. Ils peuvent atteindre 30 hectolitres dans les vignes fumées. Les cépages très productifs, comme le gamay, ont des rendements souvent bien meilleurs. Sur l'ensemble de la paroisse d'Argenteuil, ceux-ci sont de 34,2 hectolitres en 1760, de 52,8 en 1776, de 150 en 1785, année exceptionnelle. Cette même année, certains vignerons de Chanteloup produisent jusqu'à 75 hectolitres à l'hectare.

La vigne est alors une activité assez rénumératrice ; aussi, les vignerons forment-ils un groupe social original, contrasté par rapport à ceux des plateaux céréaliers. Ils souffrent moins que les autres paysans des crises de la seconde moitié du xvi siècle. Dans les vignobles proches de Paris, ils cultivent leur vigne ainsi que celles de propriétaires horsains, essentiellement des bourgeois parisiens, ou celles de l'Église. Ils trouvent, si nécessaire, un complément de revenu dans d'autres tâches. Beaucoup s'emploient, en été, aux travaux des moissons.

A la fin du xvi siècle, la journée de vendange est payée 5 sols pour le coupeur, 10 pour le hotteur, 7,5 pour le travail au pressoir, repas en sus. A cette époque, il faut débourser 24 livres pour faire labourer un arpent de vigne ; ne sont compris dans ce prix ni l'extirpation des rochers ni le ramassage des pierres.

Quelques inventaires après décès de vignerons permettent d'appréhender le cadre de vie de ces petits paysans des vallées et des coteaux. A Villejuif, au xvii siècle, la moyenne des fortunes mobilières des vignerons est de 300 livres. Les plus aisés, comme le sieur Barillet, possèdent un patrimoine de près de 700 livres de biens mobiliers. Pour les plus pauvres, il est de moins de 200 livres ; ainsi celui de M. Daudot, mort en 1654, qui n'est que de 103 livres. Ces chiffres sont à comparer avec ceux des marchands-laboureurs, enregistrés au même endroit et à la même époque : 9 458 livres pour P. Lanouiller ; 4 519 livres pour N. Pellé.

En 1577, A. Couchet, vigneron de Villejuif, dispose de 138 livres de biens meubles. Il possède, dans sa maison, une grande table avec ses bancs, un coffre pour ranger son linge, un buffet, des lits avec custodes de toile, du linge, une crémaillère, de la vaisselle de fer et d'airain.

A Ivry, la plupart des vignerons habitent dans de petites maisons comprenant cuisine-salle à manger au rez-de-chaussée, chambre au premier. Au début du xviii siècle, le mobilier de ces pièces se limite à l'indispensable. En 1701, en dehors de la vaisselle, la cuisine d'un vigneron de ce village comprend un « paitrain », un « viel buffet », un « aiz avec ses pieds en forme de table », un « grand aiz avec deux tréteaux », six « aiz servant de tablette », deux chaises de paille et deux rouets.

Comme chez les laboureurs, le mobilier évolue. Il se diversifie, devient plus important, plus raffiné, preuve de la prospérité du siècle. Les chaises remplacent les bancs. L'étain disparaît au profit de la faïence. Certains inventaires comptent même de l'argenterie élémentaire comme des gobelets, des timbales et, bien entendu, des tastevins. En 1776, un vigneron d'Ivry possède, dans sa cuisine, une huche de bois de chêne, cinq chaises de bois blanc, un grand coffre carré, également en chêne, un bas de buffet à deux vantaux de bois de hêtre avec, au-dessus, un vaisselier à deux montants et trois tablettes de traverse en bois blanc, un autre buffet à deux montants et cinq tablettes ainsi que quatre chandeliers de cuivre. Dans la cuisine d'un autre, le priseur relève, en 1778, « 38 pièces en plats, pots et assiettes de différentes fayances ». En 1776, un inventaire mentionne « une tasse à essay et six gobelets en timbale, le tout d'argent, poinçon de Paris » et, en 1777, « un gobelet en timballe et une tasse d'argent poinçon de Paris pesant 6 onces 4 gros ».

Dans les chambres, le mobilier évolue aussi. C'est au cours du XVIIIᵉ siècle qu'apparaissent les armoires, les commodes, les horloges, les miroirs, les chandeliers, des objets et images de piété, des estampes encadrées et des tissus d'ameublement aux couleurs variées. Ainsi, en 1701, une chambre renferme un grand coffre de bois de chêne fermant à une serrure, un coffre bahut carré couvert de cuir noir et une couche à hauts piliers de bois de hêtre. En 1776, chez un autre vigneron, une couchette de bois de chêne, une grande armoire à deux battants de bois de chêne, « une commode de bois de haitre à deux grands et deux tiroirs mains et entrées garnies de cuivre de couleur », un bas d'armoire de bois de chêne à deux vantaux et deux petits tiroirs, un petit miroir dans un cadre de bois doré, une douzaine de petites images et agnus, cire bénite par le pape et portant la figure d'un agneau, un bénitier de verre, une petite table de bois blanc et trois chaises de hêtre foncées en paille.

* *

Les « fermiers laboureurs », plus tard « marchands laboureurs », constituent une « aristocratie » rurale très caractéristique des plateaux céréaliers qui entourent la capitale. Cette catégorie sociale, déjà présente à la fin du Moyen Age, s'affirme à partir du xvi⁰ siècle. Il s'agit d'exploitants qui font appel au faire-valoir indirect, caractéristique de notre région où la propriété non paysanne est majoritaire. Leur ascension se poursuit tout au long de l'Ancien Régime, en dépit de quelques accrocs.

Ainsi, souffrent-ils de la crise qui secoue la région pendant les guerres de religion. Leurs belles fermes attirent les pillards et subissent des déprédations. Beaucoup feront les frais des fluctuations de la conjoncture économique et du poids de la fiscalité royale. L'Ile-de-France est, en effet, un pays de taille personnelle ; le calcul de l'imposition est fondé sur les facultés présumées du contribuable et non sur ses biens fonciers, comme en pays de taille réelle. C'est donc l'exploitant qui est frappé et non le propriétaire.

En dehors des mauvais moments, les fermiers-laboureurs développent leur primauté au sein du monde rural. Leur force résulte de la possession d'un capital et d'un matériel d'exploitation plus que de leurs actifs fonciers. Tous sont, d'abord, propriétaires d'un ou plusieurs « trains de culture », c'est-à-dire d'une charrue et de son attelage, ainsi que de tout le matériel nécessaire pour faire valoir les terres, spécialement les bonnes terres céréalières des plateaux limoneux. Grâce à ces équipements et à un savoir-faire hérité de leurs ancêtres, ils exploitent les grandes propriétés des nobles, des bourgeois ou des ecclésiastiques. Dès la fin du xv⁰ siècle, parfois même plus tôt, un certain nombre de lignages paysans se sont spécialisés dans cette activité, ce qui explique que la puissance de ces fermiers se soit fortement enracinée.

Ils sont parvenus à se faire attribuer la plupart des baux par la haute noblesse et le clergé. Ils se sont imposés durablement aux propriétaires de la terre. Leurs contrats sont reconduits systématiquement à des conditions qui varient peu. A Gonesse, la famille Géhenaut conserve le bail d'une ferme appartenant à l'abbaye de Maubuisson de 1459 à 1726. A Choisy-aux-Bœufs, une ferme de 250 hectares est louée par les moines de Chaalis à la famille Besson tout au long des xvie et xviie siècles. En Plaine de France, le record est enregistré au Plessis-Gassot où les Bonnevie puis, à la suite d'une alliance, les Chartier, exploitent la même ferme de 1496... à 1935.

Au début du xvie siècle, les fermes exploitées sont de taille assez modeste. En Plaine de France, elles font de 20 à 100 hectares maximum ; la moyenne se situe à une trentaine d'hectares. Elles ont toutefois tendance à s'agrandir grâce au cumul des baux, autre bon indicateur de la montée en puissance des fermiers-laboureurs. A Trappes, Gourgon Arnoul cumule trois baux et exploite 70 hectares de terre. En 1540, Claude Papelart, laboureur à Épiais-les-Louvres, exploite les 70 hectares d'une ferme du chapitre de Notre-Dame. Il augmente son domaine d'un tiers en procédant à huit locations secondaires de terres appartenant à des propriétaires parisiens et à un bourgeois de Meaux. Pierre Bimont, mort en 1551, à Louvres, cumule deux baux de deux fermes distinctes ; la première, de 47 hectares, appartient au prieuré de Saint-Martin-des-Champs ; la seconde, de 110 hectares, au chapitre de Notre-Dame. A sa mort, ces deux baux sont dissociés et partagés entre ses deux fils, mais, dès 1558, l'un d'eux ajoute au bail hérité de son père la location de 40 hectares appartenant à la cure de Louvres...

Ainsi, les fermiers-laboureurs cultivent des superficies de plus en plus vastes. La production qui va en s'améliorant leur assure de bonnes récoltes. Sur la durée, ils profitent d'une bonne conjoncture, la hausse des prix étant continue. Certains spéculent sur le cours des grains, car ils commercialisent eux-mêmes leur production. Il n'est pas rare de voir un des enfants s'installer à Paris. La plupart dégagent du numéraire qui leur permet de pratiquer des prêts à intérêt. Grâce à leur matériel, d'autres deviennent prestataires de services chez les petits propriétaires fonciers qui ne possèdent pas de charrue ou servent d'intermédiaires pour la commercialisation de leurs productions. Avec eux, c'est toute une économie « rurale » qui se met en place, anticipant sur l'économie industrielle que l'on verra se développer aux XIXᵉ et XXᵉ siècles. La région-capitale est ainsi le vrai laboratoire des physiocrates pour qui la richesse d'un pays vient de la richesse de son sol. Aussi ne faut-il s'étonner de voir les fermiers se lancer, très tôt, dans les activités marchandes, le négoce devenant, pour eux, une activité aussi importante que la production. De là naîtra l'essor de toutes les « petites » villes de l'Ile-de-France, créant un tissu urbain très dense et spécifique à la région.

C'est ainsi qu'au début du XVIᵉ siècle apparaît la qualification de « marchand-laboureur ». D'abord réservée aux plus puissants, elle se répand rapidement. En prenant cette qualification, les fermiers prouvent qu'ils ne se cantonnent pas au seul travail de la terre mais qu'ils se considèrent comme les égaux des marchands des villes.

Avant 1560, quelques fermiers font précéder leur nom des épithètes d'honneur, « Honnête personne », voire « Honorable homme », le second traduisant un degré supérieur de respectabilité. Ces qualifications, qui étaient jusqu'alors l'apanage de la petite bourgeoisie marchande des villes, montrent comment se crée, dès cette époque, l'osmose entre le rural et l'urbain. Elles permettent aux fermiers de bien se démarquer du monde des artisans, de ceux qui pratiquent un travail manuel. Avec un demi-siècle de retard par rapport au monde urbain, ces avant-noms, également attribués aux veuves, commencent à se répandre chez les marchands-laboureurs à partir des guerres de Religion.

Ces fermiers enrichis participent à l'économie de toute l'Ile-de-France dont ils sont les principaux acteurs, en particulier par leurs façons de vivre. Pour les noces, pour les baptêmes, ils affectionnent les cérémonies somptueuses qui leur permettent d'étaler leurs richesses. Ils construisent ou reconstruisent les grands bâtiments de leurs fermes dont certaines agrémentent encore aujourd'hui nos paysages. C'est le domaine des Arpentis, sur le plateau de Saclay ; celui de Villeray ou celui de Varâtre, autour de Lieusaint ; ce sont les très beaux bâtiments du Vexin, en particulier dans le pays d'Arthies ; c'est la ferme de Villarceaux ou le domaine d'Hazeville... et tant d'autres, en Goële ou en pays meldois. Nombre de ces bâtiments sont demeurés intacts. Ils nous permettent d'avoir une idée de ces grands domaines du passé. A travers eux, nous pouvons imaginer la vie de ces seigneurs de la terre.

La plupart des grands lignages franciliens ont laissé leurs traces dans les archives notariales ou familiales qui nous permettent d'en mieux comprendre le quotidien. Les fermes, avec leurs grands bâtiments et leur vaste cour fermée, vivent en quasi-autarcie. L'exploitation nourrit la famille du fermier et les employés qu'il loge. Les grosses fermes sont rarement touchées par les disettes. Leurs réserves sont généralement abondantes. En janvier 1662, au moment de son décès, Pierre Lanouiller, fermier-laboureur à Choisy-sur-Seine, possède d'énormes réserves de grains : 258 hectolitres d'avoine, 6 de seigle, 116 de méteil et 6 d'orge. Ses caves renferment 4 000 litres de vin. D'une façon générale, les fermiers n'achètent à l'extérieur que peu de produits : l'épicerie, le sel, le poisson ou les chandelles, parfois le vin.

Le personnel permanent des fermes varie selon la taille de l'exploitation. Au sommet de la hiérarchie, le maître charretier dispose de sa charrue et de son attelage. Si le fermier possède deux charrues, un « petit charretier » lui est adjoint. Les charretiers sont assez bien payés : en 1600, à Louvres, le premier charretier d'une ferme perçoit annuellement 33 livres plus un demi-setier d'orge. Le berger est présent dans les exploitations d'au moins deux charrues. Il entretient et garde le troupeau. Son salaire est supérieur à celui du charretier. Il perçoit 45 livres en 1600. Les domestiques sont assez peu nombreux : les fermes d'une à deux charrues ont généralement une servante ; celles de trois à quatre charrues, deux servantes. Ce personnel, nourri et logé, est peu payé.

Les fermiers louent à l'année les services de spécialistes chargés d'entretenir l'attirail de culture : maréchal, charron, bourrelier ou cordier. Des marchés sont passés avec ces artisans. En 1655, Jacques Guérin, laboureur à Vernais, emploie un bourrelier pour 35 livres par an en sus des fournitures. En 1617, Pierre Dutocq, fermier à Juilly, loue les services d'un maréchal pour 36 livres par an. Ces employés ne résident pas sur place. Seuls dorment à la ferme les célibataires. Les autres vivent au village.

Les intérieurs des grandes fermes sont bien mieux équipés que ceux des autres ruraux. Les lits, parfois assez élaborés, constituent un bon indicateur d'aisance. Le fermier dispose du meilleur lit de la ferme. Il s'agit généralement de grandes couches de chêne à piliers tournés avec enfonçures, matelas de plume, couverture, le tout surmonté d'un ciel de chanvre avec pentes et custodes à franges dans les tons vert ou rouge. Les enfants dorment dans la même pièce, dans une seconde couche fermée. Les domestiques se contentent de simples châlits. La servante dort dans l'ouvroir, dans une petite chambre, dans la cuisine ou au fournil. Les hommes disposent de chambres au-dessus des étables. Un charretier dort dans l'écurie pour surveiller les chevaux. Il n'est pas rare qu'un lit serve à deux personnes. Selon les recherches de Jean-Marc Moriceau, on compte, au XVIe siècle, de sept à huit couches dans les exploitations de deux à trois charrues de la Plaine de France.

Les fermes renferment des réserves de linge abondantes, car les lessives n'ont lieu que deux ou trois fois par an. Les draps, nappes, serviettes sont rangés dans des coffres de chêne ou de noyer de 130 à 160 centimètres de long. Une distinction entre le linge des maîtres, généralement en lin, et celui des employés, apparaît au XVIIe siècle. Les marchands-laboureurs ont aussi des réserves de matière première avec lesquelles ils font fabriquer des étoffes : du fil, de la filasse de chanvre ou de lin qui sont donnés à tisser. Les toiles sont regroupées en coupons avant d'être confiées à une couturière ou à un tailleur. Dans la plupart des inventaires, le linge représente le second poste en valeur.

La cuisine est le centre de vie de la ferme, souvent la seule pièce munie d'une cheminée. Les patrons et les employés y cohabitent. Les repas sont pris sur une grande table de trois à quatre mètres de long. La vaisselle utilisée – les pots, les brocs, les plats, les écuelles, les assiettes – est souvent en étain. Elle est rangée dans des armoires à guichets. Dans la plupart des fermes, la valeur de cette vaisselle peut atteindre plusieurs centaines de livres. Dans une ferme à deux charrues de la Plaine de France, elle est estimée, en 1555, à 340 livres.

Ces intérieurs, assez austères, changent complètement au XVIIIe siècle, période d'enrichissement et de prospérité. Le train de vie des fermiers-laboureurs s'élève en même temps que la valeur des biens meubles non professionnels. En Plaine de France, celle-ci passe d'une moyenne de 2 134 livres, en 1700, à 4 358 livres, en 1740.

La vaisselle évolue ; à l'étain se substituent la faïence et l'argenterie. Celle-ci prend une place de plus en plus conséquente ; elle quadruple de 1650 à 1750, attestant l'enrichissement de cette population. Dans les pièces apparaissent des objets de luxe ou d'agrément comme les horloges, rapidement remplacées par des pendules, les thermomètres, les tapisseries, les tableaux, les glaces encadrées, les poêles. Les lits se diversifient. Les fermiers dorment dans des lits « à la duchesse », « à l'impériale » ou à baldaquins. Les coffres sont remplacés par des armoires. Les sièges ou fauteuils recouverts de tapisserie font leur apparition. Les commodes témoignent d'un luxe de plus en plus raffiné.

Cette évolution du train de vie des fermiers-laboureurs se mesure aussi dans l'habillement et dans les habitudes alimentaires. Ils importent leur vin de Champagne ou de Bourgogne, boivent du café puis du thé et fument du tabac.

En plus de leurs activités productrices et marchandes, les fermiers-laboureurs se tournent vers la prise en charge des droits seigneuriaux et des dîmes, amorçant ainsi une évolution sociale importante qui verra la noblesse « de terrain » disparaître au profit de notables d'origine bourgeoise, où l'administration, naissante au temps de Louis XIV, recrutera ses officiers et ses commis de bureau.

A partir du milieu du XVIe siècle, dans un souci de simplification, les seigneurs laïcs et les ecclésiastiques commencent à affermer la perception de leurs différents droits féodaux à une seule personne, en un seul bail. La perception de ces droits, toujours payés en nature sous forme de gerbes de céréales, offre deux grands avantages aux fermiers-laboureurs. Elle leur permet de disposer d'un surplus de grains négociable, et donc, spéculable, et d'amasser des pailles supplémentaires pour le bétail et la fumure des terres. Ces baux sont cependant moins stables que les baux fonciers. Ils ne sont pas toujours renouvelés à la même personne. La concurrence joue, notamment avec les bourgeois ou les officiers des petites villes. Elle crée l'émulation. Le cas de la famille Courtois, qui conserve le bail des dîmes de l'abbaye de Saint-Denis, à Messy-en-France, pendant tout le XVIᵉ siècle, est exceptionnel.

Les fermiers-laboureurs, devenus « receveurs », s'intéressent aussi aux petits offices seigneuriaux. Les fiefs de dignité et les seigneuries châtelaines, héritage du morcellement médiéval, sont très nombreux. A ces fiefs sont toujours attachés un droit de tabellionnage, ce qui signifie la possibilité, pour un seigneur, d'avoir un tabellion, c'est-à-dire un notaire exerçant sur le territoire de la seigneurie. Contrairement aux notaires royaux, les tabellions seigneuriaux sont présents en milieu rural. Ils y jouent le rôle d'experts agricoles et de négociateurs. C'est à eux qu'ont recours les paysans pour établir leurs actes, qu'il s'agisse de baux à cheptel, de baux simples, de contrats de mariage, de ventes, ou de partages.

L'Ile-de-France compte aussi un grand nombre de hautes justices seigneuriales. Celles-ci comprennent généralement deux officiers locaux importants : le lieutenant de la justice seigneuriale qui est, en fait, un juge, parfois appelé « maire », et le procureur fiscal, qui exerce le ministère public. Ces personnages sont très souvent sollicités par la communauté villageoise, en particulier lorsque s'expriment des contestations sur les droits féodaux. Ces fonctions, pourtant mal rétribuées, attirent les fermiers-laboureurs car, outre leur caractère honorifique, elles leur offrent un surcroît de pouvoir sur les autres paysans.

Les emplois de tabellion sont assez difficiles à obtenir, car ils exigent des connaissances juridiques. Certaines familles, comme les Angoulian, à Wissous, les Navarre, à Montjay ou les Malice, à Marly-la-Ville, réussissent à se glisser dans le monde des tabellions seigneuriaux. La plupart se tournent plutôt vers les justices seigneuriales. Ainsi, en 1521, à Épiais-les-Louvres, le lieutenant de justice et le procureur fiscal sont tous deux fermiers. Des propriétaires prennent même l'habitude de confier la responsabilité de leur justice seigneuriale à leur principal fermier. A Vincy-en-Multien, en 1544, le collège de Navarre confie la lieutenance de la justice seigneuriale – la « Mairie » –, les droits de justice et la ferme à la même famille. Les fermiers-receveurs deviennent ainsi gardiens des droits du seigneur et de la communauté villageoise. Ils font figure de spécialistes du droit rural.

Le rôle de ces « officiers » n'est pas mince dans l'évolution sociologique de la région. Ils représentent une classe non agricole qui peuple nos petites villes. Il y a là un terreau pour les élites en gestation qui pourront d'autant mieux bâtir leur avenir qu'ils sont proches de la capitale ou de Versailles. Dès le XVIe siècle, la dynamique parisienne des élites de l'administration est engagée. Ces officiers des villages deviennent « officiers » dans la capitale. Il faut donc les remplacer par des locaux ou par des provinciaux. La mobilité nourrit la dynamique. Les fermiers-laboureurs s'imposent ainsi doublement. D'abord aux propriétaires fonciers en monopolisant les baux et en freinant le montant des loyers, ensuite aux villageois, en devenant les mandataires privilégiés des autorités.

Ce phénomène de concentration des pouvoirs et de montée en puissance des fermiers-laboureurs est favorisée par leur forte cohésion. Le mariage se contracte presque toujours entre familles de même rang social. Il intervient au terme d'une véritable transaction que l'on s'attache à réussir au mieux. La pratique des mariages croisés, ou parallèles, entre frères et sœurs de deux familles ou des unions entre cousins est fréquente. Ainsi évite-t-on la dispersion du capital en prolongeant les efforts des générations précédentes. Dans les contrats, les apports sont généralement équivalents. En 1588, Pierre Navarre, fermier-laboureur à Charny-en-France, accorde à son fils la somme de 800 livres. Cette somme est aussitôt utilisée pour payer le bail d'une ferme de 83 hectares. La future met dans la corbeille 800 livres en espèces sonnantes et trébuchantes. Le mari fournit le bail et l'attirail, l'épouse procure la trésorerie. Ce type de contrat se généralise un peu partout. Il permet aux jeunes fermiers-laboureurs de partir sur des bases confortables.

Cette montée en puissance des « coqs de village » génère des conséquences diverses : apparition de qualifications nouvelles, multiplication des parrainages, éclat des noces et des sépultures, possibilités accrues de pénétrer dans d'autres milieux socio-professionnels.

Les qualifications, dont sont très friands les notables, peuvent paraître aujourd'hui superficielles. Elles sont primordiales dans la société très hiérarchisée de l'Ancienne France. Dans le cas des fermiers-laboureurs, elles témoignent de la volonté de ce groupe social de se démarquer du reste du monde rural et de rivaliser avec celui des villes.

Dans ces temps où la foi est très forte, notamment au moment où la réforme catholique prend son essor, les fermiers tournent aussi leurs regards vers les églises. Nombreuses sont celles qui sont restaurées au cours des XVIᵉ et XVIIᵉ siècles, d'autant que les guerres de Religion et la Fronde leur ont causé de nombreux dégâts. Des architectes, tels Grappin ou Bullant, des artistes tels les Jacquet père et fils, des artisans franciliens trouvent, chez les fermiers, des « mécènes » généreux. Gros œuvres, mais aussi peintures ou rétables, stalles et mobiliers d'église ou orfèvrerie religieuse datant de cette époque, témoignent de cet important mouvement.

On voit les fermiers prendre l'habitude de se faire inhumer dans le chœur de l'église paroissiale, comme les nobles et le clergé, sous de belles pierres tombales, autre manifestation de cette volonté des fermiers de marquer leur statut social. On trouve encore ces pierres dans les églises de Villeron, de Roissy-en-France, de Goussainville, de Villiers-le-Sec, du Mesnil-Aubry, d'Ormesson, de Villiers-sur-Marne...

La plupart des fermiers-laboureurs, attachés à leur statut, s'efforcent de le transmettre à leurs enfants. Il leur est toutefois souvent impossible de tous les installer dans les fermes. Certains sont obligés de tenter leur chance ailleurs. Beaucoup rentrent dans les ordres. Bien des lignages comptent au moins un prêtre par génération. Ces prêtres finissent par obtenir des bénéfices lucratifs dans leur région d'origine. Ils les transmettent ensuite à leurs neveux. De véritables « dynasties » de curés de campagne, issus du milieu « fermier », se constituent. A Fontenay-en-Parisis, les Pluyette tiennent la cure de leur village de 1623 à 1718. A côté du modeste clergé rural, quelques fils de laboureurs parviennent à obtenir des canonicats bien dotés dans les villes moyennes. Quant au clergé régulier, il attire peu. Le cas de Denis Antheaume, fils d'un marchand-laboureur de Marly-la-Ville, entré au couvent des Grands-Augustins et devenu un des grands mystiques de la capitale, constitue une exception. Il faut attendre le XVIIIe siècle pour commencer à voir des filles de fermiers-laboureurs entrer dans des monastères bénédictins ou cisterciens.

Le commerce est le second débouché possible. Celui de la paille, à destination des écuries de Paris et de Versailles, très lucratif, prend une grande extension. En 1697, Claude Tiphaine, fermier à Bouqueval et à Ézanville, livre ainsi de la paille à une dizaine d'écuries parisiennes. En 1730, Nicolas Guerin, fermier-laboureur à Roissy-en-France, passe un marché avec la compagnie des mousquetaires noirs du roi auxquels il s'engage à fournir 66 650 bottes. Gonesse devient la « capitale » de la boulangerie car on ne veut pas cuire le pain à Paris pour éviter les risques d'incendie.

Le commerce facilite l'implantation urbaine. Très nombreuses sont les familles de marchands-laboureurs qui ont un parent installé à Paris. En 1533, au moment de son décès, Guillaume Papelart, laboureur à Epiais, a quatre fils fermiers et un « honorable homme, marchand bourgeois de Paris ». Dans les petites villes-marchés, – à Poissy, à Meaux, à Corbeil, à Magny-en-Vexin – les fils de laboureurs deviennent marchands-bouchers ou épiciers. Dans la capitale, ils pénètrent dans le cercle de la « bonne marchandise », c'est-à-dire dans l'un des grands corps de commerce – les épiciers, les drapiers, les changeurs, les merciers, les pelletiers –, de préférence dans la bonneterie et la draperie. Il s'agit là du niveau supérieur du commerce parisien constitué par ces marchands-bourgeois qui aideront Henri IV à reconstruire et moderniser Paris en édifiant des hôtels, place Dauphine ou place Royale, devenue Place des Vosges. Les installations sont souvent favorisées par une alliance avec une fille de marchand richement dotée. En 1544, Louis Maheust, fils de marchand-laboureur, reçoit 800 livres de dot qui lui permettent de s'établir comme marchand drapier. Pour d'autres, le point de passage obligé est l'apprentissage. Les relations d'affaires ou de familles, nouées avec des marchands, favorisent également ces implantations qui resserrent les liens entre la ville et la campagne.

L'accès aux offices, encore assez rare au xviᵉ siècle, se développe au siècle suivant. Les fils de marchands-laboureurs se contentent d'abord d'offices subalternes d'auxiliaires de justice. Plus tard, beaucoup choisissent les offices des greniers à sel ou les recettes de tailles. Les offices supérieurs sont très rarement atteints sans un passage préalable dans la « marchandise », qui permet d'accroître les revenus. L'armée et l'administration ne commencent à recruter chez les fermiers qu'au xviiiᵉ siècle.

En 1740, la conversion des gros marchands-laboureurs d'Ile-de-France est pratiquement achevée. La plupart sont devenus de véritables négociants. Ils se retrouvent à la tête de fortunes bien assises. Les plus aisés se concentrent dans la Plaine de France, le plateau de Villejuif et la Brie. L'élection de Paris compte 231 gros fermiers appartenant à 71 familles seulement. Tous figurent parmi les premiers contribuables. En 1778, dans la même élection de Paris, sur les 997 cotes de taille supérieures à 100 livres, 702 sont payées par des fermiers-laboureurs, 6 par des fermiers de seigneuries et seulement 8 par des propriétaires exploitants. Mieux encore, sur les 122 cotes supérieures à 1 000 livres – ce qui est considérable – 115 sont payées par les fermiers-laboureurs. Quand on sait qu'un manouvrier paye, à la même époque, moins de 20 livres de taille, on mesure la richesse des « coqs de village » et le fossé gigantesque qui les sépare de la masse des petits ruraux.

Les fermiers-laboureurs d'Ile-de-France atteignent leur apogée au milieu du XVIIIe siècle. L'accroissement des fortunes conduit alors à une élévation sociale sans précédent. Ils accèdent directement à la noblesse sans passer par les traditionnelles étapes intermédiaires. Une nouvelle catégorie naît, celle des « fermiers gentilshommes » qui, à leur titre de laboureur, peuvent accoler celui d'écuyer.

L'accession à la noblesse se fait par plusieurs canaux. Beaucoup de fermiers achètent des offices de commensaux de la Maison du roi, de la reine, ou des princes qui procurent la noblesse personnelle, et donc, la qualification « d'écuyer ». Ils sont exemptés de taille sans services effectifs. D'autres se tournent vers des offices dans les finances ou à la guerre, comme Antoine Navarre, fermier à Mény, qui acquiert, en 1709, une charge de contrôleur des guerres qui lui procure la noblesse personnelle. Mais il ne s'agit là que d'une noblesse viagère. Aussi, les plus fortunés achètent les fameuses charges de conseiller-secrétaire du roi. Celles-ci, très onéreuses – 190 000 livres en 1755 – et qui n'exigent aucune condition d'âge, d'études ou d'expérience ouvrent droit à la noblesse transmissible ainsi qu'à d'énormes avantages fiscaux après vingt ans d'exercice ou en cas de décès en charge. Un autre membre de la puissante famille Navarre, Antoine Louis, fermier de Villeroy-en-France, acquiert, en 1729, une charge de secrétaire du roi près du parlement de Metz. Il meurt dix ans plus tard, laissant cinq fils « écuyers ». En 1753, Pasquier Berger, qui exploite deux fermes à Lagny, est reçu secrétaire du roi près de la chambre des comptes de Montpellier. Dans les trente dernières années de l'Ancien Régime, les achats de telles charges par des fermiers-laboureurs ne cessent de se multiplier.

Pour parfaire leur nouvelle position sociale, les fermiers-laboureurs élargissent leur patrimoine foncier et, surtout, se portent acquéreur de fiefs. Ces acquisitions deviennent de plus en plus courantes à partir de 1750. Elles nécessitent des capitaux considérables. En 1752, Louis Dupré, laboureur et receveur de la seigneurie de Mortière, à Tremblay, débourse 60 000 livres pour l'achat du fief de Maulny, à Saint-Soupplets.

Pourtant, ce phénomène d'ascensions familiales ou personnelles fulgurantes doit être nuancé. Si les XVIIe et XVIIIe siècles sont marqués par l'influence de la haute paysannerie, les premiers signes du déclin de cette classe sociale apparaissent également. La société bouge. Certes lentement, mais déjà pointent les prémices d'un monde nouveau, annonçant les bouleversements de la fin du XVIIIe siècle.

C'est dès 1650 que certaines familles de marchands-laboureurs d'Ile-de-France commencent à connaître des difficultés. Elles souffrent de la dépression économique qui frappe le royaume, de 1650 à 1740. La région est confrontée, tout au long de cette période, à une alternance de bonnes et de mauvaises récoltes du fait du rafraîchissement météorologique. Des années froides et humides, notamment entre 1640 et 1655 et entre 1690 et 1710, favorisent le développement des mauvaises herbes et des maladies. Au Plessis-Gassot, sur la ferme de Louis Chartier, la récolte de l'été 1709 est catastrophique. Sur 208 arpents semés en blé à l'automne précédent, 111 ne donnent rien. Inversement, quelques bonnes récoltes successives contribuent à faire baisser les prix. En 1668 et 1672, le cours du grain sur le marché de Paris équivaut à celui de 1620. Celui de 1688 est le même que celui de 1605. En grammes d'argent, le setier de froment de 1690 ne vaut pas plus qu'au milieu du XVIe siècle.

Cette chute des cours, qui se perpétuera au long du premier quart du XVIIIe siècle, accentuée par la dépréciation monétaire, favorise les petits agriculteurs. Elle pénalise, en revanche, les gros fermiers qui voient leurs marges bénéficiaires se réduire. Dans le même temps, les fermiers-laboureurs doivent faire face à une hausse générale des salaires et des fermages ainsi qu'au poids accru de la fiscalité royale. En Plaine de France, les gages des bergers augmentent d'environ un tiers, en 1730. La hausse des fermages, plus précoce, débute dès 1655 dans la plupart des terroirs. Les propriétaires, souvent citadins, exigent des loyers plus élevés. Les impôts augmentent sérieusement à la fin du règne de Louis XIV. Dans l'échelle tarifaire de la première capitation touchant toutes les familles, y compris les nobles, les fermiers-laboureurs sont placés en quinzième position sur vingt-deux classes, à côté des gentilshommes « possédant fiefs et châteaux » et des bourgeois des petites villes vivant de leurs rentes, juste au-dessus des marchands de vin, de blé et de bois, des professeurs de droit et des huissiers au Châtelet. En Plaine de France, la taille, qui équivaut à 2,3 livres à l'hectare en 1630, passe à 6 livres en 1650, à 10 livres en 1700, à 15 livres en 1740.

Au XVIIIᵉ siècle, la société francilienne agricole, qui a connu de beaux jours tout au long des deux siècles précédents, qui s'est enrichie, qui a promu l'économie régionale et même nationale, se trouve confrontée à des crises de plus en plus aiguës. A la fin du siècle, elle aura définitivement cédé la place à une nouvelle société.

Toutes les charges ne cessent d'augmenter. Contrôlée par le pouvoir royal, la spéculation ne permet plus de rattraper les pertes. Les propriétaires se refusent à modérer leurs exigences. Nombre de fermiers ne peuvent plus payer leurs baux ; ils s'endettent ; les arrérages s'accumulent. Leur capital d'exploitation, leur cheptel, leurs meubles sont saisis, parfois achetés à vil prix par le propriétaire lui-même. Les faillites se multiplient.

Au cours d'une première phase, de 1640 à 1670, ce sont surtout les petits fermiers, sans réserves de capital, qui sont frappés. Dès 1640, à Courtry, le fermier Robert Boullogne et sa femme sont obligés de quitter leur ferme « ayant mal fait leurs affaires, contractés plusieurs dettes » et n'ayant « plus rien ou peu » pour la faire valoir. Cet ex-fermier de la Plaine de France s'engage alors dans les armées royales. Il laisse dans l'indigence sa femme et ses trois enfants.

La seconde phase, à la charnière du XVIIᵉ et du XVIIIᵉ siècle, est plus grave encore. Les gros fermiers sont frappés à leur tour. Beaucoup connaissent un endettement chronique qui se termine par la faillite. A Châtenay-en-France, le fermier des moines du prieuré de Saint-Martin-aux-Champs est incapable de payer un arriéré de fermage de 8 385 livres. A Mory, Jean Afforty, fermier des chanoines, voit ses bêtes, grains et meubles meublant saisis. Tout part à l'encan. Ses impayés atteignent la somme considérable de 16 000 livres, dues au propriétaire ainsi qu'à d'autres créanciers. Des lignages, pourtant en renom depuis la fin du xve siècle, sont éliminés de la scène. La ferme de Choisy-aux-Bœufs, exploitée par la même famille depuis six générations, change de fermier. Au Plessis-Gassot, François Chartier, qui gère une ferme louée par la famille de sa femme depuis 1618, voit ses biens saisis en 1709.

Ces fermiers malchanceux sont conduits à accepter des emplois subalternes. Charles Bienvenu, fermier à Gonesse, Tremblay, Châtenay et Mont-l'Evêque finit concierge du château de la Verrière, en pays d'Yvelines. Au Plessis-Placy, les deux frères Vereux, fermiers des bénédictins de Rueil, voient leur équipage de labour saisi. Ils sont maintenus par leur propriétaire pendant un an comme salariés à 150 et 100 livres d'appointements. Lorsqu'un nouveau fermier s'installe, ils sont réduits à s'engager ailleurs, comme charretiers. Jean Billouart, fils d'un marchand-laboureur d'Epinay-Champlâtreux devient charron. On assiste à de formidables déclassements sociaux. Des fils de laboureurs déchus épousent des filles de manouvriers. En 1678, Pierre Le Duc, qui n'est plus que charretier, convole avec la fille d'un manouvrier de Roissy-en-France. Dans le même village, Jean Mignan, recueilli comme domestique par un de ses oncles laboureur, s'allie avec la fille d'un « faiseur de dentelles ».

Ces épreuves ne s'abattent cependant pas sur tous les fermiers. Ceux qui, depuis longtemps, ont entrepris de regrouper leurs activités productrices et commerciales avec la perception des droits seigneuriaux ou des dîmes et qui se sont constitué une solide assise foncière résistent à la crise. Certains en profitent même, et les écarts de situations accroissent la fracture sociale.

Les baux des fermiers en faillite sont récupérés par quelques chanceux qui confortent leur propre exploitation. En 1717, à Sivry-en-Brie, Louis Noël exploite 203 hectares appartenant à six personnes. En Plaine de France, la superficie moyenne des exploitations, qui était de 135 hectares entre 1650 et 1675, passe à 210 hectares à la fin du xviie siècle. Les fermiers opportunistes ne se contentent plus d'ajouter à un bail principal des baux secondaires. Ils n'hésitent pas à réunir entre elles, non plus des parcelles, mais des fermes entières. Le domaine de Nantouillet, de 230 hectares, loué à cinq fermiers en 1550, ne l'est plus qu'à un seul au début du XVIIIe siècle. A La Grande-Paroisse-en-Brie, Bonaventure Langlois réunit, en 1684, deux fermes qui lui procurent un domaine de 172 hectares. Certains se retrouvent à la tête d'exploitations gigantesques. En 1692, Jean Navarre l'aîné possède 23 attelages et 754 hectares en Plaine de France. En 1719, son cousin, Jean Navarre, cultive 658 hectares en trois baux – la ferme de Vaulerent, la ferme de Choisy et le domaine de Villeron – pour 18 600 livres par an. Il possède 39 chevaux de labour, 1 000 « bestes à laine », 86 « bestes à cornes », une cinquantaine de cochons et emploie 17 charretiers.

Ces regroupements entraînent souvent la disparition de bâtiments de ferme, devenus inutiles, et que les propriétaires, soucieux de réaliser des économies d'entretien, décident de détruire. Tel est le cas du domaine de Nantouillet qui, au début du XVIIIe siècle, ne compte plus qu'un seul corps de ferme contre cinq au milieu du XVIe. La géographie de l'espace rural se modifie. Les grosses fermes se retrouvent de plus en plus isolées, au milieu des terres labourées.

La Révolution met fin à cette course aux honneurs et aux privilèges, mais elle ne freine pas l'ascension des fermiers-laboureurs. Si la plupart d'entre eux souffrent de la crise révolutionnaire, ils réussissent à s'adapter et en tirent, en fait, plus de profits que de pertes. Ils préservent leur position dominante dans la communauté villageoise en prenant les places de maire. Ils font preuve d'opportunisme en se montrant favorables à l'abolition des droits seigneuriaux et à l'égalité devant l'impôt. Ils sont surtout les seuls, au sein du monde rural, à pouvoir acheter, grâce à leur épargne, des biens nationaux d'émigrés ou d'Eglise. Le cas de la famille Chartier est significatif. Elle exploite, depuis 1496, une ferme située au Plessis-Gassot. Au moment de la Révolution, cette ferme appartient aux Ursulines du Faubourg Saint-Jacques. Elle est nationalisée, comme tous les biens d'Église, et rachetée par ses anciens fermiers, en 1790.

Certains marchands-laboureurs deviennent, à bon compte, de gros propriétaires terriens et, à leur tour, des rentiers du sol.

Ainsi, l'ascension des marchands-laboureurs, commencée dès la fin du Moyen Age, se poursuit jusqu'au XIXe siècle. Ils formeront alors l'élite qui fournira les cadres économiques et politiques à la région-capitale.

CHAPITRE XI

LE GRAND VERSAILLES
ET LE GRAND PARIS DU GRAND SIÈCLE

Notre siècle revendique souvent pour lui la naissance de l'urbanisme moderne, une certaine antériorité n'étant accordée qu'à Haussmann et à ses travaux. Pourtant, comment oublier que Louis XIV, d'abord, puis Louis XV ont été les premiers à concevoir un véritable urbanisme régional, avec une approche novatrice, au point que nous mettons encore nos pas dans les voies qu'ils ont tracées. Leurs prédécesseurs, François Ier et Henri IV, surtout, n'avaient été que des urbanistes parisiens, ou locaux lorsqu'il s'agissait des résidences royales de Saint-Germain ou de Fontainebleau. Louis XIV et son petit-fils imposent une nouvelle dimension.

Louis XIV crée, avec Versailles, la première ville nouvelle. Ville administrative, mais aussi grande cité de vie. Le roi est également à l'origine du premier « syndicat intercommunal », avec le grand parc de Versailles. Quant à ses ingénieurs, selon sa volonté et sous son impulsion, ils mettent en œuvre un des premiers réseaux hydrauliques qui s'étend sur le territoire de deux départements actuels, englobant la Machine de Marly et le circuit des rigoles et étangs du plateau de Saclay.

Si Louis XIV inscrit Versailles dans une perspective de gestion de l'espace tout à fait inédite pour l'époque, il ne néglige pas pour autant Paris, capitale de son royaume. Il en fait une ville ouverte sur l'extérieur, une ville phare sur laquelle les yeux étrangers vont se tourner en cherchant à l'imiter, à la copier. Quant à Louis XV, qui poursuit cette démarche d'ouverture et de rayonnement de la capitale, on lui doit le premier « R.E.R. » – Réseau des Entrées Royales –, projet que, deux siècles plus tard, nous continuons à mettre en œuvre. Le grand axe est-ouest constitue une réalisation novatrice car, jusqu'alors, le seul axe était l'axe nord-sud, de Saint-Denis à la Cité. A l'est, c'est l'entrée triomphale depuis Vincennes, par la barrière dite « du trône ». A l'ouest, la percée va des Tuileries à Saint-Germain-en-Laye. C'est dans son prolongement que s'inscrit aujourd'hui l'« axe majeur » de Cergy-Pontoise.

Au-delà de la capitale et de sa proche banlieue, se conçoivent des tracés, tel celui qui sert d'arête centrale à la ville de Sénart dont le plan directeur s'organise autour de « l'allée royale ». A l'origine, il s'agit de relier deux forêts, territoires de chasse du roi. Il n'en demeure pas moins que c'est cette perception de l'espace, née au XVIIᵉ siècle, exprimée au XVIIIᵉ, dont nous sommes les héritiers et qui constitue l'armature de notre urbanisme moderne.

En réalité, Louis XIV n'a personnellement jamais vraiment aimé Paris et le Louvre. C'est à Saint-Germain-en-Laye qu'il naît, le 5 septembre 1648. Il y vit ses premières années. En 1682, il part résider à Versailles et dans ses dépendances, telle Marly-le-Roi qu'il crée après avoir réuni, en 1693, les deux hameaux de Marly-le-Châtel et Marly-le-Bourg.

Délaissant l'art baroque, le roi privilégie les formes et structures originales qu'il impose dans la région partout ailleurs. Son influence rayonne bien au-delà des frontières. Plus que d'une simple recherche d'esthétique, c'est d'une véritable politique qu'il s'agit, partagée, comme l'écrit Jean Autin, entre « le souci du Vrai et l'exigence du Beau ». Les paysages d'Ile-de-France lui offrent, d'ailleurs, un cadre encore peu exploité où se conjuguent la perspective, l'eau, et l'arbre.

Au début de son règne, Louis XIV est un roi nomade. Délaissant Paris, il parcourt la région, de demeure en demeure. Selon les saisons, en fonction des périodes de chasse, il s'installe dans les châteaux de Saint-Cloud ou de Saint-Germain. L'été, la puanteur des fossés rendant le Louvre inconfortable, il préfère aux Tuileries, Chambord ou Fontainebleau. Ainsi, en 1671, il enchaîne plus de vingt séjours différents entre le 1er janvier et le 1er mai.

En dépit des suppliques de son intendant Colbert, qui préférerait le voir au Louvre, son véritable choix, c'est Versailles. L'amour de la chasse, hérité de son père, Louis XIII, qui avait acheté aux Gondi cette terre sauvage et s'était fait construire un petit pavillon, constitue une première motivation. Elle n'est pas la seule. Versailles présente, outre l'avantage d'être boisé, celui d'être vierge de constructions. Ainsi, la passion créatrice du roi peut s'affirmer sans contraintes. Son grand chantier doit être à l'image de son règne. « L'État c'est moi. » Il faut le montrer.

Tout commence par quelques améliorations apportées au parc et des ajouts aux constructions existantes. A partir de 1668, de nombreuses transformations sont engagées, mais en respectant l'œuvre originelle. Les douves sont comblées ; les communs surélevés et agrandis ; une terrasse est édifiée à la place du toit. Peu à peu se réalise le plus grand palais du monde. Le 6 mai 1682, Louis XIV décide de s'y installer définitivement.

L'architecte Le Vau étant mort, c'est Jules Hardouin-Mansart, neveu de François Mansart, qui est chargé de la poursuite de cette gigantesque entreprise. Il est assisté de grands artistes : Le Brun pour la décoration, Le Nôtre pour les jardins. Mais c'est Louis XIV en personne qui s'implique, tant dans la conception que dans la réalisation.

Cette formidable entreprise fait travailler toute la région. Certains jours – le 31 mai 1685, par exemple – on compte jusqu'à 36 000 ouvriers. De 1665 à 1680, ils sont en permanence 25 000 sur le terrain. Toute une vie économique se développe autour du domaine. Les villages prospèrent. Lorsque la main-d'œuvre est insuffisante, on fait appel à la troupe, à l'infanterie ou aux Suisses. Il arrive que l'on travaille tard dans la nuit, à la lueur des torches, parfois le dimanche... mais seulement après la messe. Le chantier oblige à innover en matière sociale. Les accidents étant nombreux et générant des mécontentements, un système d'indemnisation est accordé aux blessés ainsi qu'aux veuves : 30 à 40 livres pour une jambe ou un bras cassé, 40 à 100 livres en cas de décès.

En quinze ans, de grands ensembles architecturaux sont achevés : l'aile du nord, l'aile du midi, l'orangerie. En particulier, un endroit qui étonne par ses dimensions – 73 mètres de long sur 10 de large et 13 de hauteur – et par son décor : la galerie des Glaces. Pour la réaliser, il a fallu innover. Colbert refusant les achats à l'étranger, l'industrie du verre prend naissance. Les premières manufactures utilisent, pour matière première, les sables de Fontainebleau.

Il n'y a pas que le château, il y a aussi le parc. Son dessin est confié à Le Nôtre qui ordonne la nature en symétrie. Les parterres constituent de véritables broderies. Les arbres et les bosquets sont taillés. Les fontaines, dessinées par Le Brun, constituent de véritables pièces d'orfèvrerie célébrant la mer et la mythologie. Le règne est celui du soleil. Apollon triomphe. Tout est équilibré, tout est harmonie, autour du château, centre du pouvoir royal.

Au cours de la dernière décennie du siècle, le roi rédige lui-même un guide sur la *Manière de montrer les jardins de Versailles*, afin d'amener le promeneur à prendre conscience de la grandeur du site. Ces itinéraires sont ponctués d'une succession de pauses et de points de vue destinés à admirer une perspective ou un décor.

Les fontaines, lacs et bassins célèbrent le mariage du ciel et de la terre. Mais, pour que la vie jaillisse, il faut de l'eau courante. Or, les seules ressources sont l'eau de pluie et le ru de Galie. Les fontaines se multipliant, les réservoirs se tarissent. On décide alors d'aller chercher l'eau là où elle se trouve. Ainsi est imaginé et créé un vaste réseau hydraulique qui, par ses infrastructures, encore visibles, marque le paysage tout en étant à l'origine du développement agricole. Incroyable voici deux siècles !

Pour élever l'eau de la Seine jusqu'à Versailles, distant de 8 kilomètres, la machine de Marly est construite de 1675 à 1683. Elle pompe l'eau dans le fleuve et l'achemine par un aqueduc de trente-six arches. Conçue par l'ingénieur de Ville, cette machine doit beaucoup aux ouvriers wallons venus apporter leur savoir aux Français. La machine est complexe. Quatorze roues hydrauliques de douze mètres de diamètre, mues par la chute de la Seine, communiquent chacune leur mouvement à trois séries de mécanismes : d'abord aux 64 pompes de rivière qui envoient l'eau à un réservoir situé à mi-côte, puis aux « petits chevalets » qui actionnent 49 pompes propulsant l'eau jusqu'au réservoir supérieur, enfin aux « grands chevalets » qui transmettent la force motrice, mettant en action la dernière série de pompes qui propulsent l'eau jusqu'à l'aqueduc qui domine Louveciennes, à 154 mètres de hauteur. Cet aqueduc, construit par Jules Hardouin-Mansart et Robert de Cotte, de 1681 à 1685, mesure 330 « toises » de long. Il débouche, à chaque extrémité, sur un château d'eau ; l'un reçoit l'eau et l'autre la dirige vers le regard dit « du jongleur ».

La machine fonctionne jour et nuit. Lorsque les eaux de la Seine sont hautes, elle produit jusqu'à 1 500 mètres cube d'eau en 24 heures ; la moitié en basses eaux. Les habitants des villages voisins viennent admirer avec curiosité cette machine étonnante, énorme, gigantesque qui fait un bruit infernal et qui marquera pour longtemps les arts et techniques de notre pays.

Bien qu'abondante, l'eau pompée ne s'avère pas suffisante. En effet, elle n'est pas uniquement destinée au château, mais, très vite, à ce qui va devenir, de par la volonté du roi, une ville, ainsi qu'aux villages qui entourent Versailles et qui bénéficient de l'ensemble des infrastructures.

Le circuit des eaux de Seine est bientôt complété par un autre, tout aussi novateur, qui recueille les eaux du vaste plateau argileux de Saclay, au-dessus de Versailles. C'est l'ingénieur Gobert qui imagine un immense réseau de drainage du plateau, quadrillage de « rigoles » qui mènent les eaux vers deux étangs – le Trou Salé et l'étang de Saint-Hubert – à partir desquels elles sont canalisées par un aqueduc symétrique à celui de Marly, passant par Buc. Conséquence de ce drainage, la fertilisation du plateau permet d'y développer une grande culture céréalière, particulièrement bienvenue à l'époque, et qui constitue encore une de ses richesses.

Pendant ce temps, Versailles qui, jusqu'en 1670, n'est qu'un bourg, devient progressivement une grande cité, un modèle urbain. Il faut loger la Cour, l'administration et la Maison militaire. Le roi veut aussi que la ville accueille des commerçants et des artisans pour nourrir et offrir les services nécessaires à tous ceux qui s'installent. Le 22 mai 1671, il adresse à Colbert une lettre qui constitue l'acte fondateur de Versailles :

« Sa Majesté ayant en particulière recommandation le bourg de Versailles, souhaitant de le rendre le plus florissant et fréquenté qu'il se pourra, a résolu de faire don des places à toutes les personnes qui voudront bastir depuis la Pompe dudit Versailles jusqu'à la ferme de Clagny, avec exemption du logement par craye èsdits bâtiments, pendant dix années qui auront cours du jour qu'ils seront achevés... »

Les conditions attachées à ce don sont cependant rigoureuses puisque le bénéficiaire doit acquitter, chaque année, une taxe foncière de cinq sols par arpent et s'engager à entretenir les bâtiments en l'état et « de même symétrie qu'ils seront bâtis et édifiés ». En d'autres termes, la construction est subordonnée à une sorte de permis de construire délivré par le Surintendant, Ordonnateur général des bâtiments.

Mais Versailles, c'est surtout une ville ouverte. A une époque où la tendance est aux murailles et aux remparts, seules quelques grilles sont mises en place pour les besoins de l'octroi. La cité et les jardins, très intégrés, ne font qu'un, jouant des perspectives et des échappées dans l'espace. C'est la ville paysage que l'on pourrait décrire comme un amphithéâtre de végétation. A coups d'achats successifs, on regroupe autour du centre du pouvoir royal les terres et les bois qui forment le petit parc clos en 1683. Le roi acquiert également les seigneuries voisines : Montreuil, Glatigny, Le Chesnay. La nature elle-même doit se plier à la volonté souveraine. Ainsi, une colline est arasée pour établir le Grand Canal ; une autre est artificiellement créée pour supporter les ailes du château.

Comme pour sa somptueuse résidence, le roi s'implique personnellement dans la réalisation de cette ville nouvelle dont il confie la conception générale à Le Nôtre. Il prête une attention particulière aux trois avenues qui convergent, constituant une triple ouverture sur la France. De même que le Roi-Soleil est l'astre autour duquel tout tourne, le château et, au-delà, l'Ile-de-France, sont élevés au rang de centre du monde.

Louis XIV étant attaché à une harmonie parfaite entre les habitations et le château, les propriétaires doivent utiliser comme matériaux de construction la brique et la pierre, ne monter qu'un étage et réaliser un toit en ardoises, orné de mansardes, qui ne peut dépasser le niveau de la cour de marbre. A travers une déclaration du 24 novembre 1672, l'ambition royale est claire : « Le séjour que Nous faisons souvent dans nostre chasteau de Versailles, et le divertissement que Nous y prenons, pour Nous y délasser quelquefois de la conduite de Nos affaires, ayant convié la meilleure partie des officiers de Nostre Couronne et de Nos domestiques d'y bastir, Nous voyons avec plaisir le nombre de ces bâtiments s'augmenter en un tel point que dans peu de temps, il y a lieu d'espérer d'y voir une ville assez grande et assez considérable, et particulièrement si Nous y donnons les facilitez qui Nous sont demandées par tous ceux qui y ont basti jusqu'à présent, et qui ont dessein d'y bastir à l'avenir, et entre autres celle de décharger de toutes hypotèques, comme meubles, tous les bâtiments qui se feront dans l'étendue dudit lieu... »

La ville grandit lentement, mais sa réputation est considérable. Son urbanisme en rayons, tout à fait novateur, tranchant sur le vieux plan romain carré en vigueur jusqu'alors, servira de modèle à de nombreuses cités comme Saint-Pétersbourg ou Washington. Les princes veulent leur « petit Versailles ».

Son administration est confiée au gouverneur, c'est-à-dire à « l'Intendant des châteaux, parcs et dépendances ». Elle se compose d'un syndic et de quarteniers. Élus par l'assemblée des habitants, ceux-ci ont pour mission d'aider le juge de police à garantir l'ordre en veillant à la sécurité des habitants, particulièrement en cas d'incendie.

Au petit parc, s'ajoute le grand parc, vaste territoire de chasse où la plupart des fermes appartiennent au domaine propre de la couronne. Ce grand Versailles s'étend sur 8 000 hectares, superficie considérable, équivalente à celle de Paris, hors les bois de Vincennes et de Boulogne. Cet immense domaine est clos de murs, percés uniquement de vingt-quatre portes dont cinq subsistent actuellement comme celle de Mérantais à Magny-les-Hameaux. Le parc s'organise en parfaite cohérence. Louis XIV inaugure avec le grand parc le premier syndicat de communes. La chasse en est le fil conducteur, mais, au-delà, une économie très diversifiée se développe. A chaque village sa fonction, comme, par exemple, à Chaville et Ville-d'Avray, les meutes et les chevaux. Toute la région en tire grand bénéfice ; nombreux sont ceux qui partagent le privilège de bien vivre à l'ombre du château.

Si Louis XIV refuse de s'installer au Louvre, Paris conserve les grandes directions administratives. Y sont installés les Intendants des finances, du commerce, les fermiers généraux et les principales cours de justice, notamment le parlement de Paris dont le ressort s'étend sur un cinquième du royaume.

La capitale compte environ 500 000 habitants. Elle grandit rapidement, tant à l'intérieur qu'à l'extérieur de l'enceinte. Les maisons de cinq étages ne sont pas rares. L'enceinte démolie, celle-ci fait place à un large cours de 36 mètres de large planté d'arbres : ce sont les grands boulevards, avec leurs portes en arcs de triomphe ouvrant sur l'extérieur.

L'empreinte architecturale de Louis XIV est considérable. Sur la rive gauche de la Seine, dans la plaine de Grenelle, un quartier complètement vierge, il fait bâtir l'hôtel des Invalides destiné à accueillir 4 000 soldats blessés ou mutilés. Sobriété et grandeur sont les caractéristiques de cet ensemble imposant, complété par l'église des soldats et, quelques années plus tard, par le dôme bâti initialement pour être son mausolée, projet qui ne sera réalisé que pour l'empereur Napoléon Ier.

Sur la rive droite, les places royales – la place Vendôme et la place des Victoires – sont conçues à partir du principe de la ligne droite et de la symétrie. Aux Tuileries, Le Nôtre, initiateur des grandes perspectives, aménage une trouée parsemée d'arbres jusqu'à la place de l'Étoile. Il dessine également le cours de Vincennes.

Pourtant, les rues demeurent étroites et sales. Dans le cadre de la réforme municipale, par un édit de mars 1667, Colbert obtient du roi la création d'une charge nouvelle, purement parisienne, celle de lieutenant de police. Celui-ci vient suppléer le prévôt des marchands, jusqu'alors seule autorité publique de la capitale. En fait, le futur préfet de police. Le premier désigné à ce poste est Nicolas de La Reynie, chargé de faire nettoyer la cité et d'y rétablir la sécurité. Il s'emploie à sa tâche. On lui doit le premier éclairage, 5 000 lanternes à chandelle étant installées dans la ville, la suppression de la cour des miracles, la création d'un corps de pompiers, l'institution des transports en commun par des carrosses dont l'idée est à mettre au crédit de Pascal, qui sait allier philosophie et pragmatisme. Le ressort du lieutenant de police s'étend au-delà de la ville intra-muros. Il a aussi en charge les marchés aux bestiaux de Sceaux et de Poissy. Son rayon d'action est fixé à huit lieues autour de Paris. A défaut de cadrer avec les limites actuelles de l'Ile-de-France, cet espace représente un peu plus que celui de l'actuelle petite couronne. Déjà, l'administration de Louis XIV sent la nécessité de faire vivre en cohérence Paris et le territoire qui l'entoure qui ne forment qu'un tout.

Ce souci, exprimé par Louis XIV, d'inscrire la cité dans son environnement, son goût pour les grands axes et des grandes perspectives, son option d'une ville ouverte pour accueillir et conquérir se renforcent avec Louis XV. C'est le plan de l'abbé Delagrive, de 1735, qui permet de mieux comprendre l'ambition urbanistique de ce grand siècle. Il s'agit d'un travail assez fouillé, qui ressemble plus encore à un cadastre qu'à un plan, et qui met clairement en évidence les projets de l'époque.

Dès 1715, au sein du Conseil des finances, un service administratif spécialisé – la direction des Ponts et Chaussées – est chargé de la création de grandes routes qui, traversant les terrains de culture, rayonnent de Paris vers toutes les provinces. Leur construction est strictement réglementée par un arrêt du 3 mai 1720 qui fixe la largeur des voies – 30 mètres environ – et ordonne l'obligation, pour les propriétaires riverains, de planter des arbres à dix mètres les uns des autres et à une toise au moins du bord extérieur du fossé. Voilà engagées nos routes nationales.

Le programme nécessite du matériel et des hommes. Il faut aussi une énergie farouche pour conduire une tâche aussi ambitieuse en dépit des multiples contestations qu'elle inspire. Une corvée royale est alors instituée. Pendant un demi-siècle, les paysans doivent travailler gratuitement à la route royale, avec leurs bêtes et leurs outils, quinze à trente jours par an.

Pour suppléer à la dissolution de la direction des Ponts et Chaussées, est créée, en 1747, sous l'impulsion de Trudaine, intendant général des routes, l'école des Ponts et Chaussées. A partir de 1750, celle-ci forme des sous-ingénieurs en trois années d'études. Trudaine installe à ses côtés un bureau de dessinateurs, chargés d'archiver les cartes et les plans et d'en dresser de nouveaux. Ce bureau deviendra, plus tard, le Service géographique de l'armée, puis l'Institut géographique national.

C'est de cette époque que datent les grandes sorties qui placent Paris au cœur d'une étoile. Certaines de ces trouées existaient déjà, telles les routes de Senlis ou de Meaux. Celles-ci sont simplement remises en état, mais beaucoup d'autres sont alors réalisées : l'antique axe nord-sud, qui va de Saint-Denis à la cité, se prolonge par la rue Saint-Jacques, en direction de Bourg-la-Reine, Longjumeau, Montlhéry, et s'ouvre sur la route d'Orléans ; la route de Fontainebleau, actuelle avenue d'Italie, large de 40 mètres, qui se poursuit par Villejuif, Juvisy et Essonnes ; la route d'Allemagne, actuelle Nationale 3 ; l'avenue de Versailles – la bien nommée – qui passe par Sèvres ; les routes en direction de la Normandie et de la Bretagne. Parallèlement, les multiples déplacements du roi et de la cour imposent très vite le projet d'un grand chemin de rocade allant de Versailles à Choisy-le-Roi. Et voilà l'ancêtre de l'autoroute A 86, l'actuel périphérique d'Ile-de-France.

Poursuivant l'œuvre de Colbert, Trudaine introduit dans la capitale deux novations importantes. En 1728, il fait installer des écriteaux aux carrefours afin de permettre une meilleure orientation ; d'abord en fer-blanc, ceux-ci sont rapidement remplacés par des plaques de pierre. Il organise ensuite le nettoyage des rues.

La forte poussée démographique incite la population à s'étendre au-delà du Paris de Louis XIV. De nouveaux quartiers sont rattachés à la ville, chacun avec ses caractéristiques. Vers l'est, c'est le domaine de l'artisanat et de l'industrie. Des centaines d'ateliers s'installent dans les faubourgs. On y trouve aussi de nombreuses manufactures : celle des glaces de Saint-Gobain, les Gobelins, les papiers peints de Réveillon. Le sud, calme et silencieux, accueille des fondations religieuses. L'ouest se partage entre un urbanisme de qualité et des terrains vagues. Quant au nord, il conserve un caractère champêtre avec ses moulins à vent. Toutefois, en s'approchant de Montmartre et de Saint-Denis, on sent naître l'ébauche d'une industrie de luxe.

La passion de construire gagne toute la région. Une mode se propage chez les seigneurs, bourgeois et hauts fonctionnaires qui, suivant l'exemple du roi et de sa famille, se font construire une résidence à la campagne : les Malesherbes, à Saint-Chéron ; la dynastie des Pontchartrain, à Jouars ; à Meudon, la propriété de Louvois qui deviendra celle du Dauphin ; à Sceaux la résidence de Colbert avant qu'elle ne devienne celle du duc du Maine ; à Dampierre le château des ducs de Luynes.

Il n'y a pas que l'urbanisme et le réseau de voies de communication qui se développent en Ile-de-France. L'économie également. Chaque petite ville, chaque village a son activité artisanale propre. On y trouve des bûcherons, des charrons, des charpentiers, des menuisiers, des plâtriers, des maçons, des maréchaux-ferrants, des cordiers, des vanniers, toute une gamme de petits métiers permettant de satisfaire les besoins des habitants.

L'artisanat rural proprement dit, c'est-à-dire des activités, généralement textiles, exercées de manière dispersée par les paysans pour s'assurer un supplément de revenu ou par des ouvriers spécialisés pour le compte de marchands est, en revanche, peu répandu en Ile-de-France. Les activités agricoles occupent largement le peuple des campagnes. Dans les fermes, les métiers à tisser sont beaucoup moins nombreux que dans d'autres régions comme la Normandie ou la Picardie. Seuls, quelques terroirs perpétuent une activité artisanale particulière.

Ainsi, dans le pays de France, la fabrication des dentelles occupe une bonne partie des habitants des bourgs et des villages. Tel est notamment le cas à Villiers-le-Bel, Saint-Denis, Fontenay, Sarcelles, Écouen, Le Mesnil-Aubry, Groslay, Châtenay-en-France, Saint-Brice, Stains, Attainville, Ézanville... A Villiers-le-Bel, cette activité est attestée depuis le xvie siècle. Le mémoire sur la généralité de Paris, écrit en 1700, précise que les villages de Montmorency et de Villiers-le-Bel fabriquent des dentelles d'or, d'argent et de soie pour les marchands de la capitale. La proximité de celle-ci, où la consommation de produits de luxe comme la dentelle est importante, l'ancienneté d'une petite industrie rurale de passementerie et le fait de se trouver sur une route commerciale fréquentée expliquent le développement de cette fabrication dans ce secteur.

Toutefois, cette activité, prospère tout au long du xviie, connaît un net déclin à la fin du siècle. La révocation de l'édit de Nantes, qui fait fuir un certain nombre d'artisans et de marchands dentelliers, la guerre, qui réduit les débouchés, ainsi que l'appauvrissement général sont à l'origine de cette crise. On tentera bien de redresser la situation, mais sans résultats. Si, en 1686, Jean Bourget et son associé établissent dans la maison d'un religionnaire fugitif de Villiers-le-Bel une manufacture de dentelles de fil où sont censés être employés les enfants des nouveaux convertis, cet établissement, qui compte jusqu'à 68 ouvriers, dont 45 externes, ferme en 1690. Une seconde tentative est engagée vers 1710, à Louvres, par un marchand mercier de Paris, mais elle ne donne pas de meilleurs résultats. De 1680 à 1750, les campagnes dentellières du nord de Paris perdent la moitié de leur population marchande. La quasi-totalité des villages sont touchés. Cet artisanat se poursuivra médiocrement jusqu'au milieu du XIXe siècle avant de disparaître complètement avec l'apparition de la dentelle mécanique.

Dans l'élection de Mantes, se fabriquent les grosses toiles vendues aux marchands parisiens. En Beauce, une manufacture, fondée en 1669 par Camuset, contrôle une trentaine de centres regroupant environ 20 000 ouvriers qui confectionnent des chausses et des bas tricotés. Les habitants des environs de Houdan fabriquent également des bas de laine. Dans la région de Provins, sont produites des « tiretaines », qui se vendent localement, ainsi que des gros bas de laine « pour le menu peuple », mais cette activité est en très net déclin à la fin du XVIIe siècle du fait de procès continuels entre marchands et tisserands. Quant à la draperie, qui fit la richesse de Provins, elle a pratiquement disparu. Le mémoire sur la généralité de Paris ne signale aucune activité manufacturière dans les élections de Pontoise, Étampes, Melun et Nemours.

Les petites villes franciliennes sont plutôt tournées vers le commerce et la transformation des produits agricoles que vers la manufacture. De Pontoise, favorisé par l'Oise, on expédie du blé, de l'avoine et de la farine. A Mantes, un fructueux négoce de vin transite par la Seine en direction de la Normandie et de la Picardie. A Montfort, on achète des céréales, du bois et des fruits ; à Étampes, des blés, des farines et des laines en provenance de la Beauce. Céréales, vins et fromages se partagent le marché de Melun. Les villes de Brie approvisionnent la capitale en blé.

Quelques-unes de ces cités possèdent des ateliers. Mantes et Meulan, en raison de leur situation sur la Seine, comptent de nombreux tanneurs ; Pontoise, quelques fabricants de bonneterie et de chapeaux « de peu de conséquence », comme le précise l'*État des manufactures de la généralité de Paris* rédigé dans les années 1740. Ce même rapport signale la fabrication de serge, de grosses étoffes de laine, de bas de laine et autres ouvrages de bonneterie à Meulan. La production est vendue sur place. A Saint-Germain, un grand nombre de cordonniers et de perruquiers travaillent pour les marchands de Paris et de Versailles. Meaux, situé sur la grande route d'Allemagne et à proximité de la Marne, est un centre important de draperie, activité qui disparaît progressivement en fin de siècle. La ville conserve toutefois nombre d'artisans fabricants de toiles, de bas de laine et de chapeaux. Le xviiie siècle voit s'y multiplier mégissiers, tanneurs, chamoiseurs, corroyeurs, peaussiers qui utilisent l'eau de la Marne pour traiter les peaux.

A Corbeil et aux abords immédiats de Paris, à Villejuif, à Saint-Denis et surtout à Gonesse, la spécialité est la fabrication en gros du pain à destination de la capitale. Produit par environ 850 boulangers, il est acheminé par charrettes ou par la Seine. Il est vendu sur les marchés de la place Maubert, du cimetière Saint-Jean, de Saint-Paul, du Marais du Temple, du Caroussel et des Halles. Ce dernier, un des plus importants avec celui de la place Maubert, se tient les mercredi et samedi. Au xviiie siècle, il attire 300 boulangers, 58 venant de Gonesse et de ses environs. Au centre d'une grande région céréalière, Gonesse compte effectivement une centaine de boulangers forains qui récoltent les blés produits en Plaine de France. Le groupe des boulangers de Gonesse, lié de très près au monde des fermiers-laboureurs, tient une place considérable dans la vie de ce bourg dont il constitue un groupe socio-professionnel influent.

Colbert s'attache à implanter des manufactures en Ile-de-France. Des ateliers de damas, façon Flandres, sont ouverts à Meaux ; une manufacture de fils blanchis s'établit à Antony ; une autre, de serges anglaises, à Chevreuse. A Corbeil une petite fabrique de buffle occupe seize ouvriers. Après l'obtention d'un privilège royal, une manufacture de draps d'or, d'argent et de soie s'installe, en 1677, à Joinville, où elle connaît un essor rapide.

Pourtant, en dépit de l'aide de l'État, la plupart de ces établissements finissent par végéter. Ils souffrent de la contraction économique et des difficultés du Trésor royal. Les usines ferment une à une. Finalement, seule la manufacture de Saint-

Maur-Joinville, qui emploie plusieurs centaines d'ouvriers au début du XVIIIe siècle, parvient à survivre en se diversifiant et en produisant une serge au poil ras connue sous le nom de « ras de Saint-Maur ». Elle cessera néanmoins son activité en 1715.

A partir de la mort de Colbert, en 1683, plus rares sont les manufactures qui tentent de s'ouvrir. Dans l'élection de Montereau, une manufacture de draps est créée à Donnelle, en 1697. Il s'agit, en fait, d'une annexe de la draperie royale de Rouen qui fait travailler, en 1700, 200 ouvriers. En 1728, Jean Gabriel de Combles, négociant en dorure à Paris, fonde une manufacture de point d'Espagne à Clamart. En 1731, il sollicite l'octroi d'un privilège royal qu'il ne parvient pas à obtenir. Cette manufacture emploie des jeunes filles originaires de Paris, placées en apprentissage à partir de douze ans, ce qui génère des plaintes. De Combles est accusé de maltraiter ses ouvrières. Un véritable scandale éclate. En 1733, une enquête judiciaire est ouverte, mais les juges ne tirent pas de conclusions définitives. L'entreprise, mal gérée, mal considérée, victime d'une crise de débouchés, est condamnée à fermer ses portes.

La seconde moitié du XVIIIe siècle connaît un certain regain dans le domaine du textile. Freysse ouvre, en 1778, une manufacture de toiles peintes à Arcueil. En 1760, Christophe Philippe Oberkampf, fils d'un teinturier alsacien, crée sa fameuse manufacture d'étoffes imprimées, à Jouy-en-Josas, et installe des ateliers de tissage et de filature à Essonnes. Protégé par Louis XVI, il obtient, en 1783, un privilège royal pour la manufacture de Jouy. Ses entreprises résisteront à la tourmente révolutionnaire et reprendront un nouvel essor sous l'Empire.

En 1776, Mme de Lescure fonde, à Versailles, une manufacture de dentelles pour l'entretien des enfants pauvres. Dès 1777, le curé de Notre-Dame s'intéresse à cet établissement. Il le finance et lui permet de bénéficier d'importants protecteurs parmi lesquels figurent le duc de Duras, le maréchal, duc de Mouchy, et Louis XVI lui-même qui lui accorde une rente de 3 000 livres. En 1778, cette manufacture, qui occupe les locaux de l'hôtel d'Egmont, compte une centaine d'ouvrières. Elle fermera ses portes en 1792. En 1789, Versailles compte aussi une fabrique de velours et d'étoffes, établie rue de Satory, puis rue de Noailles, et une fabrique royale d'étoffes pour les pauvres, ouverte avenue de Paris, sous la protection du gouvernement.

A noter, également, la filature hydraulique de coton de L'Épine, établie en 1786, sur la Juine, la fabrique de siamoise de Mabile, transférée à Noisy-le-Grand, en 1790, la fabrique de bas et de bonneterie de Saint-Germain et celle de Houdan ; cette dernière, fondée par Prestea, occupe 70 ouvriers en 1789. La plupart de ces établissements vivent grâce aux débouchés qu'offre la présence de la Cour à Versailles. Ils fermeront dès le début de la Révolution et seront remplacés par des manufactures d'armes, de clouterie, de selles, destinées aux armées en campagne.

Les besoins de la Cour et de la capitale génèrent également quelques manufactures de faïence et de porcelaines. Au milieu du XVIIIe siècle, on en recense neuf à Paris et dans sa région, occupant environ 3 000 personnes. La plus ancienne est celle de Saint-Cloud, pour laquelle Claude Révérend obtient, en 1644, un privilège royal. Vingt ans plus tard, un second privilège lui permet d'importer de la faïence hollandaise. Peu après 1666, Révérend, qui possède déjà des ateliers au Faubourg Saint-Honoré, achète une maison à Saint-Cloud où il installe une faïencerie. Protégée par le duc d'Orléans, elle change plusieurs fois de mains. Concurrencée par l'installation de la manufacture royale de Sèvres, l'établissement, qui s'est lancé dans la fabrique de porcelaine imitée de celle de Chine, connaît un certain nombre de difficultés avant de tomber en faillite, en 1766.

A Chantilly, Sicaire Cirou, protégé par Louis Henri, duc de Bourbon, commence à fabriquer de la porcelaine de style japonais dès 1726. En 1730, le duc achète un terrain et une maison où il installe une véritable manufacture. En 1735, le droit de fabrication lui est reconnu et un privilège royal lui est accordé pour vingt ans. Sa mort, en 1740, porte un premier coup au développement de l'activité. Le comte de Charolais, oncle et tuteur du jeune Louis Joseph de Bourbon, limite les investissements. Après la mort de Cirou, devenu entre-temps gérant, puis concessionnaire de la manufacture, deux associés, Bucquet de

Montvallier et Roussière, reprennent l'affaire mais ne parviennent pas à la maintenir en vie très longtemps. L'entreprise est rachetée à plusieurs reprises ; elle tombe définitivement en faillite en 1800.

La manufacture de porcelaine de Vincennes, qui s'ouvre entre 1738 et 1740, obtient un privilège royal en 1745, puis devient manufacture royale en 1752. Elle prend un rapide essor grâce à de nombreux investisseurs, compte jusqu'à 120 ouvriers, mais elle est mal gérée. En 1756, elle déménage pour s'installer à Sèvres où le roi lui fait construire des bâtiments. Trois ans plus tard, elle devient propriété exclusive du souverain qui y nomme un commissaire administrateur. Sèvres produit de la porcelaine tendre qui connaît un énorme succès. A partir de 1768, pour la première fois en France, cette importante manufacture se lance dans la porcelaine dure fabriquée à partir du kaolin exploité à Saint-Yrieix, en Limousin. Sèvres se distingue des autres fabriques pour ses nombreuses innovations dans les couleurs, les formes et les sujets représentés. Hélas ! à partir des années 1780, l'entreprise connaît des difficultés en raison de la concurrence des fabriques parisiennes. Avec la disparition de la clientèle liée à la cour, la Révolution lui porte un coup sérieux, mais Sèvres parviendra à surmonter la crise et se rétablira au XIXᵉ siècle.

La manufacture de porcelaine de Sceaux est fondée par Jacques Chapelle, en 1749. Assez rapidement, Chapelle est contraint d'abandonner sa fabrication en raison du privilège accordé à la manufacture de Vincennes. Il se rabat alors sur une faïence nouvelle, dite « faïence japonnée », dont il a le secret. L'affaire connaît une grande extension. En 1752, la manufacture de Sceaux compte 90 ouvriers, dont certains transfuges de Vincennes. Les affaires de Chapelle sont florissantes ; en 1763, il loue son établissement à Joseph Jullien et Symphorien Jacques qui poursuivent avec succès l'œuvre de leur prédécesseur. En 1770, l'usine de Sceaux est vendue à René Glot. Sous l'autorité de ce nouveau patron, la faïencerie bénéficie, jusqu'à la Révolution, d'une réputation de qualité et d'un rayonnement qui lui permettent de rivaliser avec les plus grands centres de la faïencerie française. Malheureusement, en 1786, le traité autorisant la libre entrée de faïences anglaises en France porte atteinte à la manufacture de Sceaux qui poursuivra son activité, au xixe siècle, en se limitant à la fabrication de faïences communes et blanches.

Le faïencier François Barbin, soutenu par le duc de Villeroy qui possède, depuis 1734, une fabrique dans Paris, commence son activité dans le château de Villeroy, à Mennecy, en 1737. En 1750, il fonde une manufacture qui produit de la faïence et de la porcelaine tendre. Après sa mort et celle de son fils, survenues en 1765, l'affaire est louée aux gérants de la manufacture de Sceaux, Joseph Jullien et Symphorien Jacques. Ceux-ci transfèrent, en 1773, les ateliers à Bourg-la-Reine, établissement qui ferme ses portes en 1777, à la suite de mauvaises affaires.

Vivent également, pendant quelques années, plusieurs petites manufactures. A Meudon, une verrerie qui survivra jusqu'en 1932. A Vaux, près de Meulan, une fabrique de porcelaine de pâte dure, fondée en 1770 ; à Boissette, près de Melun, une autre, ouverte en 1778 et fermée à la Révolution ; à Étiolles, une fabrique de pâte tendre, grise, assez terne d'émail, influencée par Saint-Cloud, ainsi que de pâte dure de qualité médiocre ; créée en 1768, elle ferme ses portes en 1780.

Ainsi s'essouffle et s'éteint progressivement l'élan économique suscité et entretenu par le rayonnement du grand Versailles et du grand Paris du Grand Siècle.

CHAPITRE XII

D'ERMENONVILLE À AUVERS-SUR-OISE

Si l'Ile-de-France a été marquée par les grands bouleversements institutionnels de la fin du XVIIIᵉ siècle, économiques et
sociaux du XIXᵉ, elle l'a également été par la profonde richesse
littéraire et artistique qu'a connue notre pays tout au long des
deux derniers siècles. La région-capitale a exercé sur les écrivains une influence comparable à celle que les Pays de Loire
ont eue, au XVIᵉ siècle, sur les poètes de la Pléiade. Comme la
« douceur angevine » a inspiré, à l'époque de la Renaissance,
le renouveau des arts et des lettres, la « douceur francilienne »
a favorisé la naissance du romantisme français qui représente,
pour les mœurs, les sentiments et les idées, une révolution
comparable à celle de la grande Révolution pour la vie sociale
et politique. Ce mouvement, commencé avec Rousseau, se
prolongera jusque dans les « champs de blés mûrs » d'août
1914. L'impressionnisme en est l'expression dans le domaine
de la peinture.

Romantique et impressionniste, l'Ile-de-France l'est déjà par
nature, avec ses ciels gris-bleu, ses crépuscules nostalgiques,

ses aurores de premier matin du monde, ses forêts ombreuses, ses eaux qui font flotter sur ses paysages des brumes diaphanes, parfois surréelles.

C'est en cette fin du siècle des Lumières que se scelle un hymen fécond entre la géographie toute en nuances des terroirs de la région et une nouvelle sensibilité littéraire, de sorte qu'à l'avenir : « La promenade ne sera plus simplement une joie du corps et le plaisir de changer d'horizons, mais deviendra une humble ou frémissante poésie. »

L'Ile-de-France n'offre-t-elle pas un cadre sylvestre favorable à l'épanouissement de cet attachement affectif à la nature qui va bouleverser, non seulement l'histoire littéraire, mais aussi les manières d'être d'agir, et de voir ? Ainsi, confère-t-elle au romantisme français son empreinte originale faite de délicatesse, d'harmonie, de modération, le distinguant radicalement des courants romantiques de l'Europe du Nord.

Notre région-capitale connaît d'abord la chance d'être adoptée par un écrivain qui est, en même temps, un artiste sensible à la beauté de ses horizons délicats, de ses eaux vives et abondantes, de ses frais bocages et de ses frondaisons majestueuses : Jean-Jacques Rousseau, citoyen de Genève. Durant une dizaine d'années, entre 1752 et 1762, il noue avec l'Ile-de-France une relation véritablement charnelle, au point qu'il revient, en 1778, vivre dans le site enchanteur d'Ermenonville ses derniers jours de « promeneur solitaire », pour mourir dans cette patrie qu'il a choisie.

Rousseau s'est toujours dit ému par les paysages franciliens. Il éprouve un enchantement sans cesse renouvelé à parcourir les forêts. Il y trouve le cadre propice pour écrire une grande partie de son œuvre.

Tout commence par « l'illumination » de Vincennes. A l'époque, Rousseau est le secrétaire de Mme Dupin, l'épouse d'un fermier général. Sa seule ambition est de faire jouer les opéras qu'il compose. Un jour qu'il va rendre visite à son ami Diderot, incarcéré à Vincennes pour avoir publié la « Lettre sur les Aveugles », il lit, chemin faisant, *Le Mercure de France*. Il tombe sur la question proposée par l'Académie de Dijon pour le prix de l'année suivante : « Si le progrès des sciences et des arts a contribué à corrompre ou à épurer les mœurs. » S'impose à lui, comme une formidable révélation, la certitude que l'homme est né bon et que ce sont les institutions qui le corrompent. « A l'instant de cette lecture, je vis un autre univers et je devins un autre homme. » Il commence alors à échafauder un système philosophique appelé à bouleverser l'histoire. Ce jour-là, sous un chêne de Vincennes, Rousseau, à près de quarante ans, entre, presque malgré lui, dans l'histoire littéraire de la France.

La dialectique opposant la ville à la campagne est déjà de circonstance. Si, à partir du XVIIᵉ siècle, Paris est la ville où il faut habiter pour y faire consacrer son talent, c'est aussi la « ville de boue, de fumée et de bruit », qu'il faut fuir pour échapper à la corruption et retrouver l'innocence. Dans la *Lettre VI* à Sophie, il prône le retour à la nature : « Faites-vous une loi de vivre seule deux ou trois jours, dussiez-vous d'abord vous ennuyer beaucoup. Il vaut mieux les passer à la campagne qu'à Paris. La solitude est toujours triste à la ville. A la campagne, les objets y sont riants et agréables, ils incitent au recueillement et à la rêverie, on s'y sent au large, hors des tristes murs de la ville et des entraves du préjugé. Les bois, les ruisseaux, la verdure écartent de notre cœur les regards des hommes. »

A Malesherbes, il écrit : « Vous me supposez malheureux et consumé de mélancolie ? C'est à Paris que je l'étais, c'est à Paris qu'une bile noire rongeait mon cœur et l'amertume de cette bile ne se fait que trop sentir dans tous les écrits que j'ai publiés tant que j'y suis resté. » D'après le témoignage de son disciple, Bernardin de Saint-Pierre, « quand il était une fois dans la campagne, son visage devenait gai et serein ». « Enfin, nous voilà hors des carrosses, des pavés et des hommes », disait-il.

Chez Rousseau, précurseur, sur ce point, des impressionnistes, le sentiment de la nature est nécessairement lié à la critique du gigantisme naissant des cités, en particulier de la capitale et de la civilisation urbaine, source d'inégalité sociale et d'avilissement. Son havre de paix, ce sont les forêts de Saint-

Germain et de Montmorency où, pendant dix ans, non seulement il jouit de la tranquillité pour méditer et écrire, mais où il trouve les conditions idéales pour expérimenter ses théories et devenir Jean-Jacques, l'homme de la nature et de la vérité.

Ainsi, quand il décide de répondre une deuxième fois au concours proposé par l'Académie de Dijon : « Quelle est l'origine de l'inégalité parmi les hommes ? », Rousseau, pour réfléchir, passe huit jours à Saint-Germain. Ses promenades lui inspirent les mythes du « bon sauvage » et du paradis terrestre primitif. « J'y cherchais l'origine de l'inégalité, j'y trouvais l'image des premiers temps. Mon âme s'élevait auprès de la divinité et voyant de là mes semblables suivre, dans l'aveugle route de leurs préjugés, celle de leurs erreurs, de leurs malheurs, de leurs crimes, je leur criais d'une faible voix qu'ils ne pouvaient entendre : Insensés, qui vous plaignez sans cesse de la nature, apprenez que tous vos maux viennent de vous. »

Définitivement lassé de la société des hommes, à Genève comme à Paris, il s'installe à proximité de la forêt, d'abord à l'Ermitage, chez Mme d'Épinay, puis au Petit-Château de Montmorency, prêté par le maréchal de Luxembourg, enfin, dans le pavillon de Montlouis, qu'on ne visite pas aujourd'hui sans émotion tant on l'imagine là, tout près, marchant ou herborisant.

« J'allais alors d'un pas tranquille, écrit-il à Malesherbes, chercher quelque lieu sauvage dans la forêt, quelque lieu désert où rien, en montrant la main des hommes, n'annonçat la servitude et la domination, quelque asile où je puisse croire avoir pénétré le premier et où nul tiers importun ne vînt s'interposer entre la nature et moi. » Cette solitude lui inspire un projet audacieux de restauration des libertés originelles de la personne par l'institution des libertés garanties du citoyen. Entre 1760 et 1762, il compose le *Contrat social*.

Rousseau propose « un pacte social », démocratique et intangible, dont se souviendront les révolutionnaires de 89. Ces pages, écrites sur la terrasse bordée des tilleuls qu'il vient de planter, sont appelées à une grande fortune : « Chacun de nous met en commun sa personne et toute sa puissance sous la suprême direction de la volonté générale, et nous recevons en corps chaque membre comme partie indivisible du tout. L'homme est né libre et partout il est dans les fers. » C'est, en effet, dans l'esprit du *Contrat social* que fut rédigée la *Déclaration des Droits de l'homme*, destinée à faire le tour du monde : « Les hommes naissent et demeurent libres et égaux en droits. Les distinctions sociales ne peuvent être fondées que sur l'utilité commune. »

Précurseur de la grande Révolution, Rousseau l'est aussi de cette révolution littéraire qu'on appellera, plus tard, le romantisme. L'attachement à la nature et la critique de la civilisation, la vision panthéiste de l'univers, la passion de la solitude, le souvenir du paradis de l'enfance, l'exaltation amoureuse associée au rêve d'une femme idéale, le refuge dans l'imaginaire, la naissance de l'individualisme et le culte du « moi », le goût de la provocation, l'invention du paysage-état d'âme, l'engouement pour la vie rustique, l'inquiétude religieuse, la mélancolie, les ravissements de la sensibilité, la quête de la liberté, une langue musicale, la vie vécue comme le plus passionnant des romans, et le roman conçu comme une vie idéale... voilà les idées neuves de Rousseau durant son fécond séjour sous les ombrages franciliens. Il y donne naissance à une littérature inédite qui va gouverner, pour longtemps, les mœurs des Français et susciter une foule de disciples.

« Solitude chérie, bienheureux loisirs champêtres, journées les plus charmantes que jamais créature humaine ait passées »... c'est à Montmorency qu'il trouve la sérénité. « Ce sont là les jours qui ont fait le vrai bonheur de ma vie, bonheur sans amertume, sans ennuis, sans regrets et auquel j'aurais borné volontiers tout celui de mon existence. » « Là, dans une continuelle extase », Rousseau se promène et écrit. « Je ne fais jamais rien qu'à la promenade. » « N'ayant jamais pu écrire et penser à mon aise qu'en plein air, je comptais bien que la forêt de Montmorency serait désormais mon cabinet de travail. »

Ce promeneur fait entrer les demeures franciliennes en littérature. L'Ermitage, « Habitation délicieuse » mise à sa disposition par Mme d'Épinay, est une petite maisonnette de jardinier, à l'orée de la forêt. Il cherche à y retrouver l'ambiance des Charmettes, la demeure savoyarde de son adolescence. C'est ainsi qu'il écrit à Malesherbes : « J'ai demeuré soixante et seize ans sur la terre, et j'en ai vécu sept... Je n'ai commencé à vivre que le 9 avril 1756. » C'était le jour de son installation à l'Ermitage. Il y savoure la joie de vivre en pleine campagne, loin des indiscrets et des admirateurs. Accompagné de son chien, le fidèle Achate, il passe des journées entières en forêt. « Plus j'examinais cette charmante retraite, plus je la sentais faite pour moi. Ce lieu solitaire plutôt que sauvage me transportait en idée au bout du monde. Il avait de ces beautés touchantes qu'on ne trouve guère auprès des villes ; et jamais, en s'y trouvant transporté tout d'un coup, on n'eût pu se croire à quatre lieues de Paris. »

En 1759, il s'installe au Petit-Château de Montmorency, en attendant la réfection du pavillon de Montlouis. « C'est dans cette profonde et délicieuse solitude qu'au milieu des bois et des eaux, aux concerts des oiseaux de toute espèce, au parfum de la fleur d'orange, je composai dans une continuelle extase le cinquième livre de l'*Émile* dont je dus en grande partie le coloris assez frais à la vive impression du local où je l'écrivais. J'étais là dans le Paradis terrestre ; j'y vivais avec autant d'innocence et j'y goûtais le même bonheur. »

La maison, telle qu'aujourd'hui encore nous reconnaissons celle d'Ile-de-France, la maison qui fait partie de nos paysages, Rousseau nous en livre la description dans le Livre IV de l'*Émile*, composé en 1760 dans le « donjon » qui jouxte le pavillon de Montlouis. « Sur le penchant de quelque agréable colline bien ombragée, j'aurais une petite maison rustique ; une maison blanche avec des contrevents, un potager pour jardin et, pour parc, un joli verger. La salle à manger serait partout dans le jardin, dans un bâteau, sous un arbre, quelquefois au loin, près d'une source vive, sur l'herbe verdoyante et fraîche. Là, tous les airs de la ville seraient oubliés. On aurait le gazon pour table et pour chaises. »

Au cœur des bois, Jean-Jacques rêve. Il rêve et il écoute. Les « plaisirs rustiques » et le caractère bucolique de l'Ile-de-

France provoquent en lui les réminiscences de sensations passées. Les souvenirs de sa jeunesse surgissent avec une puissance d'évocation qu'on ne retrouve avec le même bonheur que chez Gérard de Nerval, son émule passionné, et chez Proust qui reconnut tout ce qu'à son tour il devait à Nerval.

Il rêve également de l'aventure amoureuse qu'il n'a pas vécue : être l'amant d'une jeune fille noble, d'une femme de condition, de la demoiselle du château. De ce fantasme naît *La Nouvelle Héloïse* où il se met en scène, sous le nom de Saint-Preux, un précepteur qui séduit une jeune noble, son élève, Julie d'Estange. Ce roman, précurseur de tant d'autres de même inspiration, fera pleurer des générations de lecteurs. Il donnera ses lettres de noblesse à la littérature sentimentale et à la presse du cœur. En s'identifiant, durant ses longues courses en forêt de Montmorency, à Saint-Preux, l'amoureux transi de Julie, Rousseau ouvre la voie non seulement au romantisme, mais aussi à nombre d'écrivains qui cultiveront la veine. Chateaubriand sera *René* ; Vigny, *Stello* ; Mme de Staël, *Corinne* ; George Sand, *Lélia* ; Sainte-Beuve, *Joseph Delorme* ; Benjamin Constant, *Adolphe* tandis que Victor Hugo s'imaginera sous les traits d'*Olympio* et André Gide sous ceux d'*André Walter*.

L'*Émile* et *La Nouvelle Héloïse*, écrits à la même époque, ont une grande influence sur les modes de vie et sur la sensibilité de l'aristocratie et de la bourgeoisie françaises, singulièrement franciliennes. Comme le souligne Paul Guth : « Les Français changent le décor de leur vie. Ils se lassent des jardins de Le Nôtre, taillés sur des théorèmes de géométrie. Ils jettent aux orties ces architectures de feuillages. Ils demandent le secret de la nature sauvage aux jardiniers d'Angleterre et de Chine. A la suite de Rousseau, des troupeaux de promeneurs solitaires peuplent les campagnes. Leurs âmes désolées cherchent la sauvagerie de la nature à Meudon, Montmorency, Fontainebleau. Des tribus de femmes insatisfaites, Mlle de Lespinasse, Mme de Verdelin, Mme d'Houdetot, la comtesse de Sabra, se noient dans la contemplation des forêts. »

L'ironie du propos ne saurait cacher une réalité : l'Ile-de-France permet à Rousseau d'inventer la passion du naturel.

Parallèlement, cette mode contribue à conférer à la région une part de son identité, notamment dans l'art paysager. « Vous ne voyez rien d'aligné, rien de nivelé ; la nature ne plante rien au cordeau. » Simplicité, absence de symétrie, respect des effets naturels, un laisser-faire soigneusement contrôlé, tels sont les principes que recommande Jean-Jacques. En fait, c'est une nouvelle esthétique qui s'exprime et que l'on retrouve dans les toiles peintes de Jouy-en-Josas.

Parce que le contraste est fort avec le concept du « jardin à la française », on a un peu vite appelé cette nouvelle approche du paysage « parc à l'anglaise ». Au xviiie siècle, on parle d'ailleurs de « jardins anglo-chinois » où l'on fait construire des ruines, des temples, des moulins, des laiteries, des pyramides ou des obélisques. Cet art paysager marque profondément notre région.

Déjà, au château de Montmorency, le maréchal de Luxembourg, ami et voisin de Rousseau, abandonne à la nature le parc dessiné par Le Nôtre. La végétation y reprend ses droits, les arbres s'y développent, grandissent, recouvrent les allées de leur ombrage.

Louis XVI et la reine Marie-Antoinette confèrent leur marque royale à ce nouvel art. En 1775, le roi supprime, dans le parc de Versailles, les hautes palissades de charmille de Le Nôtre pour créer un décor plus pittoresque, avec des grottes imaginées par Hubert Robert et des plantations de bosquets dont les masses de verdure donnent une note plus romantique. Emule de Rousseau, la reine Marie-Antoinette fait redessiner à la mode nouvelle, par le comte de Caraman, le parc qui entoure le Petit Trianon. Mais c'est surtout au Hameau qu'elle reconstitue un séjour champêtre digne de *La Nouvelle Héloïse*, avec sa chaumière, sa bergerie, sa laiterie, disposées autour d'un étang artificiel.

Bagatelle naît d'un pari du comte d'Artois avec sa jeune belle-sœur, Marie-Antoinette. L'ensemble est réalisé en soixante-quatre jours, par Belanger, au milieu d'un parc à la mode parsemé de pittoresques « fabriques ». Il s'agit de petites constructions qui sont des lieux de repos et de méditation : de fausses ruines, des petits temples, des autels, des kiosques, des grottes...

A Rambouillet, la princesse de Lamballe, amie de la Reine, se complaît dans ce symbole de l'amour de la nature qu'est la chaumière des Coquillages, dans une île du jardin anglais de la cité. Lorsque le domaine est acquis par Louis XVI, en 1785, celui-ci fait reproduire, pour sa femme, le cadre de Trianon avec une laiterie qui a la forme d'un petit temple antique.

Celui qui élève cette pratique au niveau d'un véritable art est incontestablement le marquis René-Louis de Girardin. Dans son ouvrage *De la composition des paysages*, il reprend à la lettre les principes développés dans *La Nouvelle Héloïse*. Comme Rousseau, il exprime une certaine réserve à l'égard des grands parcs anglais, dont « l'assemblage » ne lui paraît pas naturel. Il prône le respect et la mise en valeur des sites, l'intégration de l'architecture à son environnement, un art de vivre calqué sur l'idéal familial bourgeois. Passant de la théorie à la pratique, il remue les terres de son domaine d'Ermenonville pour réaliser le « verger de Clarens » et « le bosquet de Julie », jardins rêvés par l'écrivain, jardins qui ne recherchent plus l'utilité, comme dans une exploitation agricole, ou la mise en scène théâtrale, comme dans le jardin à la française classique, mais visent à satisfaire l'émotion, la jouissance, le bonheur des sens. « Le paysage romantique que la nature seule peut offrir » et qui se caractérise par « la solitude des forêts, le murmure mélodieux des eaux, le calme enchanteur qui règne dans les bois » selon les termes mêmes de Girardin qui dans son ouvrage *Promenade des Jardins d'Ermenonville* transpose pour la première fois en français le terme anglais « romantic » !

A leur tour, de grands bourgeois, souvent financiers, ou de nobles terriens désireux de s'affranchir de la cour s'inspirent des modèles du marquis et permettent au paysage « à la Rousseau » de se développer dans leurs grands domaines d'Ile-de-France. De précieuses toiles en témoignent : celles de Michot, Berenger, Hubert Robert, Watelet, Morel, Bertheaux, Carmontelle. Les modèles ne manquent pas : Tracy, près de Compiègne, Betz, près de La Ferté-Milon, Mortefontaine et

Ermenonville, près de Senlis, Méréville, près d'Étampes. Le marquis de Laborde y aménage, à partir de 1784, avec l'aide de Hubert Robert, un parc « à l'anglaise », réputé pour son lac, ses nombreuses « fabriques » et pour ses essences rares. Le jeune Chateaubriand, amoureux de Nathalie de Laborde, la fille du marquis, s'inspirera de Méréville pour agencer son domaine de la Vallée-aux-Loups.

Quelques décennies plus tard, en effet, Chateaubriand, « l'inventeur » officiel du romantisme, pense et parle comme Rousseau. Dans les années 1830, il se retire dans un pavillon qui jouxte l'Infirmerie Marie-Thérèse, hospice auquel se consacre son épouse, à la barrière de la capitale – l'actuel hôpital Saint-Vincent-de-Paul – entre le Luxembourg et Denfert-Rochereau. « Je n'aperçois pas une maison. A deux cents lieues de Paris, je serais moins séparé du monde. J'entends bêler les chèvres qui nourrissent les orphelins délaissés. »

La capitale attire et repousse en même temps. « Paris, maelström d'ambitions et de volontés de puissance, tombeau de puretés et d'illusions, Babylone plus que redoutable, chaudière intellectuelle et morale » selon les termes de Pierre Barberis évoquant la mythologie de Paris dans le roman balzacien, renforce l'attirance exercée par la campagne proche, une campagne qui sera encore plus proche lorsque le chemin de fer facilitera aussi bien les retraites studieuses que les excursions ou les promenades amoureuses des écrivains et des peintres obligés d'habiter la capitale... ou conviés à la fuir.

Chateaubriand recherche, lui aussi, la solitude propice à la création littéraire. Celui qui a connu les déserts du Nouveau-Monde est ému par les paysages de l'Ile-de-France dont il s'imprègne en parcourant la forêt de Chantilly ou en rêvant devant les étangs de Commelles. C'est à Savigny-sur-Orge qu'il file le parfait amour avec Pauline de Beaumont. C'est là qu'il compose une partie du *Génie du Christianisme*. C'est à Méréville, où il retrouve Nathalie de Noailles, qu'il achève d'écrire *Le Dernier Abencérage*.

A la suite d'une mesure d'« exil hors de Paris » prise à son encontre par l'Empereur, Chateaubriand acquiert, en 1807, le domaine de la Vallée-aux-Loups, à Châtenay-Malabry ; « une chaumière aussi sauvage qu'on aurait pu l'avoir dans les montagnes d'Auvergne », comme la qualifie Mme de Chateaubriand. C'est dans ce cadre de sérénité qu'il entreprend la rédaction des *Mémoires d'Outre-Tombe*.

Ce monument littéraire débute par l'évocation de la propriété : « Il y a quatre ans qu'à mon retour de Terre Sainte, j'achetai près du hameau d'Aulnay, dans le voisinage de Sceaux et de Châtenay, une maison de jardinier, cachée parmi les collines couvertes de bois. »

Le parc était toutefois loin d'avoir l'aspect romantique qu'il a acquis depuis et dont Chateaubriand n'a jamais pu jouir, puisqu'il ne conserve ce domaine qu'un peu moins de onze ans. Il doit, en effet, s'en séparer en juillet 1818. « Le terrain inégal et sablonneux dépendant de cette maison, n'était qu'un verger sauvage au bout duquel se trouvait une ravine et un taillis de châtaigniers. Cet étroit espace me parut propre à renfermer mes longues espérances. Les arbres que j'y ai plantés prospèrent, ils sont encore si petits que je leur donne de l'ombre quand je me place entre eux. Un jour, en me rendant cette ombre, ils protégeront mes vieux ans comme j'ai protégé leur jeunesse. »

Bien après Rousseau, l'Ile-de-France continue d'offrir ses cadres de rêveries solitaires ou de promenades sentimentales. Avec Balzac, qui se plaît à retrouver sa « dilecte », Mme de Berny, à Villeparisis. Avec Victor Hugo, qui rejoint Juliette Drouet, durant les automnes de 1834 et de 1835, dans la vallée de la Bièvre, à la maison des Metz, près de Jouy ; il s'agit d'un enclos grand comme un mouchoir de poche, avec un humble étage, une maison de paysan. Dans ce lieu, « le génie et la beauté ont passé une saison dans l'extase mutuelle ». Victor et Juliette s'y retrouvent auprès d'un chêne qui leur sert de boîte aux lettres. C'est là qu'Hugo éprouve :

« *Tout ce que la nature à l'amour qui se cache,*
Mêle de rêverie et de solennité. »

En 1837, il revient seul y faire un pèlerinage, qui nous vaut le célèbre poème *Tristesse d'Olympia*.

« Les champs n'étaient point noirs, les cieux
n'étaient pas mornes. »

La vallée de la Bièvre inspire aussi au poète une sensation de béatitude paradisiaque, à quelques lieues de la « ville fatale » et « fumante » :

« Une rivière au fond, des bois sur les deux pentes,...
Et pour couronnement de ces collines vertes
Les profondeurs du ciel toutes grandes ouvertes... »

Le plus désespéré est Étienne de Sénancour. Mis en pension chez un curé, à deux pas d'Ermenonville, il y est imprégné des souvenirs de Rousseau. Très aimé de sa mère qu'il rejoint, aux vacances, à Fontainebleau, il l'accompagne dans de longues promenades en forêt. Il s'y exalte aux délices de la vie sauvage, s'y entretient du projet d'aller s'établir seul dans une île ignorée et commence à s'absorber dans la contemplation de la petitesse de l'homme face à la nature infinie.

Il excelle à peindre le paysage. Ses descriptions influenceront plus d'un écrivain romantique : « Plusieurs fois, j'étais dans les bois avant que le soleil parût ; je gravissais les sommets encore dans l'ombre, je me mouillais dans la bruyère pleine de rosée ; et, quand le soleil paraissait, je regrettais la clarté incertaine qui précède l'aurore ; j'aimais les fondrières, les vallons obscurs, les bois épais ; j'aimais les collines couvertes de bruyère ; j'aimais beaucoup les grès renversés, les rocs ruineux ; j'aimais bien plus ces sables vastes et mobiles dont nul pas d'homme ne marquait l'aride surface sillonnée çà et là par la trace inquiète de la biche ou du lièvre en fuite. »

Vingt ans après sa mort, comme en écho, le préfet Alphand bordera Paris des bois de Vincennes et de Boulogne, concessions de la ville à la nature sauvage, réaction contre les jardins des siècles passés dont celui des Tuileries demeure l'archétype.

Gérard de Nerval, surnommé, à juste titre, « le chantre de l'Ile-de-France », trouve dans son itinéraire francilien la source de sa veine poétique. Montmartre, Saint-Germain, Pontoise, Saint-Leu, Chantilly, Senlis, les petites villes patriarcales au charme désuet et aux paysages idylliques l'inspirent. « Saint-Germain, Senlis et Dammartin, sont les trois villes qui, non loin de Paris, correspondent à mes souvenirs les plus chers. La mémoire de vieux parents morts se rattache mélancoliquement à la pensée de plusieurs jeunes filles dont l'amour m'a fait poète, ou dont les dédains m'ont fait parfois ironique et songeur... »

Les paysages d'Ile-de-France, baignés des brumes « transparentes et colorées » qu'ont su si bien rendre Jean-Baptiste Huet puis Corot, et encore plus leurs disciples – notamment impressionnistes – de l'Ecole de Barbizon ou du Val-d'Oise, constituent le cadre nostalgique de ses rêveries : eaux vives de la Thève et de la Nonette, étangs et forêts, ruines de monastères abandonnés, grottes perdues dans les bois, maisons rustiques....

Quand Paris l'étouffe, Nerval saute dans la diligence de Louvres et de Luzarches : « Quelquefois j'ai besoin de revoir ces lieux de solitude et de rêverie. » A Chantilly, à Senlis, à Othis, à Montagny, à Loisy, à l'abbaye de Chaalis, sur les bords des étangs de Mortefontaine ou de Commelles, il évoque les ombres de ses amours passées. « Héloïse est mariée aujourd'hui ; Fanchette, Sylvie et Adrienne sont à jamais perdues pour moi : le monde est désert. »

Et puis vient le temps où la diligence cède la place au chemin de fer qui favorise les nouveaux plaisirs de l'excursion, du sport, du pique-nique, de l'escapade dominicale, en condamnant à l'oubli certaines cités, comme Saint-Germain, puisqu'à l'origine, le train s'arrête au Pecq. Nerval le regrette : « Si je pouvais faire un peu de bien en passant, j'essayerais d'appeler quelque attention sur ces pauvres villes délaissées dont les chemins de fer ont détourné la circulation et la vie. »

Avec le chemin de fer, c'est la modernité, un peu brutale, qui s'introduit en Ile-de-France, faisant évoluer les paysages et les mentalités. Fatigués du romantisme qui les a pourtant tous façonnés, les écrivains se libèrent. Cela nous vaut la naissance du journalisme moderne qui fait la ruine des uns, comme Balzac, ou la fortune des autres, comme Alexandre Dumas, lui aussi forçat de la plume.

Dumas habite avec son fils à Saint-Germain-en-Laye. C'est là qu'il écrit *Les Trois Mousquetaires* et *Le Comte de Monte-Cristo*. Le nouveau train Paris-Saint-Germain qui fait du porte à porte « dans l'enivrement de la vitesse et des prouesses modernes » lui amène de jolies actrices qui souhaitent s'entretenir avec lui. Sensible à ces joies de la vie, Dumas jette son dévolu sur un terrain, à Port-Marly, dominant les boucles de la Seine, dans un paysage qui l'enchante. Le fleuve qui scintille, les coteaux d'Argenteuil, la vue vers Paris... Il voulait une petite maison, il fait construire une extravagante demeure de rêve, où l'on retrouve l'atmosphère des mélodrames à succès dont il a le secret : *La Tour de Nesle*, *La Dame de Monsoreau* ou *Kean*.. Outre un parc anglais et un château Renaissance, Dumas commande à son architecte un petit castel gothique, « le château d'If », pour travailler tranquille. Selon les termes d'Alain Decaux qui a beaucoup fait pour qu'on sauvegarde cette demeure, « en Monte-Cristo s'incarne tout Dumas. Son amour de l'histoire, de la fresque colorée, de l'image d'Épinal éclate à chaque tourelle, à chaque clocheton, à chaque fenêtre ».

Après avoir inauguré sa demeure, le 27 juillet 1847, par un dîner de 600 couverts, il y vit à la d'Artagnan, avec panache. Hélas ! coup de théâtre. Ruiné au bout de deux ans par ce faste princier, Dumas doit vendre à un dentiste américain ce curieux domaine, aujourd'hui heureusement restauré par la ville, le département et le Conseil régional.

L'avènement du réalisme, puis du naturalisme, où la brutalité des descriptions cherche à rendre l'instantané de la vie, celui de la photographie, ce nouvel art fascinant, continuent de placer l'Ile-de-France au cœur de la démarche créative. Émile Zola est le nouveau maître à écrire des jeunes, soucieux de peindre le monde changeant qui est désormais le leur : développement de la ville tentaculaire, paysages d'usines, société de masse, avènement du prolétariat. On est loin de l'élégie et des promenades parisiennes de Verlaine. Le ton se veut ironique quand Zola décrit la soif d'air pur des Parisiens dans un article paru, en août 1878, dans *Le messager de l'Europe* :

« Les Parisiens montrent aujourd'hui un goût immodéré pour

la campagne. Le dimanche, la population, qui étouffe, en est réduite à faire plusieurs kilomètres à pied, pour aller voir la campagne, du haut des fortifications. Cette promenade aux fortifications est la promenade classique du peuple ouvrier et des petits-bourgeois. Je la trouve attendrissante, car les Parisiens ne sauraient donner une preuve plus grande de leur passion malheureuse pour l'herbe et les vastes horizons. Par-delà les cheminées, par-delà les terrains dévastés, les braves gens aperçoivent les coteaux lointains, des prés qui font des tables vertes, grandes comme des nappes, des arbres nains qui ressemblent aux arbres en papier frisé des ménageries d'enfant ; et cela leur suffit, ils sont enchantés, ils regardent la nature, à deux ou trois lieues. Les hommes retirent leurs vestes, les femmes se couchent sur leurs mouchoirs étalés ; tous restent là jusqu'au soir, à s'emplir la poitrine du vent qui a passé sur les bois. Puis, quand ils rentrent dans la fournaise des rues, ils disent sans rire : " Nous revenons de la campagne. " »

Mais Zola n'est pas le dernier à fuir la ville. Avec Cézanne, il fait plusieurs séjours à Bennecourt, près de Bonnières-sur-Seine, en 1866. Il y loue une maison où il revient chaque année, jusqu'en 1871. Il faut prendre des bacs pour passer de la gare de Bonnières à Bennecourt en traversant les deux bras du fleuve et la « Grande Ile ». Zola évoque ces paysages de bord de Seine dans L'Œuvre, roman à clefs où il expose les théories du naturalisme et de la nouvelle esthétique du « plein air » de ses amis, les impressionnistes, qui, eux, se fixent plutôt dans le Vexin : Pissaro, à Pontoise, Monet, à Vétheuil, Van Gogh, à Auvers.

En 1878, Zola acquiert une maison à Médan, dans les boucles de la Seine. A Flaubert, il écrit : « J'ai acheté une cabane à lapins, entre Poissy et Triel, dans un trou charmant au bord de la Seine, neuf mille francs. » Il y ajoute deux corps de bâtiments, dessinés par lui, pour un bureau et un billard. Il y passe plusieurs mois par an. Il y reçoit ses amis, ceux du groupe des naturalistes, son éditeur Charpentier, son ami Cézanne. La maison est accueillante. On y fait bonne chère, comme en témoigne Maupassant : « Nous sommes tous gourmands et gourmets et Zola mange à lui seul comme trois romanciers ordinaires. » Ensemble, ils aiment à profiter de la campagne pour se promener, pêcher, canoter, se baigner pendant des heures, mais surtout pour discuter sans fin d'art, de littérature et, surtout, du naturalisme qui doit changer la société. Quand Zola s'évade, c'est pour aller à Verneuil où l'attend une « bonne amie ».

Ce n'est pas sans cynisme que Maupassant crée le « naturalisme satirique », selon la formule d'André Vial. Il évoque, de manière crue, les ruées des Parisiens vers les mirages de la campagne. L'Ile-de-France prend, sous sa plume, les allures d'une « terra incognita » qu'il s'agit d'explorer chaque dimanche, comme s'y consacre le héros dérisoire des *Dimanches d'un bourgeois de Paris*, M. Patissot, véritable Tartarin francilien.

Mais c'est la Seine qui est la grande inspiratrice de Maupassant comme elle l'est aussi des peintres ses contemporains. Il l'appelle familièrement la rivière. « Comme c'était simple et bon, et difficile de vivre ainsi, entre le bureau à Paris et la rivière à Argenteuil ! Ma grande, ma seule, mon absorbante passion, pendant dix ans, ce fut la Seine... Je l'ai tant aimée, je crois, parce qu'elle m'a donné, me semble-t-il, le sens de la vie... » Vie sans contrainte que celle à laquelle prédisposent ces paysages des bords de Seine que d'autres mettent en couleurs. Argenteuil, Bézons, Chatou, Bougival, Marly, Croissy, La Frette, Conflans, Triel sont, pour le rond-de-cuir Maupassant, employé au ministère de la Marine, les lieux de l'existence libre, des soirées dans les guinguettes, des filles faciles. Flaubert, qui le conseille, lui reproche de se laisser aller : « Il faut travailler plus que cela, entendez-vous ? Songez aux choses sérieuses. Trop de canotage ! Trop d'exercice ! » C'est vrai qu'entre les berges et les îles ombragées, Maupassant se livre à sa passion ; même la nuit, il canote. Il observe et se laisse inspirer par l'eau qui le fascine quelques-unes de ses meilleures nouvelles : *Mouche, La Femme de Paul, Yvette, Sur l'eau...* Dans ce dernier récit, paru en 1881, mais écrit beaucoup plus tôt, Maupassant livre ses impressions avec la maîtrise d'un Chateaubriand. « Le brouillard qui, deux heures auparavant, flottait sur l'eau, s'était peu à peu retiré et ramassé sur les rives. Laissant le fleuve absolument libre, il avait formé sur chaque berge une colline ininterrompue, haute de six à sept mètres, qui brillait sous la lune avec l'éclat superbe des neiges. De sorte qu'on ne voyait rien autre chose que cette rivière lamée de feu entre ces deux montagnes blanches ; et là-haut, sur ma tête, s'étalait, pleine et large, une grande lune illuminante au milieu d'un ciel bleuâtre et laiteux. »

Du sentiment de la nature au naturalisme, plus d'un siècle s'est donc écoulé, mais l'Ile-de-France, toute bouleversée qu'elle soit par la modernité qui strie son ciel de cheminées d'usines, de pylônes électriques et encombre son sol de ponts d'acier et d'immeubles de rapport, demeure fidèle à sa nature romantique. Le charme qu'elle exerce sur les écrivains, les poètes, les artistes reste intact. Au début du siècle, Charles Péguy s'écrie, en arpentant les vallées de Chevreuse, de l'Yvette et de la Bièvre : « C'est le plus beau pays du monde. » C'est cette terre d'Ile-de-France qu'il arrrosera de son sang, quelques années plus tard.

C'est également en Ile-de-France, réservoir inépuisable de sensations propices à l'expression poétique, que trouve à s'épanouir le symbolisme, cet avatar du romantisme. Anna de Noailles chante « La douceur d'un beau soir qui descend sur Beauvais » ; Henri de Régnier est sensible au charme mélancolique d'un Versailles désormais déserté ; Tristan Klingsor s'enchante d'un paysage exquis : « Le brouillard bleu de Seine argenta la colline » ; Paul Fort, dont l'âme a si bien épousé celle de la région, ne se lasse pas, dans *Ballades françaises*, de réciter de beaux noms chantants : Vélizy et « sa nuit bleue » à qui il doit « de n'aimer plus l'aurore » ; Recloses et « sa pluie de lumière que verse entre les nues un beau ciel bleu et froid » ; Crécy, dont le « doux nom prononcé me flatte l'ouïe ainsi qu'un vol de fées qui glisse de saule en saule » ; Mortcerf, avec « le son du cor et tout l'automne en fresque, haut dans la nuit d'été, sur qui la lune d'août flottait ressuscitée » ; Nemours, « ville enchantée et ses bleus canaux, miroirs des plus doux arcs-en-ciel que peut offrir au monde un ciel spirituel » ; Senlis, « vaporeux comme une mousseline »... C'est dire avec les mots ce qu'expriment au même moment les impressionnistes avec leur palette. Les impressionnistes dont l'œuvre ne serait pas ce qu'elle est sans le Val-d'Oise.

Ce « je ne sais quoi » qui, au-delà des modes et des mouvements littéraires, demeure une source d'inspiration pour les auteurs et artistes émus par la beauté de l'Ile-de-France, Ernest Psichari l'a merveilleusement exprimé dans *L'Appel des armes*, quand il fait rêver son héros, le capitaine Nangès, quelque part en Brie : « C'est là qu'il avait pris coutume de venir oublier les fatigues de ses campagnes et de réapprendre la douceur des paysages de France. Nulle part, à son gré, il ne pouvait mieux achever la rêverie commencée dans le tumulte de l'Afrique ou la langueur de l'Asie, ni donner à cette rêverie une forme plus sincère et plus grave. Dans ce canton de l'Ile-de-France, c'est une pensée qui vient du cœur, une pensée de dévotion et d'amitié qui vous envahit. Le soir, quand le soleil barre d'une raie d'intense violet les glèbes pesantes de l'horizon, par-dessus le frisson délicat et nocturne des hêtres, on se sent inondé d'amour, de volupté paisible, comme celle qu'évoque un foyer heureux. Dans les chemins creux où un pommier se penche de loin en loin, on rencontre des hommes et des enfants, et l'on entend de larges tintements d'angélus. Des parfums mouillés montent des vallées. Les coteaux gracieux sentent la nuit, le lourd repos... Diocèse de Meaux, cryptes de Jouarre, cloches de petites communes, cloches des paroisses, Crécy, Villeiris, Voulangis ! Les heures passent claires et légères, point voluptueuses, si l'on veut, mais tendres surtout. »

Un « je ne sais quoi » ? Et si c'était la tendresse ?

CHAPITRE XIII

GRANDE PEUR ET DÉCHRISTIANISATION

Bien des événements de la Révolution française ont eu pour cadre l'Ile-de-France. Depuis la procession d'ouverture des États généraux, le 4 mai 1789, à Versailles, jusqu'au coup d'État du 18 brumaire, qui impose Bonaparte, en passant par la prise de la Bastille, la fête de la Fédération, le départ du roi pour Varennes par la route de Bondy et Claye-Souilly, où la berline royale relaya. C'est vrai que tous ces événements, très présents dans la mémoire collective, sont davantage nationaux que franciliens. Ils appartiennent pourtant aussi à l'histoire de notre région qui a profondément vécu la période révolutionnaire, avec son propre génie.

Notre région-capitale, comme d'autres, a connu son épopée en cette période charnière de notre histoire. Une épopée qui a marqué ses villes et ses villages, a impliqué ses habitants, a bouleversé ses cadres anciens. C'est, en particulier, de cette époque que datent ses limites actuelles.

Dès sa proclamation, répondant aux vœux d'une bonne partie de la population, l'Assemblée Constituante cherche à doter la

France d'un nouveau système administratif, plus cohérent et plus rationnel. Toutefois, avant de le mettre en place, les Constituants prennent conscience qu'il leur faut radicalement modifier les multiples circonscriptions existantes. De longues discussions s'engagent au comité de Constitution sur ce sujet délicat. Elles se prolongent du 30 juillet 1789 au 15 janvier 1790. Après audition des députés de toutes les provinces, après examen d'un certain nombre de projets, la France est finalement découpée en 83 départements.

Contrairement à celui d'autres régions, telle la Bretagne ou la Normandie, le découpage de l'Ile-de-France soulève un certain nombre de difficultés. Le statut à donner à Paris est au cœur du débat. Entité urbaine distincte ou chef-lieu d'un département? En septembre 1789, un premier projet prévoit la création d'un département occupant le centre de l'Ile-de-France et s'étendant de Senlis à Fontainebleau, de Melun à Rambouillet, englobant Meulan et Magny-en-Vexin. Ce département serait bordé de trois autres : un premier, formé de la Champagne occidentale et comportant Meaux, Sézanne et Crépy-en-Valois; un second, regroupant une partie de la Haute Picardie et dépassant largement Amiens; un troisième, s'inscrivant entre les deux précédents, de Soissons à Saint-Quentin et de Noyon à Laon. Un courant puissant s'oppose à ce projet. Ses tenants suggèrent de restreindre le département de Paris à la ville seule, éventuellement élargie à sa proche banlieue. C'est cette configuration qui, finalement, l'emporte.

Le 15 janvier 1790, la Constituante découpe l'Ile-de-France en trois départements autour de Paris au centre, de Versailles, à l'ouest, et de Melun, à l'est.

Le département de Paris englobe les territoires périphériques de Notre-Dame dans un rayon de trois lieues. Ce découpage, assez arbitraire, se fait avec difficulté car il malmène les communications et les démarcations traditionnelles. Très peu étendu, le département de Paris – qui prendra, en 1795, le nom de département de la Seine – occupe une place originale puisqu'il se retrouve entièrement enserré dans le département de Versailles.

La formation de ce dernier, qui deviendra Seine-et-Oise, suscite également bien des palabres. De grandes rivalités opposent les principales villes de l'ouest parisien. Dès la fin de l'année 1789, plusieurs d'entre elles se livrent à une dure compétition en revendiquant les prérogatives de chef-lieu. Ainsi, Pontoise demande à être chef-lieu d'un département à part entière, faisant valoir qu'elle n'a aucune relation économique avec Versailles et Beauvais, trop éloignés. Étampes formule la même revendication. Saint-Germain-en-Laye qui, lors de la réforme de 1787 portant sur la création d'assemblées provinciales, avait été chef-lieu d'un département à son nom englobant les six arrondissements de Saint-Germain, Versailles, Saint-Denis, Gonesse, Enghien et Argenteuil, estime que le privilège lui revient et cherche à contrecarrer les ambitions de Versailles qui invoque son statut de ville royale et ses 60 000 habitants...

C'est finalement Versailles qui est choisi. Le département est divisé en neuf districts – Versailles, Saint-Germain, Mantes, Pontoise, Dourdan, Montfort, Étampes, Corbeil et Gonesse – 59 cantons et 685 communes. Au début du Consulat, les neuf districts seront remplacés par six arrondissements ayant pour chefs-lieux Versailles, Corbeil, Étampes, Mantes, Pontoise et Rambouillet.

Le département de l'est prend le nom de Brie-et-Gâtinais, rapidement transformé en Seine-et-Marne. Là aussi, un conflit s'ouvre pour la fixation du chef-lieu entre les villes de Meaux, Provins et Melun. C'est finalement Melun qui l'emporte après avoir invoqué son centre d'affaires, ses coches d'eau et son important patrimoine immobilier. La Seine-et-Marne est divisée en cinq districts – Melun, Meaux, Provins, Nemours et Rozay – 37 cantons et 574 communes. Le Consulat transformera les cinq districts en cinq arrondissements. Un sixième arrondissement sera créé, sous l'Empire, à Fontainebleau, et Coulommiers remplacera Rozay.

Le cadre physique et administratif se trouve ainsi fixé. Il évoluera peu jusqu'au XXe siècle.

*
* *

Au-delà de cette réforme institutionnelle, l'Ile-de-France est marquée, durant la période révolutionnaire, par de grands troubles et par la guerre religieuse.

Les dernières années de l'Ancien Régime voient se développer une crise économique qui se superpose au malaise social et accélère le processus révolutionnaire. Le phénomène est particulièrement sensible dans la région-capitale. La poussée démographique de la seconde moitié du XVIIIe siècle, due à un recul de la mortalité plus qu'à une augmentation de la natalité, et l'attractivité de Paris ont des conséquences dont on ne soulignera jamais assez l'importance. L'emploi et les ressources ne s'accroissent pas au rythme de la population. Le moindre incident météorologique rompt l'équilibre précaire entre l'offre et la demande des produits agricoles. Les mauvaises récoltes se traduisent par des réflexes de stockage chez les producteurs. Les prix augmentent, spécialement celui du pain, qui est la base de l'alimentation. Le peuple ne parvient plus à se nourrir. Les troubles éclatent.

Cette situation peut paraître assez paradoxale, puisque la région est grande productrice de céréales. Elle s'explique pourtant assez bien. Il faut, en effet, alimenter en blé deux villes importantes, Paris et Versailles. Or, les campagnes proches de la capitale sont très fortement ponctionnées. En période de disette, les populations rurales locales, spécialement celles qui vivent le long des grands axes de communication routiers ou fluviaux, supportent mal de voir les « bleds » partir vers Paris.

Une première crise se produit en 1775. L'augmentation constante du prix des grains, de 1767 à 1775, aboutit aux révoltes connues sous le nom de « guerre des farines ». Une série d'émeutes éclatent. Elles sont dirigées contre ceux que le peuple qualifie de « monopoleurs ». Cette crise est, en fait, la conséquence des mesures prises par Turgot en faveur de la libre circulation.

La seconde crise est plus importante. Elle coïncide avec les élections aux états généraux et contribue à la chute de l'Ancien Régime. Le 13 juillet 1788, une grêle d'une violence extrême s'abat sur l'Ile-de-France. Dans son journal, Pierre Louis Nicolas Delahaye, clerc régulier de Silly-en-Multien, dresse un tableau saisissant de cette catastrophe météorologique. « A 10 h précises, on entendit du loin gronder le tonnerre et ensuite les premiers morceaux de grêle tombèrent dans les vitraux de l'église et bondirent sur les bancs en faisant un carillon horrible. C'était une désolation et une consternation affreuse dans l'église. Cela a duré trois minutes environ ; ensuite, la pluie est tombée avec une si grande violence qu'on eût cru que c'était le ciel qui se dissolvait. Il y avait des morceaux de glace de la grosseur du poing, tels qu'on les voit dans l'hiver quand on casse de la glace. »

Cette grêle cause d'importants dégâts matériels et, surtout, détruit une grande partie de la récolte. Les cours connaissent une véritable flambée. Sur le marché de Pontoise, le prix du setier de blé, qui oscillait, avant la grêle, entre 19 et 23 livres, passe, au début du mois de septembre, à 23-26 livres, puis à 29-30 livres. Il se stabilise quelques semaines avant de repartir à la hausse en janvier-février 1789, atteignant le sommet de 50 livres le 14 février, au moment même où se rédigent les cahiers de doléances. Après une nouvelle et brève accalmie, ce niveau plafond est à nouveau atteint le 11 juillet, trois jours avant la prise de la Bastille.

La flambée des cours se conjugue avec un hiver très rigoureux. Le gel paralyse les routes et les rivières ; il détruit les vignes. Bien entendu, le pain ne cesse d'augmenter. A la fin de l'hiver, les émeutes se multiplient dans les régions productrices. Des groupes interceptent des convois de céréales à destination de la capitale. Des soulèvements sont signalés, en mars, à Pont-Sainte-Maxence, point de départ des transports fluviaux ; en avril, sur le marché de Montlhéry, puis à Provins, à Nogent. Des habitants affamés s'attaquent aux chasses pour capturer du gibier dans la région de Cergy, Pontoise, Auvers-sur-Oise où se situent les chasses du prince de Conti, puis à Conflans, Éragny, Herblay, dans les chasses de Mercy-Argenteau, à Gennevilliers, chez le duc d'Orléans, à Saint-Cloud, dans les chasses de la reine, à Fontainebleau, Vaujours, Villepinte...

La maréchaussée ne réussit pas à calmer le jeu. Les autorités sont obligées de faire appel à la troupe. A Melun, une émeute, qui éclate dans la nuit du 28 au 29 juillet, est réprimée par le régiment Royal-Cravates qui tient garnison dans la ville. Les soldats sont ensuite réquisitionnés pour visiter les fermes, assurer la subsistance et empêcher le pillage des convois. Ces troupes sont entretenues par la population, ce qui constitue une charge supplémentaire, très mal supportée. L'intervention de l'armée et l'arrestation de quelques meneurs exacerbent les passions et provoquent de nouvelles manifestations. Des bruits courent selon lesquels l'agitation est préméditée et vise à ruiner le pouvoir royal. Le peuple croit un moment que l'armée va dissoudre les états généraux. Les Parisiens entrent en jeu. La prise de la Bastille, l'assassinat de l'intendant, Bertier de Sauvigny, et du contrôleur des finances, Foulon, le 22 juillet 1789, marquent le vrai début des troubles révolutionnaires.

Ces événements sont suivis par ce qu'on a appelé la « grande peur » qui prend, en Ile-de-France, une ampleur particulière pendant la seconde quinzaine de juillet et le mois d'août 1789. Elle éclate dans ce contexte de disette où le monde des campagnes vit dans la hantise de la destruction de la récolte qui s'annonce. Le scénario est répétitif. Des paniques éclatent simultanément en différents endroits à l'annonce de l'irruption de bandes de brigands mettant tout à feu et à sang. Le tocsin sonne. Les paysans s'arment. Les villes et les villages se protègent, organisent des patrouilles. Les femmes, les enfants, le bétail sont évacués ou se réfugient dans les églises. Puis, tout s'arrête lorsque l'on constate qu'il ne s'agit que d'une rumeur. Contrairement à ce qui se passe dans d'autres régions, la « grande peur » se limite, en Ile-de-France, à une sorte de psychose collective. Elle ne débouche jamais sur des actes de violence contre la noblesse et les châteaux, pourtant nombreux.

Les événements survenus à Dourdan illustrent le phénomène. Le 28 juillet, un messager, arrivant de Baville, annonce la venue de 800 brigands venant de Paris et ravageant tout sur leur passage. La panique éclate aussitôt dans la ville qui se barricade et organise des rondes. Les habitants des alentours, prévenus, se rassemblent avec des faux et des fourches. Femmes et enfants, accompagnés du bétail, se réfugient dans les bois. La peur cesse quand on constate que les prétendus brigands, aperçus à Baville, ne sont que des émissaires envoyés par Paris...

« A Nanteuil et à Dammartin, note Pierre-Louis-Nicolas Delahaye dans son journal, on monte la garde bourgeoise jour et nuit. On n'entend parler que de révoltes, partout, de meurtres, de trahisons. »

Ces peurs se propagent, suivant des axes que les historiens ont déterminés avec une certaine précision. La panique part de Limours, dans le Hurepoix, le 28 juillet, puis se répand, en plusieurs vagues, dans le sud de la région. La première remonte vers le nord et gagne les barrières de Paris ; la seconde part d'Arpajon et de Corbeil, puis se répand dans les paroisses de la rive droite de la Seine. Une troisième vague atteint Melun et Fontainebleau, avant de se propager vers Montereau, Nemours et Pithiviers. Au nord, le cheminement est plus complexe, car les paniques se déclenchent simultanément en plusieurs endroits, notamment à Estrées-Saint-Denis, à Attichy et dans la forêt de Compiègne. La vague qui se forme à Estrées-Saint-Denis suit le cours de l'Oise pour gagner la Seine. A l'est, un courant part de Champagne méridionale et se dirige également vers la Seine, jusqu'à Nogent, puis sur Bray, près de Marolles.

La présence de quelques bandes de marginaux venus de province – du Nord, de la Champagne, de la Normandie et de l'Orléanais – et refoulés de la capitale, ainsi que d'importants mouvements de troupes sont probablement à l'origine des faux bruits qui déclenchent cette grande peur. Les pouvoirs publics sont obligés de recourir à l'armée pour calmer les troubles liés à la disette. Au cours de l'été, 900 hommes du régiment de Picardie sont envoyés à Corbeil ; 400, du régiment de chasseurs de Guyenne, dans les localités de Villeneuve-Saint-Georges et de Montgeron ; 300, du régiment Dauphin-Dragons, à Rambouillet. Ces déploiements, qui impressionnent les populations, suscitent des méprises. A Étampes, c'est une centaine de gardes français arrivés d'Arpajon pour chercher de la farine qui créent une véritable panique. Il arrive aussi que, dans certains cas, les peurs soient provoquées par des faits totalement anodins : un conflit entre un laboureur et des travailleurs saisonniers embauchés pour faire la moisson et battre le blé, un troupeau de vaches en déplacement aperçu à l'horizon.

La disette, éclatant par une tragique coïncidence, au moment où se réunissent les états généraux, fait intervenir le peuple sur la scène politique. Celui-ci apparaît désormais comme une troisième force entre les partisans de l'ordre établi et ceux qui aspirent aux réformes. Le phénomène est très perceptible en Ile-de-France en raison de la présence des deux centres politiques que sont Paris et Versailles. Le fossé se creuse entre les villes qu'il faut ravitailler et les campagnes qui sont fortement et régulièrement ponctionnées. La plainte classique contre les « accapareurs » ou les « affameurs » – en l'occurrence, les négociants en blé, les minotiers, les boulangers, tous accusés de spéculer – traumatise la population francilienne. C'est cet état d'esprit qui pourrit le climat social et engendre la suite des événements.

Dans un contexte d'exaltation générale, la crainte de manquer des produits de première nécessité perturbe les habitants. On s'agite particulièrement sur les axes de pénétration où transitent les convois à destination de la capitale, dans les villes où se tiennent les gros marchés de céréales – la Plaine de France, le Hurepoix, la Beauce –, dans les villages de banlieue, privés de productions céréalières, dans les zones de vignobles. La moindre hausse des prix, le moindre retard dans le ravitaillement entraînent des mouvements populaires, des pillages, des émeutes, que les autorités ont de plus en plus de mal à maîtriser.

A la fin de l'année 1791, l'inflation de l'assignat – trois cents millions d'assignats ont été émis par la Législative, le 17 décembre – provoque un début de famine. Les producteurs préfèrent stocker leurs grains plutôt que de les échanger contre du papier monnaie qui se déprécie de jour en jour. Les prix flambent. Les marchés sont de moins en moins approvisionnés. Le pain commence à manquer. Les marchés du sud de la capitale – Étampes, Dourdan, Montlhéry, Limours – sont de plus en plus sollicités pour approvisionner Paris et d'autres grandes villes du royaume.

L'inflation pèse gravement sur les plus modestes, pénalisant lourdement la masse des petits artisans, des journaliers des campagnes, des chômeurs dont le nombre augmente avec l'arrêt des grands travaux. Cette crise est d'autant plus mal ressentie qu'elle est artificielle, car la récolte est bonne.

Les antagonismes s'exacerbent. Les marchands et gros propriétaires terriens sont qualifiés « d'affameurs », « d'empoisonneurs », « d'aristocrates ». Le peuple réclame alors la taxation des denrées, c'est-à-dire le blocage des prix. On le lui refuse au nom des principes du libéralisme économique. L'installation des premières municipalités s'accompagne, fin 1791, de fortes tensions. Au sud de Paris, les forces de l'ordre procèdent à l'arrestation de groupes d'insurgés qui pénètrent, de nuit, dans les fermes, exigeant d'être approvisionnés. A Conflans, à Charenton, à Créteil, la foule oblige les fermiers et boulangers à taxer les « bleds ». La gendarmerie disperse les attroupements.

L'hiver 1791-1792 connaît une recrudescence des exactions. Des groupes de plusieurs centaines de personnes sont signalés sur les marchés de Montlhéry, de Corbeil, de Brie-Comte-Robert, d'Angerville. Selon une technique bien rodée, ils imposent le prix des grains aux municipalités et aux marchands, payent comptant la marchandise et se dispersent. Contrairement aux initiatives désordonnées de l'automne 1791, ces mouvements sont bien structurés et généralement coordonnés entre eux. Ils mettent en scène les mêmes acteurs, les mêmes meneurs.

A partir du mois de mars 1792, le désordre s'amplifie. Des attroupements, désormais qualifiés de « séditieux », inquiètent les autorités qui craignent de plus en plus les débordements. Dans les campagnes, les jacobins persuadent les paysans que ce sont le roi et ses partisans qui provoquent la cherté des blés et des vivres afin d'affamer le peuple en vue de restaurer l'Ancien Régime. L'Ile-de-France est en pleine effervescence. Dans le district de Corbeil, début mars, des groupes de deux à trois cents hommes armés contraignent les municipalités de Santeny, de Périgny, de Villecresnes ainsi qu'un certain nombre de fermiers à se rendre au marché de Brie-Comte-Robert pour taxer les blés. La garde nationale disperse les « séditieux ».

Les événements survenus à Étampes traduisent la radicalisation du mouvement. Le 2 mars 1792, un groupe de trente personnes se réunit à l'appel du tocsin sur la place de l'église de Chamarande, à quelques lieues de la ville. Ils décident de s'y rendre le lendemain pour imposer aux marchands une diminution des prix. Des messagers sont désignés pour alerter d'autres villages. Les décisions sont prises très rapidement, car les esprits sont préparés à ce genre d'action depuis plusieurs mois. Le 3 mars, le groupe se met en marche. Dans chaque village traversé, le tocsin sonne et des hommes se joignent au groupe de Chamarande. Cinq à six cents personnes se présentent devant Étampes. Le maire, Jacques Guillaume Simonneau, s'oppose à la taxation des grains et à l'entrée des contestataires dans sa ville. La troupe s'amplifie des habitants de la cité. Elle force le passage et se regroupe sur le marché Saint-Gilles. Simonneau, furieux de n'être pas obéi, refuse une nouvelle fois de légaliser la taxe. Des coups de feu claquent. Simonneau est tué. Par petits groupes, les insurgés achètent des sacs de blé à prix « diminué », puis se dispersent et rentrent chez eux.

La mort du maire d'Étampes traumatise le pays. Elle provoque, au sein de la classe politique, un grand débat entre les partisans du libéralisme et ceux de la réglementation. Elle inspire d'autres manifestations du même genre, sans mort d'homme, toutefois. « On entend parler d'émeutes populaires de tous côtés », note Pierre Louis Nicolas Delahaye dans son journal. Des émeutes éclatent, à Montlhéry, le 4 mars, à Corbeil, le 9, à Rambouillet et à Dourdan, le 10, à Dammartin, où « le peuple fait donner le blé à 25 livres le setier », le 15, à Melun, où, à l'appel du tocsin d'une vingtaine de villages des environs, un groupe très important envahit le marché. En Seine-et-Oise, Pierre Bénézech, administrateur du département et futur ministre de l'Intérieur, est chargé, par le directoire départemental, de ramener le calme qu'il parvient à obtenir sans effusion de sang. Les troubles prennent fin à l'été 1792, avec la nouvelle récolte.

En 1793-1794, l'Ile-de-France connaît une nouvelle disette et son cortège de troubles. Celle-ci est due, non seulement à la hausse des prix, mais aussi à la guerre, déclenchée au printemps 1792. Le gouvernement procède à des réquisitions massives pour l'approvisionnement des armées. Les riches plaines céréalières sont spécialement sollicitées. Des agents militaires sont chargés d'opérer des prélèvements de grains, de fourrage et de denrées diverses pour l'armée en campagne. Cette ponction s'aggrave dans la mesure où il faut nourrir les troupes qui traversent la région avant de rejoindre le front, les prisonniers évacués vers l'arrière, les réfugiés venus du nord, de l'est et même de l'ouest où se déroule l'insurrection vendéenne. Les populations locales sont sérieusement pénalisées. Les prix recommencent à flamber.

Pour enrayer toute velléité de révolte généralisée, la Convention vote, le 9 septembre 1793, la fameuse loi du « maximum général » qui bloque les prix. Celle-ci est appliquée par la contrainte et la terreur. Des producteurs sont emprisonnés, tel le citoyen Matard, de Villeneuve-là-Montagne – aujourd'hui Villeneuve-Saint-Georges –, cultivateur et maître de poste. En vendémiaire an II, c'est-à-dire en septembre-octobre 1793, les municipalités qui refusent d'appliquer le maximum sont frappées d'amendes. Tel est le cas pour Chennevières, La Queue, Marolles, Noiseau, Limeil. Ces mesures donnent satisfaction aux consommateurs et réduisent les troubles, mais elles contraignent les producteurs qui, bravant la répression, cherchent toujours à stocker. Des incidents éclatent entre les fermiers et les journaliers, excités par les autorités, qui prêchent la souveraineté du peuple et la haine des « exploiteurs ». Certains n'hésitent plus à pénétrer dans les granges pour mettre à jour les réserves qui s'y cachent et dénoncer les accapareurs. Ce climat exacerbe un peu plus les tensions sociales et les rivalités villes-campagnes. Les citadins dénoncent la cupidité des paysans. Les marchands et producteurs sont traités de « vampires affamés de la misère du peuple ». L'atmosphère de guerre civile larvée, qui se développe partout en France, s'alourdit chaque jour davantage.

La disette de 1795-1796, la plus grave de la Révolution, frappe tout le pays. L'été a été pluvieux, entraînant une mauvaise récolte. L'hiver est rigoureux. La température descend jusqu'à – 20°. La Seine et la Marne gèlent. Dans le district de Mantes, l'Epte est recouverte de glace pendant deux mois. Les chemins et routes de traverse sont impraticables. Des loups sortent des bois et rôdent près des villes. La libération des prix, décidée le 24 décembre 1794, mettant fin à la loi du maximum, la situation ne fait qu'empirer. La dépréciation foudroyante des assignats incite, une fois de plus, les producteurs à ne pas approvisionner les marchés. A nouveau, on multiplie les réquisitions pour nourrir Paris. Des représentants en mission et des commissaires parcourent l'Ile-de-France, exigeant des milliers de sacs de farine pour maintenir l'ordre dans la capitale.

Dès février 1795, la pénurie s'aggrave. A Villeneuve-Saint-Georges, la municipalité constate que « les marchés ne sont aucunement approvisionnés en grains et subsistances » et que « les citoyens font trois à quatre voyages au marché éloigné de plus de quatre lieues sans pouvoir s'en procurer ». Les privations provoquent une recrudescence de la délinquance individuelle et collective : vols de bois, de sacs de farine ou d'habits chez les particuliers, de fruits, de légumes ou de pommes de terre dans les champs. Des charrettes de grains sont interceptées et vidées. A Mantes, le 21 février 1795, un grand nombre de « citoyens » se rassemblent sur la place du marché et menacent de forcer les magasins où sont stockés les blés destinés à la capitale. Dans le canton de Vincennes, la justice de paix, qui avait traité un seul vol pendant l'année 1792, en enregistre 36 au cours de l'année 1795.

La situation continue de se détériorer au printemps. Des émeutes, parfois qualifiées de « journées de la faim », éclatent en avril, à Paris, dans la vallée de la Seine, de Saint-Germain-en-Laye à Rouen, dans le district de Corbeil, à Boissy-Saint-Léger, à Tigery, au Plessis-Pâté, à Villecresnes, à Mennecy. Des convois sont interceptés entre Saint-Germain et Breteuil, à Chantilly, à Versailles. Le 12 avril, des habitants de Villecresnes pillent une voiture chargée de farine, près de la porte de Grosbois. Le 18 mai, une centaine d'habitants de Charenton font de même avec le coche d'eau d'Auxerre. Les plaintes se multiplient contre les prélèvements parisiens. On accuse les terroristes et les royalistes d'être à l'origine de cette situation. Des groupes délaissent les marchés, toujours vides, et se rendent directement chez les fermiers. Ils imposent la taxation des grains stockés. Les sacs sont distribués par famille ou par personne. Celles-ci payent le prix fixé, puis se dispersent. Ces opérations « coup de poing » se poursuivent pendant des semaines sans que les autorités municipales, débordées, puissent faire quoi que ce soit. Des délits, de plus en plus nombreux, se commettent dans les bois et les forêts. Il y a de plus en plus de mendiants. La livre de pain atteint le prix de 800 sols.

Il faut attendre la récolte de 1796, très abondante, comme, d'ailleurs, les suivantes, pour que cessent ces crises à répétition. L'abandon du papier-monnaie par le Directoire achèvera de remettre les choses en ordre. La France ne connaîtra plus de disette avant 1812.

Durant ces mêmes années, la question religieuse occupe une place de premier plan. La Constitution Civile du clergé a provoqué un schisme qui va profondément ébranler l'Église française. Le durcissement du pouvoir face au catholicisme, son acharnement, à partir de 1793, à déchristianiser la France par la violence et la terreur ont particulièrement marqué l'Ile-de-France.

Dès le début de ses travaux, l'assemblée Constituante, imprégnée de la philosophie des Lumières, cherche à limiter l'influence du clergé et même à l'anéantir. Le problème posé par le gouffre budgétaire de l'État sert de prétexte. Pour combler le déficit, plusieurs députés, dont Talleyrand, évêque d'Autun, proposent de nationaliser les biens considérables accumulés par l'Église depuis des siècles. En novembre 1789, ceux-ci sont mis à la disposition de la Nation. Ils deviennent « biens nationaux ». Ils sont vendus et servent à gager les émissions de monnaie. Le 13 février 1790, la Constituante, fidèle à ses objectifs, va plus loin : elle interdit les vœux religieux, ce qui signifie la fin des congrégations religieuses. Le 12 juillet 1790, elle soumet étroitement l'Église à l'État en votant la fameuse Constitution civile.

Celle-ci refond la carte des diocèses en les faisant coïncider avec les départements. Elle fait des archevêques, évêques et curés, des salariés de l'État et décide leur élection par les citoyens, sans distinction d'opinion religieuse. Le clergé séculier est astreint à prêter serment de fidélité à la Nation et au roi. Louis XVI, après avoir longuement hésité, laisse passer cette réorganisation, en août 1790. Ces bouleversements sont imposés de manière unilatérale, sans la moindre autorisation de Rome qui les condamne par deux « brefs » successifs promulgués en mars et avril 1791.

La Constitution civile divise les prêtres en deux camps : ceux qui, approuvant l'intrusion de l'État dans la vie religieuse au mépris de l'autorité spirituelle de Rome, acceptent de prêter serment et de se faire élire à des fonctions curiales ou épiscopales – les jureurs ou assermentés – et ceux qui refusent – les réfractaires ou insermentés. Elle génère aussitôt un schisme. Les anciens évêques sont « démissionnés » et remplacés par de nouveaux « élus ». Les nouveaux évêques sont consacrés sans l'autorisation du pape. Ce scénario brutal ne se déroule pas sans heurts, même si une partie de l'opinion, dite « éclairée », accepte les changements. Le premier de ceux-ci touche à l'organisation de l'Église d'Ile-de-France.

Dans notre région, trois diocèses sont créés de toutes pièces. Ils correspondent aux limites des nouveaux départements de la Seine, de Seine-et-Marne et de Seine-et-Oise. Les évêques de Seine-et-Marne et de Seine-et-Oise ont leurs sièges respectifs à Meaux et à Versailles.

Ce redécoupage est source de nombreux problèmes. Les nouveaux diocèses, qui ne correspondent pas aux anciens, manquent totalement d'homogénéité. Le diocèse de Versailles comprend 217 paroisses enlevées au diocèse de Chartres, 115 à celui de Rouen, 281 à celui de Paris et 56 à celui de Sens. Le diocèse de Seine-et-Marne regroupe des paroisses relevant de cinq anciens diocèses : Paris, Meaux, Sens, Soissons et Troyes.

Le recrutement, la valeur, l'esprit du clergé changent beaucoup d'un diocèse à l'autre selon la formation reçue dans les anciens séminaires, selon les idées et l'influence des derniers évêques. Les traditions, les habitudes sont différentes. Les nouveaux évêques constitutionnels éprouvent les plus grandes difficultés à opérer l'unité d'un clergé venu d'horizons divers.

D'une manière générale, le clergé francilien, très fortement imprégné de gallicanisme et profondément marqué par la crise janséniste qui lui est liée, adhère en masse à la Constitution civile et accueille favorablement les réformes décidées par la Constituante. Les statistiques, certes approximatives, relatives à la prestation de serment de fidélité à la Nation, témoignent que la proportion des « Jureurs » est, dans la région, d'environ 70 % alors qu'elle ne dépasse pas 50 % dans les provinces.

En Seine-et-Marne, sur 761 prêtres astreints au serment, 21 refusent, 186 y apportent des réserves et 554 s'y prêtent. Comme partout, les chanoines et les religieux réguliers, très nombreux, en sont dispensés. Avec les différentes rétractations survenues par la suite, on comptera un tiers de réfractaires pour deux tiers de jureurs.

L'attitude face au serment varie beaucoup selon les endroits. Le clergé seine-et-marnais est loin d'adopter partout la même ligne de conduite. Sous l'influence de Mgr de Bourdeilles, celui qui est originaire du diocèse de Soissons, est très largement réfractaire. Au contraire, à l'instar de son évêque, Mgr de Loménie de Brienne, l'un des sept évêques à accepter de prêter serment, celui du diocèse de Sens est très majoritairement jureur. François Montault, supérieur du séminaire diocésain, entraîne également derrière lui de nombreux prêtres du diocèse à prêter serment. Sur 383, 209 jurent et seulement 74 s'y refusent. Dans les diocèses de Paris et de Meaux, les choix sont partagés : 37 % de réfractaires pour le premier, 41 % pour le second.

En Seine-et-Oise, on note la même adhésion massive à la Constitution civile, avec également des différences en fonction des pressions exercées. Dans le district de Versailles, les trois quarts du clergé prêtent serment. Pourtant, la ville même de

Versailles se distingue par son opposition. A la paroisse Saint-Louis, la vingtaine de prêtres sont réfractaires. A Notre-Dame, sur trente prêtres, seul, le septième vicaire, qui sera élu président du district de Versailles, prête serment. Au contraire, à Saint-Symphorien, paroisse plus populaire, trois prêtres sur quatre décident de jurer.

Plusieurs districts – ceux de Corbeil, Mantes et Gonesse, en particulier – sont très majoritairement jureurs. Dans le canton d'Arpajon, le partage est équilibré. A Argenteuil, sur cinq prêtres, quatre refusent. Ceux du canton de Mennecy prêtent serment. Au contraire, dans le canton de Sèvres, le clergé unanime, réuni derrière le curé de Sèvres, refuse de prêter serment à l'exception du curé de Garches.

Au-delà du serment, il s'agit de mettre en place, dans le cadre des nouveaux diocèses, l'organisation de l'église constitutionnelle. La première étape est l'élection de nouveaux évêques. Dans le diocèse de Seine-et-Marne, Pierre Thuin, ancien curé de Dontilly, est élu par l'assemblée convoquée à Melun, le 9 mars 1791. Il est sacré dans la capitale par Mgr Gobel, nouvel évêque constitutionnel de Paris et fait son entrée solennelle dans la cathédrale de Meaux, le 3 avril 1791. Dans le diocèse de Seine-et-Oise, l'assemblée porte son choix sur le curé de Gomecourt, Jean Julien Avoine. Comme Thuin, Avoine est sacré à Notre-Dame. Comme Thuin également, il est installé le 3 avril 1791 à Notre-Dame de Versailles qui devient cathédrale constitutionnelle.

Conformément à la loi, les nouveaux évêques s'entourent de douze vicaires épiscopaux. En Seine-et-Marne, ceux-ci sont des hommes jeunes, très marqués par les théories gallicanes. Certains sont imprégnés par l'esprit de la Révolution et n'hésitent pas à s'engager politiquement.

Plusieurs paroisses étant supprimées, l'installation des nouveaux curés pose souvent problème. En Seine-et-Marne, Mgr Thuin a du mal à remplacer les anciens curés par les nouveaux et à pourvoir tous les postes, car les candidats sont peu nombreux. Si les affectations donnent rarement lieu à incidents, l'évêque de Seine-et-Marne doit faire face aux attaques verbales du clergé insermenté, demeuré fidèle à l'évêque de Meaux, Mgr de Polignac. Des libelles sont dirigés contre lui. Ainsi, quand Mgr Thuin publie son premier mandement, le 11 février 1791, ses adversaires ripostent immédiatement et diffusent un libelle intitulé *Le patelinage des évêques constitutionnels dévoilé ou lettre au sieur Thuin au sujet de son mandement.*

Les nouveaux évêques constitutionnels ne sont, généralement, pas bien accueillis dans leurs diocèses. Plus que la population, c'est l'ancien clergé qui oppose une sorte de force d'inertie. A Meaux, toutes les communautés religieuses refusent de recevoir Mgr Thuin. Lors des visites qu'il entreprend dans son diocèse, les incidents se multiplient : les cloches ne sonnent pas, les églises restent fermées, les clefs disparaissent. A Bray, le curé se cloître dans son presbytère pour ne pas recevoir l'évêque. En Seine-et-Oise, les religieuses Augustines de Versailles et de Corbeil avertissent Mgr Avoine qu'elles ne le reconnaîtront jamais et qu'elles ne recevront pas d'autres prêtres que ceux légitimés par l'ancien archevêque de Paris, Mgr de Juigné. Elles sont imitées par plusieurs autres communautés du département.

En Ile-de-France, comme partout ailleurs, la nouvelle église constitutionnelle a beaucoup de mal à s'organiser. Les contestations sont nombreuses. Les nouveaux évêques ne sont pas respectés. Ils ont du mal à gouverner des diocèses qui manquent de cohésion. L'engagement politique de nombreux prêtres constitutionnels suscite de vives critiques et discrédite l'image de la nouvelle Église dans l'opinion publique. Les persécutions révolutionnaires, qui se développent à partir de 1793, achèvent de réduire à néant ce que la Constitution civile a voulu édifier. En même temps, un grand mouvement de déchristianisation se développe dans la région.

Les premières réactions à l'encontre de la communauté chrétienne se produisent dès la fin de l'année 1792. Dans le district de Nemours, des curés sont expulsés des assemblées primaires des cantons. Dans les villes et villages, le clergé essuie outrages et vexations. Les municipalités et, surtout, les sociétés populaires s'impliquent dans la contestation. Ces dernières comptent parfois des ecclésiastiques dans leurs rangs. A Meaux, la société populaire s'engage très vite dans la lutte contre l'Église. Elle dénonce les prêtres insermentés et provoque les premières mesures d'exception.

A Paris, la déchristianisation commence avec les massacres de septembre 1792 qui connaissent leurs répliques à Meaux et à Versailles. A Meaux, le 4 septembre 1792, sept prêtres réfractaires emprisonnés sont exécutés par les révolutionnaires locaux. Versailles connaît un massacre beaucoup plus lourd, le 9 septembre, rue de l'Orangerie. La foule, déchaînée, tue une quarantaine de prisonniers venus d'Orléans parmi lesquels figure l'évêque de Mende, Mgr de Castellane. Le lendemain, d'autres exécutions se perpétuent dans les prisons de la ville. Jean Galois, religieux lazariste, qui avait été incarcéré pour avoir soustrait aux révolutionnaires des vases sacrés et des reliques qui se trouvaient dans la chapelle du château dont il était l'un des desservants, est mis à mort.

En un premier temps, la persécution organisée par l'État est dirigée contre le clergé réfractaire. Les prêtres qui refusent le nouveau serment de « liberté-égalité », imposé en août 1792, sont condamnés à la déportation en Guyane, où meurent six prêtres déportés de Seine-et-Oise, dont l'abbé Laurence de Bachelay. Une centaine d'ecclésiastiques seine-et-marnais sont obligés de quitter la France pour éviter des condamnations. La Convention se retourne ensuite contre l'Église constitutionnelle qu'elle cherche à désorganiser. Elle multiplie les pressions et les arrestations, déconsidère le clergé, fait disparaître ses meilleurs éléments, et s'applique à tarir son recrutement.

Les révolutionnaires encouragent notamment le mariage des prêtres et les abdications. En Seine-et-Marne, un premier mariage est célébré le 12 mars 1793. Le curé de Nandy est marié par son collègue de Boissise-la-Bertrand. Le 20 mars, Mgr Thuin bénit l'union d'un de ses vicaires épiscopaux. A Versailles, c'est l'abbé Chotard, vicaire épiscopal de Mgr Avoine, qui convole. A cette occasion il écrit une longue lettre de justification dans laquelle il déclare notamment que le « fanatisme » n'est jamais entré dans son âme et qu'en contractant mariage à l'âge de cinquante-sept ans, son désir est de donner l'exemple à Versailles. En Seine-et-Marne, 56 prêtres sur 761 se marient.

Sans aller jusqu'au mariage, nombreux sont ceux qui apostasient par faiblesse, par peur, parfois même, par conviction. Le 18 novembre 1793, 23 prêtres du district de Melun remettent leurs lettres de prêtrise. Du 18 au 25 novembre, 81 prêtres sur les 116 que compte le district de Provins font de même. Dans le district de Versailles, 44 abdiquent leurs fonctions, en novembre et décembre 1793. Parmi eux, figurent tous les vicaires épiscopaux qui, pour donner des gages de leur attachement à la République, envoient les grilles des chapelles de Notre-Dame, l'église cathédrale, aux autorités du district afin qu'elles soient fondues et transformées en piques, sabres et fusils ! Le 26 juillet 1794, cédant aux pressions, Mgr Thuin dépose ses lettres de prêtrise et renonce à ses fonctions ecclésiastiques.

Tandis que se multiplient apostasies et mariages de prêtres, les autorités révolutionnaires s'attaquent aux lieux de culte et aux fidèles. En novembre 1793, la Convention déclare l'abolition des cultes. Toutes les églises sont fermées. Le mobilier est saisi et vendu à l'encan. Les objets liturgiques en or ou en argent sont récupérés et fondus, tout comme les cloches ou les grilles qui servent à fabriquer des canons ou des armes. Tel est le cas à Magny-en-Vexin. A Melun, les églises sont livrées à des usages profanes : Notre-Dame devient un magasin à fourrage, l'église Saint-Aspais, après avoir été spoliée de ses richesses par le club des jacobins, est transformée en atelier à salpêtre et subit d'énormes déprédations. Le 20 novembre 1793, toutes les églises du district de Versailles sont fermées et livrées aux sociétés populaires. Saint-Louis de Versailles devient temple de l'abondance ; la nef réunit des clubs ; des discours révolutionnaires sont prononcés du haut de la chaire. Notre-Dame est saccagée et totalement pillée ; elle devient temple de la raison, puis temple de l'être suprême. L'église d'Issy-les-Moulineaux, comme beaucoup d'autres, est également transformée en temple de la raison après avoir été vidée de tous ses objets de culte ; cinq kilos d'argent sont récupérés et offerts à la Convention pour subvenir aux besoins de l'État. A Vaujours, près du Raincy, l'église est envahie par des sans-culottes. Un commissaire du district qui tente de modérer les manifestants est menacé de mort par le maire. Le mobilier est alors saccagé à coups de hache, les livres sont déchirés, tout est dévasté. Les personnes elles-mêmes ne sont pas à l'abri des sévices ; ici, des brutalités, là une servante du curé reçoit sur la tête le contenu d'un vase de nuit...

La fête de la Raison, célébrée le 10 novembre 1793 à Notre-Dame de Paris, donne le signal de toutes les manifestations antireligieuses. Les premières sont signalées dans le district de Gonesse ou les sans-culottes locaux, aidés par leurs collègues parisiens et des commissaires venus de la capitale, dressent les populations contre les prêtres, organisent des mascarades et procèdent à des enlèvements. Cette fièvre passionnelle se répand ensuite dans le district de Corbeil, puis gagne toute l'Ile-de-France.

En janvier 1794, Meulan est le théâtre d'un scénario affligeant. Un groupe de canonniers se rend à l'église Saint-Nicolas. Les soldats s'emparent des chasubles et des chapes. Ils s'en revêtent et psalmodient des chants patriotiques dans toute la ville. De retour dans l'église, ils abattent la chaire, renversent les confessionnaux et démolissent l'autel. Ils traînent tous les débris sur le parvis et font un feu de joie.

Ces désordres sont encouragés, parfois même suscités par les autorités révolutionnaires. Les petits villages ne sont pas épargnés. L'église de Vauhallan, un hameau de quelques feux, en 1793, est profanée et son mobilier vendu aux enchères publiques. Le maire Varin en consigne les dépenses sur les registres communaux. Des représentants en mission sont envoyés dans les départements pour accélérer et encourager le mouvement. Certains se distinguent par leur cruauté, comme Duboucher, dans la région de Melun, Charles Delacroix et Joseph Musset, dans le district de Versailles. L'armée révolutionnaire parisienne joue un bien vilain rôle. Elle intervient dans une vingtaine de localités des environs de la capitale où elle encourage les manifestations d'hostilité et de haine à l'encontre de l'Église.

L'Ile-de-France, par la multiplication des violences anti-religieuses ainsi que par la lâcheté de deux de ses évêques, Thuin et Gobel, qui abdiqueront très vite, aura été à la pointe de la vague de déchristianisation de 1793-1794.

Cette campagne d'éradication spirituelle, conduite par une minorité très agissante, est subie de manière plus ou moins passive par les populations. Contrairement à ce qui se passe dans les départements de l'ouest, elle n'engendre pas de réactions massives dans la région. Seul le secteur de Coulommiers, qui est paradoxalement d'ancienne implantation protestante, fait exception. A la fin de l'année 1793, la fermeture des églises et le remplacement du culte catholique par celui de l'« être suprême » indigne les habitants de la vallée du grand Morin. L'exécution du curé de Coulommiers, de ceux de Saint-Rémy-de-la-Varme et de Saint-Mars, guillotinés avec neuf personnes du canton, met le feu aux poudres. Un premier rassemblement se tient à Coulommiers, le 12 décembre 1793. Il rassemble les habitants de la commune avec ceux de Mauperthuis, Saints, Beautheil et Touquin. Le 13 décembre, une grande procession est organisée. Elle regroupe 1 000 à 1 200 fidèles, en majorité des artisans et des journaliers, certains armés de fusils de chasse, de sabres, de piques, de fourches. Les autorités envoient 80 hommes du 16e régiment de chasseurs qui rebroussent chemin devant l'ampleur de la manifestation. Le 14 décembre, un troisième rassemblement, plus imposant encore, se forme à Mauperthuis et marche sur Coulommiers. L'armée intervient, faisant 17 tués et 1563 prisonniers. D'autres affrontements se déroulent à Jouy-sur-Morin et à La Ferté-Gaucher. Les autorités révolutionnaires font 800 prisonniers qui sont enfermés plusieurs semaines dans l'église Sainte-Foy, défendue par 6 canons. Vingt responsables sont expédiés à Paris. Huit d'entre eux périssent sur l'échafaud. Ainsi a été vécu ce que les historiens ont baptisé la « Vendée briarde »...

La chute de Robespierre, le 27 juillet 1794, ne met pas fin aux persécutions. Les églises demeurent fermées. Les prêtres reçoivent l'ordre de se retirer dans le chef-lieu de leur district ou dans les villes de plus de 5 000 habitants, sauf s'ils sont mariés ou s'ils exercent une fonction utile à la République.

Les populations commencent, toutefois, à reprendre confiance, à réagir. Des mouvements s'organisent pour obtenir la réouverture des églises. Les premiers sont signalés dans la région de Melun, dans celle de Gonesse, qui avait pourtant été aux avant-gardes de la persécution. Finalement, le 21 février 1795 – 3 vendemaire de l'an III – la Convention proclame la liberté des cultes et la séparation de l'église et de l'État. En mai, des églises sont à nouveau ouvertes et les cultes tolérés. Lorsque la décision tarde, les villageois, par pétitions, demandent ces réouvertures, comme à Verneuil-sur-Seine.

L'Église Constitutionnelle, durement éprouvée, cherche à renaître de ses cendres. En Seine-et-Marne, Mgr Thuin récupère ses fonctions, mais, totalement déconsidéré depuis son abdication, il n'a aucune influence. C'est le clergé fidèle à Rome qui reprend, tant bien que mal, les choses en main.

En Seine-et-Oise, la situation est différente. Depuis la mort subite de Mgr Avoine, le 2 novembre 1793, son diocèse est privé de chef. C'est alors qu'intervient un curieux personnage, Charles Clément. Né en 1717, d'un père conseiller au parlement de Paris, Clément appartient à une famille très janséniste. Il se destinait à la prêtrise, mais Mgr de Vintimille, archevêque de Paris, a refusé de l'admettre au diaconat car il ne voulait pas signer le formulaire d'acceptation de la condamnation du jansénisme. Clément se tourne alors vers Mgr de Caylus, évêque janséniste d'Auxerre, qui lui confère un canonicat et l'ordonne prêtre. Avant la Révolution, l'abbé Clément servait de façon itinérante la cause janséniste. En 1790, il soutient la constitution civile du clergé et achète des biens nationaux d'Église dans le district de Gonesse, où il réside. Emprisonné pendant la terreur, il participe ensuite à la restauration de l'Église constitutionnelle de Paris puis, par ambition, tant il aspire à l'épiscopat, il cherche à s'imposer en Seine-et-Oise. Le 25 février 1795, il parvient à s'y faire élire évêque par une demi-douzaine de prêtres réunis en synode secret. Cette élection, contestée, est finalement validée, en mars 1797. Clément, alors âgé de quatre-vingts ans, se fait sacrer par Mgr Thuin. Infatigable, le nouvel évêque schismatique de Versailles développe une intense activité et fait de son diocèse un centre d'innovations. A la suite du concile national de 1797, Clément se consacre, notamment, à l'introduction de la langue française dans la liturgie et l'administration des sacrements. Il charge son vicaire épiscopal, Ponsignon, de rédiger un sacramentaire en français. Cette initiative, très novatrice pour l'époque et en totale contradiction avec les directives romaines, ne rencontre qu'un succès limité chez les autres évêques constitutionnels.

Le schisme de la constitution civile du clergé et la déchristianisation ont profondément marqué la vie religieuse de l'Ile-de-France, région déjà minée depuis plus d'un siècle par le gallicanisme et l'hérésie janséniste. Plus qu'ailleurs, l'Église constitutionnelle, en raison de la radicalisation de ses positions et de l'attitude de ses chefs, a échoué dans sa mission et s'est déconsidérée aux yeux de la plupart des fidèles. Il faudra attendre le concordat de 1801 pour retrouver la paix et l'unité religieuse.

Cette période très agitée aura profondément marqué notre région qui, en dépit d'un sursaut au début du XIXe siècle, demeurera très ouverte à la libre pensée et au scepticisme rationaliste.

CHAPITRE XIV

NAISSANCE D'UNE BANLIEUE

L'Ile-de-France connaît, avec le XIXe siècle, un formidable bouleversement démographique, d'autant plus remarquable que la période révolutionnaire a entraîné un important tassement de la population. Les Franciliens sont passés de 1 745 000, en 1790, à 1 620 500, en 1801. Les causes de ce phénomène sont complexes. A l'émigration des élites de l'Ancien Régime, il faut ajouter les effets de la Terreur, des famines et des guerres. Certaines cités, symboles du pouvoir monarchique, se sont effondrées. Ainsi, les Versaillais, de 50 000 sous Louis XVI, ne se retrouvent plus que 27 600 à l'avènement de l'Empire. A Saint-Germain-en-Laye, les habitants passent de 12 600 à 8 900...

Après 1820, la croissance reprend, d'abord lente, puis de plus en plus rapide, pour donner naissance à ce qui devient la « banlieue ». Croissance inégale selon les endroits. Certains secteurs ne progressent pas ; par exemple, le canton de Sceaux. En revanche, dans la première moitié du siècle, la population de l'arrondissement de Saint-Denis fait plus que quadrupler, de 40 181 à 193 611 habitants.

Le développement des activités industrielles est la principale raison de cette croissance. Une des premières industries périphériques s'implante, en 1822, à Charenton, avec la « forge à l'anglaise ». Une fonderie au milieu de la campagne... ou presque, car Charenton connaît déjà depuis longtemps une activité portuaire.

Plusieurs raisons expliquent ce tropisme centrifuge des activités qui, jusqu'alors, sont surtout concentrées dans la capitale ou les petites villes. Les deux principales sont le besoin d'espace et la proximité des sources d'énergie. A Paris, seuls les bras, l'énergie animale ou de modestes machines fournissent l'énergie. Cela ne répond plus aux exigences du progrès. Il faut le voisinage immédiat des rivières pour faire tourner les machines. Ainsi s'explique la naissance de l'établissement qui deviendra la célèbre usine des chocolats Menier de Noisiel. C'est en 1824 que Menier et Richer louent un moulin sur la Marne, entre Champs et Torcy, pour développer leur fabrique de substances pharmaceutiques, qui étouffe littéralement dans le quartier du Marais.

A partir de cette date, le développement industriel de la région est constant. Si, au début du siècle, certains entrepreneurs conservent leurs sièges sociaux à Paris, en revanche, à partir de 1845, toutes les nouvelles implantations se font hors les murs. Une page se tourne. La richesse ne se concentre plus dans la capitale.

Le mouvement sera, cependant, progressif. Il demandera du temps. A l'aube de l'ère industrielle, la « banlieue » est à mille années-lumière de ce futur paysage, hérissé de cheminées d'usines, au ciel plombé, qu'elle va devenir. Les environs immédiats de Paris sont encore une mosaïque de manoirs, de bois, de champs, de vergers. De décennie en décennie, les amoureux des vieilles pierres vont être réduits à rêver avec nostalgie à tant de merveilles disparues, tel ce château que Gaston d'Orléans avait fait construire, au Raincy, par le célèbre architecte Le Vau, et dont il ne reste plus que des gravures jaunies. Évanouis dans le tourbillon de l'histoire, les châteaux de Bagnolet ou de Neuilly-sur-Seine... C'est parfois dans leurs parcs que s'installent les premières usines, comme à Choisy-le-Roi, où l'ancien domaine royal, abandonné depuis la Révolution, offre un terrain d'accueil. Réduites ou disparues, ces futaies des premières années du siècle qui formaient un rideau de verdure autour de la capitale, comme le rappellent les noms d'Aulnay-sous-Bois, de Clichy-sous-Bois, de Fontenay-sous-Bois...

Le développement de la banlieue s'effectue en plusieurs étapes. Avant les usines, il y a d'abord l'essor de l'agriculture maraîchère qui représente, aussitôt après la Révolution, un nouveau mode d'occupation des sols.

Jusqu'alors, nos monarques, amateurs de chasse, avaient tenu à préserver des réserves pour le gibier, en limitant l'extension des terrains agricoles. Dans beaucoup de paroisses, on avait un « garde des plaisirs du roy », chargé d'entretenir les boqueteaux, refuges de lapins, de cerfs ou de chevreuils. Les noms de certaines de nos villes rappellent le souvenir de ce passé cynégétique : La Garenne-Colombes, Villeneuve-la-Garenne...

Sous la Restauration, la région est encore un grenier à blé. Le froment et l'avoine y tiennent toujours une place de choix, mais les paysans s'adonnent également à la culture de produits maraîchers, dont la valeur marchande est sensiblement plus élevée. Aux carottes, choux et poireaux, dont les Parisiens font grande consommation, les agriculteurs adjoignent les arbres fruitiers, les pêches à Montreuil, toujours, mais aussi les vignes de Chasselas, à Thomery, pour le fameux raisin d'hiver. L'horticulture se développe à l'initiative des Savart, des Dubart ou des Vilmorin. L'Haÿ y trouvera son nom lorsque la roseraie deviendra célèbre. Des ouvriers saisonniers, souvent Bourguignons, à l'est, ou Bretons, à l'ouest, s'engagent pour une récolte. Ils peinent de 4 heures du matin à 10 heures du soir, soumis à un rythme et à une discipline d'enfer.

Le petit peuple de la capitale fréquente de plus en plus la banlieue. Chaque dimanche, des équipes d'artisans en goguette quittent leurs faubourgs pour s'égailler hors les murs. A la belle saison, les horticulteurs les autorisent, pour une somme modique, à « exploiter » quelques cerisiers ou groseilliers.

Quant aux estaminets, ils servent une piquette locale dont l'unique mérite est de ne pas être soumise aux taxes d'octroi. *L'Almanach des Plaisirs de Paris* de 1815 décrit les buttes de Romainville : « La beauté du site, la variété des productions, le grand nombre de guinguettes que l'on y rencontre, attirent, en cet endroit, les dimanches et fêtes, une foule de bourgeois et d'ouvriers d'autant plus disposés à renouveler leur pèlerinage qu'ils n'ont pas besoin de voiture pour s'y rendre et qu'ils trouvent du vin à bon compte. » Et le poète Désaugiers d'entonner, en écho : « Allons au Pré-Saint-Gervais, dîner sur un gazon frais... »

Cette Thébaïde populaire vit toutefois ses dernières années. Ce monde buccolique, que le grand souffle de 1789 a épargné, est sur le point de s'écrouler. A partir de 1801, la courbe démographique reprend sa pente ascendante. Dans un premier temps, la croissance se limite essentiellement à Paris, dont la population augmente de 49 % jusqu'en 1836, pour atteindre alors 866 400 habitants. De 1817 à 1836, on estime à 180 000 l'apport d'immigrés. Charenton compte encore moins de 2 000 habitants. Ivry, moins de mille. La proche couronne ne décolle qu'au cours de la seconde moitié du siècle, quand toutes les industries quittent le centre-ville.

Ce n'est qu'après 1860 que Saint-Denis, l'ancienne nécropole royale que la Convention a rebaptisée Franciade, ne devient une ville manufacturière. Sa population n'était passée que de 3 914 habitants en 1801 à 13 688 en 1851. Elle dépasse les 60 000 âmes en 1901. C'est seulement au-delà de la ceinture industrielle que le monde paysan continue de dominer.

En 1881, le taux de ruralité de l'Ile-de-France, hors Paris, se situe encore à 75 %, soit dix points de plus que la moyenne nationale.

Les grandes plaines de Brie et de Beauce conservent leur vocation nourricière. Un village comme celui d'Orly, bien que proche de Paris, tourne résolument le dos à la modernité. Si une usine de linoléum, employant une centaine d'ouvriers, parvient à s'y installer, en 1882, le conseil municipal réussit à faire avorter d'autres projets. Aussi ne faut-il pas s'étonner si la population de la future plate-forme aéroportuaire ne fait qu'à peine doubler en un siècle, de 488 habitants, en 1801, à 882, en 1896.

Quant aux petites villes de Seine-et-Marne et de Seine-et-Oise, sans suivre l'évolution qui agite le cœur de la région, elles connaissent un développement lié à la création de nombreuses entreprises d'intérêt local correspondant à leur fonction de ville-marché. A cet égard, les almanachs de Seine-et-Marne sont riches d'enseignements. En 1823, on y compte douze brasseries, dix-sept fabriques de chaux et plâtre, quatre faïenceries, dix filatures de coton ou de laine, six papeteries, deux verreries. Vingt ans plus tard, ces établissements se sont développés. Certains emploient plusieurs centaines d'ouvriers. Une fabrique de papier de Jouy-sous-Morin a 402 salariés, une faïencerie de Montereau, 456, une fabrique de toile peinte de Claye-Souilly, 300. Moulins, raffineries, tanneries dépassent souvent les cinquante ouvriers. Ce développement des manufactures est général dans toute l'Ile-de-France. Ainsi, en Seine-et-Oise, dans le canton de Magny-en-Vexin, se multiplient des fabriques de chaises, de bouchons. Un peu partout, des scieries et des distilleries.

Comme le souligne l'annuaire administratif de Seine-et-Marne, en 1841, le département livre à Paris nombre de ses productions. La métropole se met progressivement en place. Les moulins de Corbeil ou la sucrerie de Meaux témoignent autant d'une véritable industrialisation que du souci de transformation des produits agricoles destinés à la capitale. Des établissements transforment le paysage, comme la sucrerie de Lieusaint, fondée en 1874, véritable château fort au milieu des champs de betteraves.

La population des petites villes croît naturellement. Ainsi, le bourg de Bonnières-sur-Seine, près de Mantes-la-Jolie, voit ses habitants passer de 727, en 1817, à 1231, en 1900. Comment s'explique une telle évolution, alors que les villages d'alentour périclitent, frappés par l'exode rural? D'abord, par l'installation d'une gare sur la ligne Paris-Rouen. Ensuite, par l'action d'un homme, Jules Michaux, qui installe à Bonnières une ferme expérimentale et plusieurs établissements industriels. Michaux est appuyé par une municipalité clairvoyante. En février 1859, le maire écrit au préfet de Seine-et-Oise : « Nous voulons montrer tout l'intérêt que nous portons à des usines qui jettent l'aisance à nos ouvriers. »

C'est donc par étapes, par cercles concentriques, que s'effectue l'expansion de la banlieue. Paris, favorisé par la politique centralisatrice des gouvernements héritiers de la Révolution, bénéficie de la vague de développement et de la majeure partie des apports de population. Plusieurs raisons à cela. Au premier chef, le réseau routier, conçu en étoile autour de la capitale. Dix-huit grandes routes rayonnent en direction des provinces. Ces voies de pénétration facilitent à la fois l'acheminement des matières premières et la réexportation des produits transformés. C'est pourquoi les activités économiques se concentrent d'abord le long des principaux axes. Rouliers, aubergistes, préfigurent la vitalité future de nombreuses communes périphériques.

La Seine et ses affluents – ces « chemins qui marchent » – offrent également à la capitale un atout majeur. Les péniches n'ont qu'à descendre le courant pour apporter, au cœur même du plus grand marché national, le bois du Morvan ou les vins de Bourgogne. Le percement, sous Napoléon Ier et Louis XVIII, des canaux Saint-Martin, Saint-Denis et de l'Ourcq, explique le développement précoce de la banlieue nord-est.

Il faudra pourtant attendre l'arrivée du chemin de fer, sous Louis-Philippe, pour parler de révolution des transports et conforter l'explosion industrielle de la banlieue. La date historique est celle du 24 août 1837. La reine Marie-Amélie inaugure, ce jour-là, le tronçon Paris-Le Pecq. Très vite, ces dix-neuf kilomètres de voie vont se démultiplier en une toile d'araignée qui couvrira tous les départements, reliant chaque préfecture à Paris. Ainsi, la ligne Paris-Mantes est-elle inaugurée, le 3 mai 1843 ; Paris-Meaux, le 10 juillet 1849. Le train accélère les échanges. En 1828, on parcourait entre cinq et dix kilomètres en une heure ; en 1861, quinze à vingt. Il réduit les coûts des déplacements. Ce faisant, il bouleverse les données socio-économiques.

En matière agricole, de nombreuses productions locales, telle la vigne, disparaissent de la région remplacées par des denrées d'importation, dont la commercialisation est favorisée par le progrès des communications. A partir du milieu du siècle, la Seine devient navigable à l'année et non plus seulement pendant sept à huit mois. Le « boum » ferroviaire, génère de nouvelles activités. La construction des voies attire une abondante main-d'œuvre rurale qui se fixe dans les quartiers populaires de la capitale ou de la proche banlieue, là où se fabriquent les rails, les wagons, les locomotives. Les premiers tracés, conçus par des ingénieurs habitués à réaliser des canaux, suivent les fonds de vallées, évitant les pentes trop fortes et les courbes trop accentuées. Rapidement conscients de l'importance d'une gare sur leur territoire, les édiles locaux, soutenus par la population, font pression sur les compagnies pour que leurs communes soient desservies. Ainsi, au Vésinet ou à Nogent-sur-Marne, dont l'essor est directement lié à l'édification du viaduc ferroviaire sur la Marne, en 1854. Ainsi à Verneuil, longtemps en conflit avec Triel pour savoir sur laquelle des deux communes devait être située la gare.

La construction des voies ferrées n'est pas sans conséquence sur l'organisation du tissu urbain. En coupant certaines villes, celles-ci en font naître d'autres. Alfortville naît d'un démembrement de Maisons-Alfort comme le Perreux, d'un démembrement de Nogent-sur-Marne.

Si la banlieue évolue, la capitale bouge aussi. Elle se trouve, peu à peu, entièrement lotie. Elle éclate littéralement à l'intérieur de ses remparts. A partir de 1830-1840, l'enceinte des Fermiers généraux, « ce mur murant Paris » depuis le règne de Louis XVI, et dont on retrouve les ultimes vestiges à Denfert-Rochereau, à la Nation et avec le beau pavillon de la Rotonde, place Stalingrad, cette enceinte due au talent de Ledoux bloque son expansion. Thiers, alors ministre de Louis-Philippe, ordonne l'édification d'une nouvelle muraille qui incorpore ou divise des communes jusqu'alors autonomes, comme Belleville, La Villette, Montrouge ou Auteuil. Cet immense chantier, avec ses 34 kilomètres de fortifications, ses 94 bastions, ses 16 forts, constitue un formidable pôle d'activité, encourageant l'immigration.

En 1859, les nouveaux terrains englobés dans ce périmètre – plus de cinq milles hectares – sont annexés à la ville de Paris. Les noms des anciens faubourgs deviennent ceux des nouveaux quartiers, du XIᵉ au XXᵉ arrondissement. Un no man's land de plusieurs centaines de mètres double l'enceinte de Thiers. La loi militaire y prohibe toute construction en dur, mais les baraquements de bois et de tôle y profilèrent rapidement. Ainsi, naît la « zone », repaire de marginaux et de miséreux. Les chiffonniers y élisent domicile, suscitant de nombreux « marchés aux puces ». Trois d'entre eux demeurent aujourd'hui, aux portes de Clignancourt, de Montreuil et de Vanves.

Le nombre des ouvriers parisiens – 300 000 en 1836 – double en 1870. Les industries passent les fortifications. Entre 1849 et 1859, quatre établissements importants sont transférés de Paris à Saint-Denis, deux à Pantin, deux à Montreuil. La banlieue se métamorphose. Les guinguettes ferment leurs volets. Les arbres fruitiers cèdent la place aux « piquants », ces hautes cheminées de briques qui seront bientôt plus d'un millier sur le territoire de l'actuelle Seine-Saint-Denis. En 1872, on dénombre 11 538 entreprises dans le département de la Seine, hors Paris ; cent mille ouvriers y travaillent.

C'est vrai qu'elles ont été précédées par quelques établissements qui s'y sont installés avant la Révolution. Dans les années 1780, une usine de soude et un laminoir de plomb ont ouvert leurs portes à Saint-Denis. Savonneries, tanneries ou parfumeries y retraitaient les déchets de la grande ville : les chiffons, la ferraille, les graisses et les os des abattoirs de La Villette et de Vaugirard.

Pour répondre aux nécessités de la construction, les carrières de calcaire situées dans l'actuel XIVᵉ arrondissement se déplacent vers le sud, d'abord à Montrouge, Gentilly et Bicêtre, puis à Châtillon où subsiste un des derniers puits d'extraction, à

Clamart, et au-delà. Parias de la classe ouvrière, les plâtriers ont mauvaise réputation. Originaires d'on ne sait où, vêtus de haillons, ils dorment à même la cendre des fours. Soupçonneux, les Parisiens les surnomment « malfrancs » ou « malfrats ». Briqueteries, faïenceries, verreries, poteries satisfont surtout les besoins parisiens. Sur les terres agricoles se multiplient sucreries, distilleries et conserveries.

Cette répartition des activités évolue très vite après 1855. Tandis que le baron Haussmann fait du Paris du Second Empire la ville-lumière de la bourgeoisie, la « canaille » est rejetée à la périphérie. Dans le même temps, nombre d'usines, de plus en plus à l'étroit dans la capitale décident de « s'expatrier ». Ainsi, dans les années 1860, sur 115 entreprises nouvelles de banlieue, 49 viennent de Paris.

Les patrons bénéficient d'avantages en matière de salaires et de conditions de travail. Le propriétaire des filatures Soyez-Bouillard, installées à Saint-Denis dès 1840, se félicite d' « une main-d'œuvre abondante, laborieuse, disciplinée », et de ce que « les salaires payés sont inférieurs à ceux de Paris ». La durée de travail y est plus longue. L'emploi des femmes plus fréquent. Celui des enfants est également plus facile : ils sont, en 1841, 123 sur les 456 ouvriers de la faïencerie-porcelainerie de Montereau ; 75 sur les 300 ouvriers de la fabrique de toiles peintes de Claye. Les ateliers de confection et de lingerie parisiens distribuent du travail à domicile, médiocrement rétribué.

Ainsi, la banlieue apparaît-elle, aux yeux de beaucoup, comme un véritable bagne, une « cayenne » où l'on ne va s'embaucher que lorsque « le travail ne marche pas à Paris ». Au cours de l'hiver 1875, la raffinerie de Saint-Ouen, où le travail est insalubre et sous-payé, n'accueille de nombreux ouvriers de La Villette que parce que ceux-ci sont victimes d'une période de chômage. Quant aux ébénistes du faubourg Saint-Antoine, ils surnomment les ateliers de Montreuil « Nouméa », « parce que là-bas, il faut mouiller sa chemise pour gagner son avoine ».

Petit à petit, la population de la capitale diminue au profit de sa périphérie. Même lorsqu'il continue de travailler dans un atelier parisien, l'ouvrier se résout le plus souvent à loger sa famille dans la couronne, où les loyers sont moins élevés. Telle est la triste alternative que présente un délégué ouvrier à l'Exposition de 1867 : « Vivre dans une seule pièce de dix pieds carrés, sous les combles, ou aller demeurer en dehors des fortifications et faire, pour nous rendre à notre travail, trois ou quatre lieues par jour. » En 1890, un ferblantier de la rue de la Roquette décide de transporter ses pénates à Alfortville : « C'est de la question des loyers que ces messieurs devraient bien s'occuper et c'est la cherté qui m'a fait déménager si loin. » Quant à la vedette d'une opérette de 1886 intitulée *Au Caboulot*, il chante :

« *Depuis que Paris de sa ville*
Fait une Rome sans héros
Ainsi qu'une lèpre civile
On nous pourchasse extra-muros. »

La partie suburbaine de la Seine, qui représentait 13,2 % de sa population, en 1861, en représente 22 % trente ans plus tard. Ceux qui ont le « privilège » de résider dans l'un des vingt arrondissements méprisent ouvertement la banlieue qu'ils ne connaissent guère. Le terme de « banlieusard » apparaît, avec une connotation nettement péjorative, dans les années 1880, à l'occasion de débats houleux au Conseil de la Seine. Dans sa pièce, *Le Pain quotidien*, Henry Poulaille fait dire à l'un de ses personnages : « Par-delà les barrières, j'sais pas c'qu'i a. Vous m'diriez qu'i a la montagne ou la mer à Nanterre qu'j'vous dirais ni oui ni non ! »

A Saint-Denis, s'ouvrent, entre 1860 et 1870, sept usines chimiques, six unités métallurgiques, deux verreries, la fabrique de pianos Pleyel. La commune offre de nombreux avantages. Elle est située au confluent de la Seine et du canal. Les lignes de la compagnie du Nord y acheminent directement les minerais d'Angleterre, de Belgique et de Flandre. La place ne manque pas dans cette vaste plaine propice à toutes les ambitions. D'importantes nappes phréatiques permettent un approvisionnement gratuit en eau, par forages directs. On bénéficie de cette même facilité à Boulogne, à Issy, où s'installent des laveries et teintureries industrielles.

Ivry ne tarde pas à devenir le pendant méridional de Saint-Denis. L'ancienne villégiature sylvestre de l'aristocratie profite également de la proximité de la Seine, dont les quais ne seront toutefois aménagés qu'en 1899, et de l'ouverture de la ligne de chemin de fer d'Orléans, en 1843. Ce « Saint-Denis de la rive gauche » marque une prédilection pour la chimie et la pharmacie, la construction et les industries alimentaires.

*
* *

En deçà de la grande campagne de Seine-et-Marne et de Seine-et-Oise, une « ceinture verte » double la « ceinture rouge ». Espace rêvé d'une « anti-ville » aux relents rousseauistes, cette seconde banlieue, facile d'accès par le chemin de fer, préservée des mirages de la capitale et des miasmes de la zone industrielle, séduit une large fraction de la petite et moyenne bourgeoisie qui y fait construire de nombreuses et spacieuses résidences. Au tournant du siècle, des familles plus modestes les imitent. Aux « folies » du règne de Louis XVI, succèdent les « maisons de campagne ». En 1860, Alphonse Daudet, se rendant à Champrosay, prophétise : « Grâce à la facilité des chemins de fer, toute personne qui se respecte n'aura à Paris qu'un pied-à-terre et un palais à la campagne. » Émergent alors des communes résidentielles, souvent issues des parcs d'anciens domaines de l'aristocratie, vendus à la Révolution comme biens nationaux. Ainsi, le château de Maisons, œuvre de Mansart, a été acheté par un entrepreneur de transports militaires, avant d'échoir au maréchal Lannes. En 1818, sa veuve le vend au banquier Laffitte. Celui-ci procède au lotissement de cinq cents hectares qui deviennent la commune de Maisons-Laffitte. Le Vésinet, bénéficiant de la première ligne de chemin de fer reliant Paris à Saint-Germain-en-Laye, attire également l'attention des spéculateurs. A partir de 1858, une compagnie financière procède à la construction de belles villas dans le cadre préservé du bois qui avait su charmer Louis XIV.

La « Ligne de Sceaux » fait découvrir aux universitaires du quartier latin les charmes de la banlieue sud-ouest, le silence et le recul nécessaires aux réflexions du « désert de Bièvres », cher à Georges Duhamel qui y situe une de ses intrigues.

Aux abords mêmes de la capitale, subsistent quelques rares îlots, relativement protégés, véritables « réserves » d'oxygène entre les cheminées et les voies ferrées. Ainsi, le coquet Pré-Saint-Gervais, commune la plus exiguë de l'Ile-de-France, qui saura conserver jusqu'à nous un peu de son atmosphère. Ainsi, Les Lilas, dont l' « indépendance » ne remonte qu'à 1867 ; née autour d'un lotissement, dans le bois de Romainville, cette cité au nom fleuri a failli s'appeler « Napoléon-le-Bois », selon les vœux de ses habitants. L'Empereur eut la sagesse de décliner une telle flagornerie ! Au Raincy, qui obtient son affran-chissement de Livry, le 1er janvier 1870, on construit un ensemble de pavillons sur les pelouses des parcs de la famille d'Orléans. Les rues et avenues reprennent le tracé des allées de Mansart et de Le Nôtre, tandis que l'église paroissiale prend la place d'une ancienne grange dépendant du château.

Les localités les mieux situées s'attachent une population de rentiers et de petits propriétaires. Tel est le cas des communes de l'ouest, Chatou, par exemple, dont le parc est loti à partir de 1862, ou de celles qui bordent le bois de Vincennes. Une mono-graphie consacrée à Nogent-sur-Marne, décrit l'état d'esprit local à cette époque : « Comme Saint-Mandé et Fontenay-sous-Bois et, d'une manière générale, comme la plupart des communes limitrophes du bois de Vincennes, Nogent-sur-Marne ne présente, au point de vue industriel et commercial, qu'une faible importance. Établie sur les bords de la Marne, dans un des sites les plus pittoresques de la banlieue parisienne, elle offre une retraite paisible et saine aux personnes désireuses de repos, plutôt qu'une carrière aux grandes exploitations industrielles. »

Une politique de lotissements bourgeois est délibérément sui-vie par certains édiles municipaux, farouchement déterminés à empêcher toute implantation manufacturière. A Saint-Maur, cinq grands propriétaires, qui contrôlent le territoire communal, décident de « réserver leur domaine à des constructions de vil-las et chalets de plaisance ». A Maisons-Alfort, l'ancien parc de

Charentonneau cède la place à un ensemble pavillonnaire. Le château du Perreux est bourgeoisement loti, dès le Second Empire ; la famille Beaufranchet, propriétaire de l'ancienne seigneurie, décide d'y créer un quartier de résidences secondaires ayant vocation à être le « petit Paris des travailleurs de la capitale » ; le succès est tel que le hameau du Perreux obtient, de haute lutte, son « autonomie », le 28 février 1887, en devenant une nouvelle commune dont Henri Navarre est le premier maire. Moi qui fus le dixième, quatre-vingts ans plus tard, je sais que s'il est une avenue qu'il ne faut surtout pas débaptiser, c'est l'avenue de la Liberté.

A la fin du XIXe siècle, le territoire de Villemonble est « presque entièrement occupé par des jardins de plaisance » des Parisiens. En 1903, le *Petit Parisien* offre, par concours, un pavillon à « Franceville », un lotissement de Montfermeil. La question est ardue puisqu'il faut trouver le nombre de grains de blé contenus dans une bouteille de 37 centimètres de haut et de 12 centimètres de diamètre. La réponse exacte est 39 588 grains, pour un poids de 1,9043 kilo.

Le souhait d'acquérir une « maison » en grande banlieue motive de plus en plus les budgets modestes. Un manœuvre, fabricant de caisses, justifie la revendication des huit heures par le fait qu'elles « donneraient la satisfaction à l'ouvrier d'aller demeurer à la campagne, aux environs de Paris, au lieu d'être enfermé dans la capitale, et surtout pour les enfants qui ont besoin d'air et pour lesquels la nourriture est plus saine qu'à Paris ».

Les employés des sociétés de chemin de fer sont tout naturellement parmi les premiers à peupler ces quartiers nouveaux, bâtis à proximité des lignes. Ainsi, en 1894, la compagnie Paris-Orléans fonde-t-elle la Société Anonyme du cottage d'Athis pour loger, à bon marché, ses cheminots, dans un souci très paternaliste. Il en est de même à Juvisy ou à Brétigny-sur-Orge. L'augmentation du nombre des stations et des rames, la création de lignes directes et de cartes hebdomadaires à quart de prix favorisent l'extension de la banlieue selon un schéma dit « en doigts de gant », le long des emprises ferroviaires.

En 1840, une *Histoire des Environs de Paris* décrit les charmes du village de Pantin, « joli bourg situé près du canal de l'Ourcq, entouré de maisons de campagne et par de beaux jardins, à la proximité du bois de Romainville et du Pré-Saint-Gervais ». Quarante ans plus tard, un certain Barron brosse le même paysage, totalement transformé : « Agglomération de bâtiments de fermes décrépis, d'usines puantes, de villas surannées, jadis bâties en pleine campagne, maintenant serrées entre des murs et des maisons de rapport hideuses. Une atmosphère lourde, chargée des exhalaisons chaudes des abattoirs, des marchés aux bêtes, des charniers d'équarrissage, l'enveloppe ; un ciel bas, plombé, pèse sur lui, l'assombrit, même au vif de l'été, sous le soleil de juillet. Les fabriques de vernis, de noir animal, de caoutchouc, de bonbons, de wagons, de cristaux, de bâches, de parfumerie, se détachent, emploient tout un monde d'hommes et de femmes, misérables, dont le labeur crée la richesse. »

Mais qui sont-ils donc, ces êtres gris qui semblent sortis d'un roman de George Orwell ? D'où viennent ces banlieusards soumis à une telle existence ? Il s'agit, le plus souvent, de personnes déracinées, de ruraux transplantés, attirés par les lumières de la grande cité et la perspective, souvent déçue, d'un salaire confortable. S'y mêlent une poignée d'êtres particulièrement doués, tels le Rastignac de Balzac ou le Bel-Ami de Maupassant, venus déployer dans la capitale leur talent et leur ambition.

Un recensement de 1891 indique que, pour l'ensemble de la Seine-banlieue, 45 % des habitants sont originaires du département. Environ 20 % seulement ont vu le jour dans leur commune de résidence. Au début du XXe siècle, un dépouillement des actes de mariage de Nanterre indique que deux conjoints sur trois sont d'origine rurale.

Les bourgs et les campagnes de l'Ile-de-France « lointaine » servent parfois de relais à une immigration provinciale qui vient renforcer les rangs des Parisiens et des banlieusards. Les départements du Nord, de la Picardie et d'Alsace-Lorraine, après l'annexion de 1870, devancent les Bourguignons et les Bretons des Côtes-du-Nord. Des liens s'établissent entre ces nouveaux

Franciliens et leurs communes d'installation. Ainsi, retrouve-t-on la plupart des natifs du Maine dans la banlieue ouest, tandis que les Picards se concentrent tout naturellement au terminus des lignes de chemin de fer du Nord, à Saint-Denis en particulier.

Les « immigrés » du Massif Central se dispersent dans toute la région en marquant un faible pour Paris où beaucoup d'Auvergnats se font « bougnats ». Les Alsaciens-Lorrains, chassés de leurs terres par l'invasion prussienne, se rassemblent dans les cités ouvrières du nord et de l'est, ainsi qu'à Ivry. De nombreux Bretons des Côtes-du-Nord, main-d'œuvre rurale peu qualifiée, vouée aux tâches les plus rudes, refont souche à Saint-Denis. Quant aux banlieues bourgeoises du sud et de l'ouest, elles accueillent des Méridionaux de conditions plus élevées, fonctionnaires, employés, rentiers, ou parfois domestiques.

Les étrangers ne représentent, en 1891, qu'un peu plus de 5 % de la population banlieusarde. Alors que les quartiers bourgeois du XVIe arrondissement, de Neuilly, sont privilégiés par des Anglais, des Allemands ou des Suisses, les communes populaires de banlieue voient s'intégrer des émigrés d'origine plus modeste, en particulier des Belges, à Saint-Denis notamment, et des Italiens, qui fournissent maçons et terrassiers. Des communautés religieuses qui recrutent hors de nos frontières renforcent les colonies étrangères à Chevilly-la-Rue ou à Orly. Hormis quelques Américains, les apports extra-européens sont rarissimes. Ainsi, en 1891, on ne compte, à Boulogne, que deux Chinois, à Aubervilliers, un Turc, et à Pantin, un Africain !

CHAPITRE XV

LE PLUS FRANCILIEN DES CONFLITS MODERNES

Voici juste cinq quarts de siècles, notre région a vécu de durs combats. Elle a connu la résistance au jour le jour, l'héroïsme au quotidien, dans le plus francilien des conflits modernes.

Les opérations commencent le 2 août 1870. Face aux 500 000 Prussiens, les Français opposent 265 000 hommes. Le 4 août, l'ennemi prend l'offensive. Il nous contraint à reculer à Wissembourg. La bataille décisive se joue à Froeschwiller, le 6. En dépit des charges des cavaliers et d'un esprit de sacrifice exemplaire des combattants, Mac-Mahon doit reculer, laissant 10 000 hommes sur le terrain. L'abnégation, le courage ne peuvent rien contre le feu. Désorganisée, l'armée se retire. L'Alsace est perdue.

Napoléon III remet le commandement de l'armée du Rhin au maréchal Bazaine en lui ordonnant de se replier sur Châlons, mais Bazaine ramène l'armée à Metz et s'y laisse bloquer. L'Empereur capitule, le 27 octobre, en livrant 173 000 hommes, 1 400 canons et 53 drapeaux avant d'être fait prisonnier. Sedan sonne le glas de cette guerre qui va, désormais, se jouer en Ile-de-France, et un peu dans l'Orléanais, avec l'Armée de la Loire.

L'annonce des premiers échecs suscite à Paris un sentiment d'excitation. Le ministère Ollivier décrète l'état de siège. La foule, qui ne perd pas espoir de renverser la situation, envahit les boulevards. Les forces de l'ordre doivent intervenir. Place Vendôme, la police charge.

Lorsque la nouvelle de la double défaite de Froeschwiller-Forbach est connue, l'exaspération et la colère sont à leur comble. En cours de soirée, le climat se dégrade. La foule grossit. Des bandes se forment. Ici et là, on crie : « Des armes ! » Les propos séditieux se multiplient. Ces démonstrations anti-gouvernementales se poursuivent les jours suivants. Les révolutionnaires s'agitent.

Le 8 août, la presse républicaine insiste sur la nécessité de renouer avec les méthodes de la première révolution. « La patrie est en danger. » *Le Siècle* écrit : « À l'heure où nous sommes, quand ceux qui se sont arrogé le droit de nous guider nous perdent, il faut que chacun fasse son devoir. » En l'absence d'informations officielles, la foule, répandue sur les boulevards, commente les rumeurs et les nouvelles plus ou moins fondées que la presse lui jette en pâture. Le 9 août, elle envahit les jardins du Corps législatif. Elle ne se disperse qu'après l'intervention des forces de l'ordre.

Le calme revient dans la capitale jusqu'au 3 septembre, date à laquelle la capitulation de Sedan est connue. Le dimanche 4, le Corps législatif est envahi par une foule hurlant *La Marseillaise* et brandissant des armes. Ces hommes se précipitent dans l'enceinte du Parlement et réclament la déchéance de l'Empereur, proposée par Jules Favre. Celle-ci est vite proclamée en même temps que l'avènement de la République.

Le *Journal officiel* notifie la formation du nouveau gouvernement : « Un gouvernement de Défense nationale composé de onze membres, tous députés de Paris, a été constitué et ratifié par l'acclamation populaire. Les noms sont : Arago, Crémieux, Jules Favre, Jules Ferry, Gambetta, Garnier-Pagès, Glais-Bizoin, Pelletan, Picard, Rochefort, Jules Simon. Le général

Trochu, investi des pleins pouvoirs militaires pour la défense nationale, a été appelé à la présidence du gouvernement. »

La France, traumatisée par la défaite, accueille la proclamation sans protestation. Au contraire, à Paris, la foule est joyeuse. Elle en oublie les défaites de la veille. En soirée, des arbres de la liberté sont plantés et les bouquetières ne vendent que des œillets rouges.

L'encerclement et la défaite des armées du Nord-Est permettent à l'ennemi de marcher sur la capitale. Deux millions de personnes y sont bloquées. En effet, si nombre de femmes, d'enfants et de personnes âgées sont partis vers la province, s'y pressent les réfugiés de l'Est, les soldats des régiments de ligne, les marins et les gardes mobiles de province. La situation de siège, qui se renforce chaque jour un peu plus, oblige les autorités à prendre les mesures nécessaires pour organiser la vie quotidienne.

Au mois d'août, les premières mesures d'approvisionnement ont été prises. Le gouvernement républicain de septembre accentue l'effort de stockage. Une « administration de la survie » se met en place dans les arrondissements. Au début du siège, les réserves représentent environ trois mois de nourriture. « Un décret du gouvernement avait enjoint aux habitants des communes suburbaines d'avoir à rentrer dans la ville avec leurs grains et leurs bestiaux », note Lucien Louis Lande dans ses *Souvenirs d'un soldat*.

Les provisions sont mises à l'abri dans des bâtiments libres. Aux Halles, se dressent des piles géantes de sacs de farine, des tonneaux de viandes fumées, des meules de fromage, des pyramides de boîtes de conserve et des montagnes de légumes secs. Les municipalités installent des cantines et débitent jusqu'à deux cent mille rations par jour. Des comités « d'assistance patriotique » sont constitués pour s'assurer de l'état des vivres de secours.

Une gestion dirigiste du ravitaillement s'impose rapidement. Dès la mi-octobre, la taxation de la viande est instaurée et la liberté de vente supprimée. On ne parle toutefois pas encore de rationnement. La viande est répartie par le ministère du

Commerce entre les mairies. Elle est ensuite distribuée de manière égale entre les bouchers, obligés de se syndiquer. En même temps, dans chaque arrondissement, est installée une boucherie municipale chargée de prendre en compte les besoins particuliers : ambulances privées, suppléments pour les malades, erreurs de distribution, habitants en cours de déménagement.

Le rationnement est imposé fin octobre, avec cinquante grammes de viande par jour et par personne, puis, trente, tandis qu'une clientèle fixe est attribuée à chaque boucherie. Rapidement, le bœuf et le mouton font défaut. Ils sont remplacés par le cheval. Edmond de Goncourt, qui vit à Auteuil, infatigable piéton et grand observateur de la rue, précise que « la viande de cheval se glisse sournoisement dans l'alimentation parisienne », tandis que Victor Hugo, dans *L'Année terrible*, note : « Nous mangeons du cheval sous toutes ses formes. J'ai vu à la devanture d'un charcutier cette annonce : saucisson chevaleresque. » On va jusqu'à manger du chien, du chat, du rat, et même, luxe suprême, des brochettes de moineau, mais moins qu'on ne l'a prétendu.

Quelques écriteaux ajoutent à l'insolite : 105 francs le kilo d'éléphant, 50 francs le paon, 3 francs le corbeau. Edmond de Goncourt, passant chez Roos, boucher anglais du boulevard Haussmann, remarque qu' « il y a au mur, accrochée à une place d'honneur, la trompe écorchée du jeune Pollux, l'éléphant du jardin d'Acclimatation ; au milieu de viandes sans nom, et de cornes exotiques, un garçon offre des rognons de chameau ».

Le rationnement du pain ne commence que le 19 janvier 1871, quelques jours avant l'armistice, signé le 28 : 300 g par jour et par personne et 150 g pour les enfants de moins de cinq ans. Mais quel pain ! Un pain noirâtre, comportant autant d'avoine que de blé.

En revanche, les légumes demeurent longtemps disponibles. Les « razzias » effectuées au-delà des « fortifs », dans les champs, sont courantes. Jusqu'à la fin novembre, des « maraudeurs » sortent, par milliers, pour se ravitailler en prenant des risques considérables. Les hommes rapportent des choux dans leurs blouses et les femmes chargent de pommes leurs jupons. Les occupants des forts, « fusil en bandoulière, pelle et pioche à la main, partent chercher, sous le feu des Prussiens, la récolte que les paysans n'avaient pas eu le temps de rentrer, car la question des vivres commençait à préoccuper les esprits », note Lucien Louis Lande.

La hausse des prix est impressionnante. Ceux de certains produits sont multipliés par cinq, voire par dix. Des commerçants, qui ont fait des provisions, préfèrent retirer leurs produits de la vente pour spéculer à la hausse.

La dégradation de la situation est progressive. Celle-ci ne devient réellement problématique qu'à la fin du siège, surtout pour les plus démunis. En revanche, plusieurs grands restaurants continuent de faire des miracles, comme en témoigne le menu du Café Tartani, du 20 décembre 1870 : *Entrées : tête de veau sauce verte, tortue à l'huile. Viandes : filet de bœuf sauce poivrade. Légumes : pommes sautées, cèpes bordelais, salades de légumes. Sorbets : rhum et kirsch. Entremets : soufflés de nonnes, beignets de pommes. Desserts : pommes, poires, biscuits, mendiants, fromage. Vins, cafés, liqueurs.*

Aux privations s'ajoute un froid tenace. Après une belle arrière-saison, le 24 octobre, les journaux signalent une magnifique aurore boréale – « le ciel est couleur sang » –, le froid est très vif, de novembre à janvier. Le thermomètre oscille entre – 5° et – 10°. En décembre, il descend jusqu'à – 17°. La Seine reste gelée pendant trois semaines.

Le manque de combustible génère de sérieuses difficultés dans les quartiers populaires. Aussi, le gouvernement prend-il des mesures : il fait abattre des arbres dans les bois de la capitale, et même sur les Champs-Élysées. C'est toutefois insuffisant. Des pillards démolissent les clôtures, dévastent les chantiers et revendent le bois volé. Au froid, au manque de gaz et de charbon, s'ajoute la saleté. Les ordures ne sont plus ramassées.

Les Parisiens supportent d'autant plus mal l'interruption des communications avec l'extérieur que de nombreuses familles sont séparées. L'absence de nouvelles des parents et amis, surtout s'ils sont dans les armées de province, est cruellement ressentie. Certes, il est toujours possible de confier ses lettres aux différents moyens de fortune-ballons, bouées dans la Seine, pigeons – mais il est rare d'obtenir des réponses. La plupart des lettres ne parviennent pas à leurs destinataires, en dépit des prouesses de ceux qui s'attachent à rompre l'encerclement.

Un service des ballons est organisé. Le premier – le *Neptune* – s'envole le 23 septembre, avec 125 kilos de dépêches. C'est l'invention de la première poste aérienne du monde. La foule se presse pour assister à l'événement. Pendant la durée du siège, soixante-cinq ballons s'envoleront de France. Cinq seront capturés par les Allemands qui ont inventé un canon spécial pour les atteindre, avec des obus ayant une portée de huit cents à mille mètres. Deux s'abîmeront en mer. Ils auront transporté cent soixante-quatre personnes, dont plusieurs personnalités, à commencer par Gambetta.

Les ballons prennent également en charge des pigeons voyageurs. A ceux-ci sont confiées des dépêches photographiées en pellicules microscopiques. Celles-ci sont placées dans un tube de plumes fixé par des fils de soie à l'une des maîtresses plumes de la queue du pigeon. Sur 363 pigeons, 302 arriveront à bon port. 59 seulement retrouveront leur colombier. Le froid, la neige, le gel contrarient les repères des oiseaux.

Les journaux – une cinquantaine de quotidiens – paraissent toujours, sans censure, mais leur lecture ne présente guère d'intérêt. Les informations ne circulant pas, la presse ne publie que les rapports militaires quotidiens ou les dépêches officielles. Pour le reste, il faut se contenter des rumeurs.

Mais Paris reste Paris. On entend conserver le moral. Les Parisiens cherchent à oublier la précarité de la situation. Ils font comme si... En septembre, les rues demeurent animées, même le soir. Voitures et piétons circulent normalement. Les boutiques et restaurants sont ouverts. Ce n'est qu'à la suite de réclamations moralisatrices que le préfet ordonne la fermeture des cafés, tôt le soir. Jusqu'à l'heure autorisée, les habitués jouent aux cartes ou aux dominos. Par souci d'économie, les lanternes ne sont plus mises en service par les allumeurs de réverbères. Les 23 525 becs de gaz ne diffusent qu'une faible lumière. A partir du 17 novembre, ils sont éteints dès 19 heures !

L'animation nocturne décline peu à peu. Les Parisiens se replient sur quelques distractions adaptées aux circonstances. Les enfants miment la guerre, tout en éprouvant des difficultés à trouver des volontaires pour jouer le rôle des Prussiens.

Le bataillon des artistes émeut la capitale avec sa colossale statue de neige intitulée *La Résistance*, sculptée par Falguière et Moulins. Les jours de congé, la population fréquente les remparts. Avec des longues-vues, on se donne le frisson en distinguant « les casques pointus de nos ennemis ». Quelques activités de plein air subsistent : les promenades en « mouches », sur la Seine ou la tournée des bouquinistes. Les spectacles de rue se multiplient : musiciens, diseurs de bonne aventure, magiciens, chiens savants, saltimbanques... Tout est bon pour récolter un peu d'argent.

Dans la bourgeoisie, on se reçoit. Certains lieux mondains poursuivent leurs activités. *Le Figaro* du 23 janvier 1871 précise que « le vice-amiral baron de La Roncière Le Noury, qui commande les marins à Paris, et le colonel de Vigneral sont reçus avec acclamations au Jockey-club ».

Dans le même temps, la capitale s'organise pour résister au siège. Elle se transforme en camp retranché. Les rues, les jardins municipaux, les bords de Seine sont envahis de soldats et de chevaux. Le préfet de police, Kératry, prescrit la fermeture des théâtres ; la plupart seront transformés en hôpitaux, clubs ou ateliers.

Le système de défense est double. Il repose d'abord sur les fortifications – les « fortifs » de Thiers – qui ont remplacé le mur des fermiers généraux et qui constituent une vaste enceinte de trente-quatre kilomètres avec ses bastions, ses glacis, son fossé, ses remparts. Un peu plus à l'extérieur, la ligne des seize forts, réalisée par le général Seré de Rivière, forme un « cercle de fer de 160 km de circonférence ».

Au début du siège, plus de 400 000 hommes sont concentrés dans la capitale que tous ont demandé à défendre. En plus de l'artillerie de terre, des compagnies de dépôt des régiments de ligne, des mobiles, on y trouve des troupes de marine. Environ 14 000 marins, commandés par l'amiral de La Roncière, sont répartis entre les forts. « Leurs officiers leur avaient enseigné de considérer un fort comme un vaisseau. Ils font ainsi partie de l'équipage du fort ; pour sortir, ils demandent la permission d'aller à terre ; pendant les combats, ils ne se précipitent pas aux parapets ou aux embrasures mais aux bastingages et aux sabords. » Pour compléter le dispositif, une flottille, composée de navires de divers modèles, est chargée d'opérer sur la Seine.

Les ressources en habillement, en équipements, en moyens de couchage sont presque nulles. Le gouvernement fait un effort considérable d'armement, mais le ravitaillement demeure difficile. Il faut acheter des armes partout. En trois mois, on récupère 1 200 000 fusils de types variés, ce qui complique le ravitaillement en cartouches. Malgré tout, le moral ne faiblit pas.

Dès le 6 septembre, l'ennemi resserre son étau. Le général Trochu, gouverneur de la ville, exhorte les Parisiens : « L'ennemi est en marche sur Paris. La défense de la capitale est assurée. Chaque citoyen s'inspirera des grands devoirs que la Patrie lui impose. Le gouvernement de défense nationale compte sur le courage et le patriotisme de tous. »

On signale des uhlans partout. Le 14 septembre, commence le service aux remparts. Chaque bastion est défendu par environ deux cents hommes. Il n'y a ni tentes, ni baraques pour les loger et entreposer le matériel. Des maisons, des caves, des charrettes sont réquisitionnées en toute hâte.

Le 15 septembre, le gouverneur télégraphie à tous les forts que « l'ennemi est en vue ». Il a atteint Meaux. Moltke est aux portes avec ses Prussiens. Les corps saxons, wurtembourgeois et bavarois sont forts de plus de cent soixante mille fantassins, treize mille cavaliers et six cent soixante-douze canons de campagne. Les premiers bataillons prussiens défilent à Pontoise, le 17 ; à Poissy, le 18. Les batteries allemandes sont installées sur les hauteurs : au nord, dans la région de Pierrefitte ; au sud, sur le plateau de Châtillon enlevé le 19 septembre, et près de Ville-juif. Le quartier général prussien s'est fixé à Versailles dès le

19 septembre. Choisie par Bismarck pour son prestige, la cité royale est un symbole. C'est la ville de Louis XIV, ce roi de France qui a pris Strasbourg à l'Allemagne et ravagé le Palatinat.

Les Prussiens organisent le siège avec méthode. Les avant-postes, qui forment une chaîne continue, interdisent toute liaison entre le camp retranché et l'extérieur. La première ligne, faite de tranchées et d'abattis, expose les habitants des villes et villages de la banlieue. L'ennemi investit rues, habitations et jardins. L'occupation se fait durement sentir. Des allées nouvelles sont ouvertes à la hache dans les parcs. Les maisons gênantes sont brûlées ; vingt-deux subiront ce sort, à Rueil. Les clochers des églises sont rasés pour y installer des observatoires. Contre les occupants que l'on accuse de piller, de tuer les enfants, se développe un climat de haine.

De nombreux banlieusards ont fui leurs « chez-eux ». Ceux qui restent doivent non seulement loger les soldats ennemis, mais aussi les nourrir. Les Prussiens exercent une surveillance continue. Pour aller aux champs, il faut être muni d'un laissez-passer. Tout contrevenant est susceptible d'être mis à mort. Il est également interdit de sonner les cloches afin d'éviter toute communication avec la ville assiégée. Dans certains villages, l'ennemi va jusqu'à détraquer l'horloge. Dans la majorité des localités, les habitants doivent être munis d'un permis de séjour. On procède à l'appel tous les matins.

Ces précautions sont bientôt jugées insuffisantes par les Prussiens qui expulsent en masse la population des villages vers des villes plus importantes. Ainsi, Versailles accueille Bougival, Garches, Meudon, Saint-Cloud. Certains cantons, plus éloignés des opérations militaires, sont épargnés, mais ceux situés sur des routes stratégiques se voient imposer les passages continuels des convois de troupes. Un soir, Houdan, qui ne compte que 2 000 habitants, doit héberger plus de 50 000 soldats !

Le 19 septembre, Jules Favre, ministre des Affaires étrangères, tente une ultime démarche auprès de Bismarck.

L'entrevue se solde par un échec. Les exigences – abandon de l'Alsace et d'une partie de la Lorraine, occupation immédiate du Mont Valérien – sont jugées inacceptables. Le gouvernement de la Défense nationale décide de poursuivre la guerre. Paris est coupé du monde ; l'Ile-de-France, occupée comme aucune autre région ne le sera au cours de ce conflit.

Tout le mois d'octobre se passe en guet, tirs de batterie, contre-batteries, patrouilles, embuscades, avantages passagers de nos troupes, comme le 13, à Bagneux, que les Français ne parviennent pas à tenir. Le froid est de plus en plus vif. La capitale poursuit ses travaux de défense au son du canon. Les combats, que les peintres Édouard Detaille, Alphonse de Neuville et Henri Regnault immortaliseront, s'intensifient.

Le 21 octobre, une sortie de dix mille hommes est tentée en direction de La Malmaison pour tester l'ennemi et apprécier ses capacités de réaction. Le combat s'engage à 13 h 30. Un bataillon de zouaves emporte à la baïonnette le château et le parc avant de grimper à l'assaut des hauteurs de La Jonchère, à travers les haies et les vignes. Les Allemands, abrités derriè e la crête, font pleuvoir sur eux une telle pluie d'obus et de mitraille que la colonne est forcée de s'arrêter, la moitié des soldats étant hors de combat. A cours de munitions, les Français se retirent.

Le 27, sur la place du Panthéon, des volontaires s'enrôlent dans le corps des gardes nationaux tandis qu'une souscription est ouverte pour acquérir et fabriquer des canons. Les communes de proche banlieue offrent leurs cloches à fondre, les femmes leurs bijoux, les militaires, leurs croix.

Le 28, le commandant des francs-tireurs s'empare du Bourget, faiblement gardé par les Allemands qui se retirent sur Pont-Iblon. Dans la soirée, ceux-ci tentent un retour offensif, mais échouent. Le village est mis en état de défense par les soldats français. Des barricades sont élevées. Les murs sont crénelés. Le général de Bellemare, commandant le secteur nord, renforce sa garnison en plaçant deux compagnies à Drancy pour protéger la droite et deux autres à La Courneuve pour protéger la gauche du Bourget.

Le 30, dès 8 heures, l'artillerie ennemie ouvre le feu. Trois colonnes engagent une marche d'encerclement sur le village pour l'attaquer par le nord, l'est et l'ouest. 1 600 Français font face à 15 000 Allemands. Le réduit est assailli de toutes parts. Le commandant Baroche, qui dirige le combat avec vigueur, en dépit de pertes de plus en plus lourdes, tombe, frappé d'une balle en plein cœur, alors qu'il se rend de maison en maison pour exhorter ses hommes à combattre jusqu'à la mort. Malgré la perte de leur chef, les soldats résistent et ne cèdent qu'à la dernière extrémité. Certains, réfugiés dans l'église, refusent de se rendre. L'ennemi pénètre alors par les fenêtres défoncées. Une lutte sans merci s'engage. Abrités derrière l'autel, derrière les bancs et les confessionnaux, les vaillants défenseurs se battent jusqu'à ce que leurs munitions soient épuisées. Ce fait d'armes est d'un fabuleux héroïsme. Aucun secours n'est venu, les troupes françaises, terrifiées, refusant d'avancer en dépit des fermes sollicitations du général de Bellemare.

Le 13 novembre, les forts cessent de tirer. Le silence tombe sur la capitale. Une bise glaciale s'est levée. Les Parisiens n'ont plus le moral lorsqu'un espoir s'allume dans leurs cœurs à l'annonce de la reprise d'Orléans par l'armée de la Loire. Un temps, ils reprennent confiance. Hélas, les jours passent sans le moindre nouveau succès. Fin novembre, les barrières des portes de Paris sont fermées ; elles ne s'ouvrent plus que pour laisser passer les convois militaires, car tout espoir de rompre l'encerclement n'est pas perdu.

Le 29, une sortie est décidée pour reprendre le plateau d'Avron, sous le commandement du général Ducrot qui déclare : « Pour moi, j'y suis bien résolu, j'en fais le serment devant vous, devant la Nation tout entière : je ne rentrerai dans Paris que mort ou victorieux ! » La première journée de combats s'avère bénéfique. Les Français passent la Marne et campent sur leurs positions. Le lendemain est consacré à relever les morts, à soigner les blessés. Malheureusement, le 2 décembre, les Prussiens, qui ont reçu des renforts, reprennent l'offensive et repoussent les Français au-delà de la Marne, leur infligeant des pertes supérieures aux leurs. Le général Ducrot, oubliant ses déclarations, rentre dans Paris avec ses troupes, ni mort, ni victorieux... Pour commémorer cet événement, on construira, trois ans plus tard, au cœur de Champigny, une nécropole et un monument à la mémoire des soldats disparus.

Le 27 décembre, Paris se réveille sous les obus de soixante-dix grosses pièces prussiennes installées sur les forts de l'Est et le plateau d'Avron. Les Français ne disposent que de trente-cinq canons dont le plus célèbre est une pièce de marine, « La Joséphine », située au bastion 40, face au Mont-Valérien. Le 5 janvier, de nouvelles batteries ennemies bombardent les forts du Sud, les quartiers de l'Observatoire et du Panthéon. Bravant le danger, une population curieuse se promène dans les quartiers sinistrés. Des gamins vendent aux gardes nationaux des débris d'obus et même des obus qui n'ont pas explosé. Un petit commerce s'organise : l'obus est payé 3,50 francs ; le débris, de 50 centimes à 2 francs. Les bombardements, qui ont surtout atteint les quartiers de la rive gauche, ont fait cinq cents victimes et des dégâts matériels importants. Mais surtout, l'impact moral est très fort.

Exaspérée par la longueur du siège alors qu'il ne reste plus que quelques jours de subsistance, la population parisienne pousse le gouvernement à exécuter une sortie en masse pour desserrer l'étreinte. On choisit l'ouest. Le 19 janvier, 90 000 hommes se mettent en mouvement en direction de Garches. Ils progressent en trois colonnes : sur la droite, le général Ducrot marche sur La Jonchère ; au centre, le général de Bellemare se dirige vers Buzenval ; sur la gauche, le général Vinoy a pour objectif Montretout, à Saint-Cloud. Face à eux, le cinquième Corps prussien a établi une triple ligne de défense, entre Sèvres et Bougival.

Trois coups de canon tirés à sept heures du matin, au Mont-Valérien, donnent le signal de l'attaque française.

Les colonnes partent au contact, mais celles du centre et de la droite étant retardées par l'encombrement des routes, seule celle de la gauche est opérationnelle. A la faveur du brouillard, elle s'empare de la redoute de Montretout et pénètre à Saint-Cloud, puis à Garches. La colonne du centre ne peut s'engager qu'à neuf heures. Dans un élan vigoureux, elle enlève le château de Buzenval. Elle prend pied sur le plateau, mais est rapidement décimée par l'artillerie ennemie. La troisième colonne, qui n'est au combat qu'à dix heures, subit des pertes considérables. A la nuit, lorsque cesse le feu, les deux armées restent en présence. Constatant l'état de désorganisation et d'épuisement de ses troupes, le général Trochu donne, à sept heures du soir, l'ordre de battre en retraite.

Ces combats nous auront coûté quatre mille victimes, parmi lesquelles le peintre Regnault, contre à peine six cents aux Allemands. Ils annihilent l'espoir placé dans le général Trochu et marquent la fin de la résistance. La statue de La Défense, érigée en souvenir de ces sombres journées, donnera son nom à ce quartier.

Le 21 janvier, Bismarck et Jules Favre se rencontrent dans le château de Ferrières pour discuter des moyens de mettre fin au combat.

Le 28, l'armistice est signé à Versailles. Les conditions sont particulièrement dures. Les Allemands occupent l'ensemble des forts de la rive droite. On leur livre canons et fusils. Paris doit payer une contribution de guerre de deux cents millions de francs ; la France, cinq milliards.

Le 1er mars 1871, l'Assemblée ratifie l'armistice. Une grande partie de la population parisienne juge avoir été trahie. Dans une atmosphère de misère, de surexcitation, l'Assemblée prend, à chaud, des mesures impopulaires : elle supprime la solde des gardes nationaux ainsi que le moratoire des loyers et des échéances des effets de commerce. Initiative inopportune et malhabile qui provoque le début de la guerre civile. En même temps, les Prussiens entrent dans Paris. Le déshonneur est à son comble !

Dans la nuit du 17 au 18 mars, le général Vinoy reçoit l'ordre de reprendre les canons postés sur la butte Montmartre, canons qui ont été payés par une souscription au moment du siège. L'alerte est donnée ; le tocsin sonne ; la foule accourt. Appuyée par la Garde nationale, elle s'oppose à l'enlèvement des pièces d'artillerie.

La Commune éclate. Très vite, un gouvernement insurrectionnel est formé. Il fait occuper les points stratégiques de la capitale : casernes, hôtel de ville, préfecture de police. Paris renoue avec ses réflexes de révolte contre l'autorité centrale.

Le 28 mars est jour d'élections. Le nouveau Conseil municipal se déclare « Commune de Paris ». Dès son installation, il prend des mesures de réorganisation. Le moratoire sur les loyers et les échéances est rétabli. Le mot d'ordre est :

> « La terre au paysan
> l'outil à l'ouvrier
> le travail pour tous. »

Faute de pouvoir faire acte d'autorité, Thiers se retire avec ses troupes à Versailles. Il s'efforce d'isoler Paris du reste de la Nation. Il sent que le mouvement de la commune, qui tente de s'organiser, après un long siège et beaucoup d'épreuves, n'est pas vraiment populaire. Nombre d'habitants suivent le gouvernement. En quelques jours, la population versaillaise fait plus que doubler.

L'armée régulière, forte de 100 000 hommes disciplinés et bien commandés, prend lentement l'offensive. En face, la Commune dispose de deux cents bataillons de la Garde nationale, mal encadrés. C'est le début d'une lutte atroce, fratricide, qui dure jusqu'au 28 mai. Plusieurs colonnes investissent Paris. La première, commandée par le général Vinoy, longe la rive droite de la Seine jusqu'à la Bastille ; la seconde, sous les ordres du général Ladmirault, s'empare de Montmartre et atteint les Buttes Chaumont ; la troisième suit les boulevards, en direction de Nation. Les insurgés répondent par des massacres, mais les Communards ne peuvent tenir. Ils n'entraînent pas le soulèvement général. Des otages sont tués, comme l'archevêque de Paris, Mgr Darboy. Des monuments sont incendiés : les Tuileries, la Cour des Comptes, le Palais-Royal, l'Hôtel de Ville. Paris perd une partie de sa mémoire. Les archives brûlent. L'état civil part en fumée.

Les derniers combats se déroulent dans le cimetière du Père-Lachaise. Vaincus, à bout de munitions, les cent quarante-sept survivants sont fusillés au fond du cimetière, le long du mur.

La répression est impitoyable. Les fédérés pris les armes à la main, ceux qui portent des traces de poudre sont traînés à Versailles pour être jugés. Des centaines sont condamnés à mort, 6 000 sont déportés en Nouvelle-Calédonie. Il faudra que la République, qui s'installera définitivement après 1875, panse les plaies.

* * *

Le conflit de 1870 est le dernier à s'être déroulé au cœur de l'Ile-de-France. En 1914, l'agglomération parisienne ne sera pas impliquée de la même manière. Elle vivra durement les mille cinq cents jours du proche arrière-front, dans l'épreuve, mais sans rougir du sang des combats, même si ceux-ci furent parfois très proches, aux franges de la région.

Le 2 septembre, en effet, après avoir franchi la Marne, l'armée de Von Kluck atteint Luzarches, à moins de quarante kilomètres de la capitale. Ce même jour, le gouvernement part pour Bordeaux, suivi, le lendemain, de plusieurs trains y emmenant les députés. Les Parisiens ressentent une impression de « déjà vécu ». On parle de la « retraite des 15 000 ».

Tout va-t-il recommencer, comme en 1870 ?

Le général Joffre a constitué une armée pour défendre Paris dont le général Gallieni est nommé gouverneur général. Celui-ci est décidé à défendre la ville coûte que coûte. Il adresse aux habitants une brève proclamation : « les Membres du gouvernement de la République ont quitté Paris pour donner une impulsion nouvelle à la défense nationale. J'ai reçu le mandat de défendre Paris contre l'envahisseur. Ce mandat, je le remplirai jusqu'au bout. »

Général moderne, connaissant et appréciant les atouts des nouvelles techniques, il crée, immédiatement, sur une prairie, face à l'ennemi, un aérodrome pour recevoir les sept appareils disparates de l'escadrille chargée de la défense aérienne de la capitale. Le Bourget est né. Le 3 septembre, en mission d'observation, un des appareils constate que l'armée allemande, au lieu de se diriger vers Paris, présente son flanc à la capitale. Le général Gallieni signale aussitôt à Joffre l'opportunité d'intervenir. Celui-ci lance l'ordre d'offensive générale. Comment ne pas conserver en mémoire la célèbre image de tous ces taxis Renault, « les taxis de la Marne ». Regroupés à Gagny, à partir du 6 septembre, ils traversent l'Ile-de-France et convergent vers Nanteuil-le-Haudoin pour y conduire les troupes.

C'est à la limite de la Goële et du Multien que le sort de la région-capitale et de la France se joue. Chambry, Barcy, Varreddes, Étrépilly, Lizy-sur-Ourcq entrent dans l'histoire. Le général Gallieni installe son poste de commandement au centre du dispositif, là où s'élève désormais le monument qu'on lui a dédié. « Debout les morts ! » Les pantalons garance stoppent les casques à pointe. Au prix de bien des vies telle celle du capitaine de réserve, Charles Péguy, tombé le 5 septembre, dans les premiers instants de la contre-attaque française, au Plessis-l'Évêque. Le monument de Villeroy, dressé dans la plaine céréalière comme un rempart symbolique, en perpétue le souvenir. « *Heureux ceux qui sont morts dans les grandes batailles, heureux les épis murs et les blés moissonnés !* »

La bataille de la Marne ne dure que cinq jours, au terme desquels Joffre repousse les Allemands sur l'Aisne et la Vesle. L'Ile-de-France est sauvée. Le risque s'est éloigné. Le gouvernement peut regagner la capitale.

Usines et ateliers franciliens constituent alors un véritable arsenal, alimentant les armées en armes, en munitions et en véhicules. La main-d'œuvre est en grande partie féminine, car presque tous les hommes sont au front. A Boulogne, Renault entreprend la construction de chars de combat. Les usines d'avions ou d'armement ceinturent Paris. Le réseau ferré permet de gagner les fronts de l'Aisne, de la Somme, d'atteindre Verdun.

La guerre se manifeste de temps à autre par des bombardements. Du 21 mars 1915 au 20 janvier 1916, les Franciliens subissent les raids des zeppelins, beaucoup plus dangereux que ceux des avions. A chaque alerte, les pompiers parcourent les rues en sonnant du clairon afin d'avertir la population du danger.

L'arrière, c'est aussi celui des troupes, de celles qui viennent oublier les horreurs des combats en s'aérant un moment à Paris ; de celles qui reprennent des forces dans les centaines de propriétés et châteaux transformés en hôpitaux ou en centre de convalescence ; de celles qui se préparent au combat dans les camps d'entraînement où l'on reforme les bataillons.

Paris est à nouveau directement menacé en 1918. Les Allemands reprennent leurs offensives sur la ville. Le 23 mars, à 7 h 20, un obus tombe sur la ville. C'est la panique parmi la population qui pense que l'ennemi a réussi à percer le front. En fait, c'est l'œuvre d'un canon de 210, surnommé la « Bertha », du nom de la fille du fabricant allemand de ces canons. Il tire de la forêt de Compiègne un obus tous les quarts d'heure. La tension est terrible pour les Parisiens.

Les beaux jours semblent tellement loin...

Le 11 novembre, la signature de l'armistice à la lisière de l'Ile-de-France, au point de l'avancée la plus sensible pour la capitale, à Rethondes, marque la fin d'une si longue guerre.

A Paris, c'est l'euphorie ; les cloches sonnent, les gens dansent, rient, s'embrassent. Plus jamais cela ! Paris se réveille de la guerre avec une formidable envie de vivre. L'époque des années 20 – les années folles – va commencer avec ses cabarets, ses artistes, ses révolutions culturelles, le dadaïsme, le surréalisme. La génération de Montparnasse est celle des tranchées. Peintures et mouvements littéraires novateurs changent la vision du monde. La « Der des Der » doit ouvrir un monde nouveau. Il commence avec la signature de la paix que l'on considère désormais comme générale et universelle. Toutes les Nations civilisées ne forment-elles pas désormais une seule société ?

Le 28 juin 1919, les Allemands signent le traité dans la galerie des Glaces, à Versailles. C'est un geste symbolique qui permet d'effacer l'humiliation de 1871. Les mois suivants, d'autres hauts lieux d'Ile-de-France accueillent la signature des autres traités, avec l'Autriche, le 10 septembre, à Saint-Germain-en-Laye ; avec la Bulgarie, le 27 septembre, à Neuilly ; le 4 juin 1920, au Trianon, avec la Hongrie ; le 10 août 1920, avec la Turquie, à Sèvres.

L'ultime cérémonie a lieu le 11 novembre 1920. Sous l'Arc de Triomphe dans la capitale qui a retrouvé la paix, sont inhumés les restes d'un soldat inconnu tué à Verdun, symbole du sacrifice de tous les soldats morts pour la France, symbole auquel seule la capitale peut offrir sa résonance mondiale.

CHAPITRE XVI

NOUVEAUX INVENTEURS ET NOUVEAUX ÉLUS

L'invasion de 1870 ralentit un temps le développement de la banlieue. Le curé d'Aulnay-sous-Bois décrit en termes apocalyptiques les exactions des Prussiens : « Je les ai vus charger des voitures de meubles à destination de l'Allemagne. Ils ont forcé les portes et les troncs de l'église, volé le calice... Ils ont brûlé et détruit les portes, les volets, les persiennes, les lambris, les poutres, les chevrons et les parquets de presque toutes les maisons... »

Au-delà de l'épreuve, dès les années 1880, la IIIe République triomphante renoue avec le progrès. Les Expositions universelles de 1889 et de 1900 attirent des millions de visiteurs et remplissent les carnets de commande des établissements industriels d'Ile-de-France. La décennie qui sépare ces deux manifestations voit l'éclosion d'une série d'inventions qui marquent la vie économique et sociale.

Les naissances groupées de l'automobile, du téléphone, du phonographe, du cinéma, de l'avion, de l'ascenseur, de la lampe à incandescence, de l'électrification urbaine ouvrent un large champ aux industries de pointe et permettent le développement de secteurs de banlieue demeurés, jusqu'alors, en marge du mouvement. Ainsi, l'automobile, qui concerne initialement une clientèle aisée habitant les quartiers chics, s'installe à proximité de cette population. Les magasins de vente investissent les abords de l'Étoile et l'avenue de la Grande-Armée, tandis que les ateliers s'installent dans les communes limitrophes de l'ouest. A Levallois-Perret, avec de Dion-Bouton et Citroën, à Puteaux et Issy, avec Panhard. A Boulogne-Billancourt, les frères Renault emploient déjà 3 300 ouvriers en 1910. Le premier salon de l'Auto ouvre ses portes en 1898.

Un des plaisirs des Franciliens est d'assister au départ des courses automobiles qui, pour la plupart, partent de la capitale. Paris-Rouen est la première, en 1894. Elle est suivie de beaucoup d'autres : Paris-Deauville, Paris-Rambouillet ou Paris-Madrid. En 1924, on construit, à Montlhéry, un autodrome qui se targue légitimement d'être le plus rapide du monde en enregistrant plusieurs records : une Delage fait un tour de piste à 219 km/h. Citroën, avec sa « Rosalie », effectue un parcours de 300 000 km.

L'automobile, comme le train, cinquante ans auparavant, change les rapports entre les hommes. Grâce à la multiplicité des possibilités de déplacement et à la plus grande rapidité des échanges, une vie nouvelle s'organise.

A la charnière des XIXe et XXe siècles, la banlieue prend une physionomie, chère au photographe Robert Doisneau, qu'elle ne perdra qu'avec la vague de « décentralisation » des années 60-70. L'accroissement de la population est un des faits marquants. Celle-ci double de 1860 à 1900, passant de deux à quatre millions d'habitants. C'est surtout hors des murs que se manifeste ce mouvement lié, en partie, à la révolution industrielle.

De 1872 à 1906, tandis que le nombre d'emplois industriels n'augmente que de 40 % à Paris, il fait plus que doubler en banlieue. Pourtant, en matière d'emplois, la capitale ne perd pas sa position dominante. Au début du XXe siècle, elle devance encore largement la périphérie, avec près de 800 000 postes de travail, contre 271 000 pour l'ensemble de la Seine-banlieue. Cependant, la grande industrie, dévoreuse d'espaces, continue d'investir les terres agricoles du vieux pays de France, dans le prolongement des anciens faubourgs artisanaux. Les villages, naguère agrestes, prennent des allures de cités urbaines.

Si, répondant aux lois du marché, l'industrie se développe, le plus souvent, dans l'anarchie la plus complète, il arrive que l'installation d'une grande entreprise structure le tissu urbain de manière rationnelle. Tel est le cas à Aulnay-sous-Bois. Lorsque la firme de freins Westinghouse décide de s'y implanter, elle jette son dévolu sur un secteur agricole, éloigné du bourg. Une zone d'habitations modernes, enserrée dans un réseau de voies soigneusement tracées, génère un quartier neuf qui prend le nom de « Freinville ». De véritables cités industrielles sont réalisées par des patrons soucieux du bien-être de leurs ouvriers. Ainsi, à Noisiel, se construit un véritable village, avec écoles et bâtiments de services communs. Initiative suffisamment remarquable pour être citée en exemple, lors de l'Exposition universelle de 1889. N'y a-t-il pas des fontaines pour l'alimentation en eau, ce qui n'est pas le cas partout, loin s'en faut, des rues éclairées au gaz? Confort urbain que ne connaîtront que bien plus tard la plupart des communes.

A la veille de la Première Guerre mondiale, une quarantaine de grandes entreprises emploient chacune plus de cinq cents ouvriers. Des centaines d'autres se partagent le territoire. La « ceinture rouge » se met en place. C'est à Saint-Denis qu'à l'aube de ce siècle, Pierre de Geyter, un modeste employé municipal, musicien à ses heures, écrit la musique de *L'Internationale*. La capitale, hormis l'enclave bourgeoise de Neuilly-sous-Bois et les bois de Vincennes et de Boulogne, est presque entièrement encerclée par cette forêt d'usines, cet enchevêtrement inextricable de voies ferrées, ce maillage lugubre d'ateliers et de bâtisses, souvent lépreuses.

Ce n'est toutefois que beaucoup plus tard que l'agriculture disparaîtra presque complètement de la petite couronne. En 1901, une commune, déjà très industrialisée, comme Colombes

compte encore 210 hectares cultivés sur 941, dont quatre hectares de vignes ; Saint-Denis consacre encore quarante-cinq
hectares aux travaux des champs, dont sept hectares de blé et
douze d'avoine. Aux limites externes du monde de la machine,
le travail de la terre retrouve toute sa place. A Bobigny, qui
jouxte Aubervilliers et Pantin, plus de la moitié des actifs sont
encore, en 1891, agriculteurs. Subsistent toujours, aujourd'hui,
quelques maraîchers balbyniens, dont les salades poussent au
pied des tours et au bord des autoroutes.

Mais le grand changement de cette Belle Époque est l'extra-
ordinaire mutation de la société. Mise au service de l'industrie,
la science modifie la vie quotidienne des Franciliens. Après le
triomphe de l'architecture métallique et l'inauguration de la
tour Eiffel, en 1889, la manifestation la plus éclatante est
l'Exposition universelle de 1900. Pour elle, Paris a changé pour
bien montrer que l'on a tiré, définitivement, un trait sur les
tristes épisodes de 1870-1871. L'exposition s'étend du Troca-
déro au Champ-de-Mars et à l'esplanade des Invalides ; le pont
Alexandre III, nouvellement construit, permet la liaison avec le
Grand et le Petit Palais, édifiés pour la circonstance.

L'Ile-de-France retrouve son rayonnement international.
Quarante pays sont représentés à travers 83 000 exposants. Cinquante millions de visiteurs admirent les dernières découvertes
de la science : le trottoir roulant, le premier submersible, le
train électrique, la TSF, le cinéma, le métropolitain, l'automobile... et même le vélo, cette petite reine qui devient le véhi-
cule privilégié d'une classe populaire qui trouve, grâce à lui,
autonomie et liberté. Et aussi une part de rêve. C'est, en effet, le
1er juillet 1903, que l'Ile-de-France découvre le Tour de France.
Comme le préfet de police, Lépine, a interdit les courses
cyclistes sur le département de la Seine, le départ s'effectue à
l'intersection des routes de Melun et de Corbeil.

Né de la ténacité de Fulgence Bienvenue, le métropolitain
voit le jour, le 19 juillet 1900, après deux ans de travaux, de
bruit et de poussière. Ce jour-là, les plus courageux empruntent
les premières rames à trois voitures en bois, de cette ligne qui
va de la Porte Maillot à celle de Vincennes en trente minutes.

Là, ils parviennent à une annexe de l'Exposition universelle consacrée aux sports. Les inaugurations des autres lignes se succèdent. Exclusivement parisiennes d'abord, puis débouchant progressivement sur la banlieue. A la veille de la guerre, 92 kilomètres sont ouverts. Dans le même temps, après la création de la première ligne Saint-Denis-Madeleine, en 1892, les tramways électriques se multiplient.

La communication entre les hommes passe aussi par la voix. Edmond Branly crée, en 1898, la TSF, installée à titre expérimental sur la tour Eiffel. C'est la première liaison sans fil, qui fait l'admiration de tous. Le téléphone pénètre à Paris et, peu à peu, s'étend à toute la périphérie. Les usines s'en s'équipent. Les notables également qui ne veulent pas manquer leur entrée dans le monde du progrès.

En même temps, l'Ile-de-France découvre le cinéma. Sur un écran transparent de 320 m^2, les frères Lumière projettent des films que peuvent voir 25 000 personnes à la fois. La première représentation privée a lieu, en 1895, dans la capitale où les inventeurs présentent « la sortie des usines Lumière ».

La fin de l'année est marquée par la première représentation publique et payante – 1 franc la séance – qui accueille 35 spectateurs dans la journée. Les films ne durent que deux minutes, mais leur impact est considérable. Dans son jardin de Montreuil, Georges Méliès, donne naissance au film à scénario. Très vite, de nombreux studios s'ouvrent, comme à Boulogne ou à Saint-Maurice, tandis que la région devient décor naturel.

C'est aussi en 1898 que Clément Ader réussit à quitter le sol et à voler sur environ cinquante mètres, dans le parc du château d'Armainvilliers. En 1905, les frères Voisin ouvrent, à Billancourt, le premier atelier de construction aéronautique. Une plaque apposée sur le mur de l'atelier en témoigne aujourd'hui. C'est à Levallois que Blériot, qui effectuera la traversée de la Manche en 38 minutes, construit son premier appareil. Sur le terrain de Bagatelle, en 1906, le Brésilien Santos-Dumont, sur un aéroplane Voisin équipé d'un moteur de 50 chevaux, effectue, pendant 21 secondes, un vol de 220 mètres, à environ 6 mètres du sol. Issy-les-Moulineaux voit, en 1908, Henri Farman boucler le premier kilomètre en circuit fermé. En moins de dix ans, plusieurs aérodromes sont réalisés autour de Paris. En 1911, naît l'aviation postale.

*
* *

La vie quotidienne des Franciliens connaît bien d'autres changements en cette Belle Époque. La loi du 5 avril 1884 réorganise le régime municipal. Désormais, dans chaque commune, les citoyens choisissent librement les édiles chargés de les administrer. Le maire est élu par le conseil municipal, sauf à Paris où il est nommé, dans chaque arrondissement, par le gouvernement. La liberté démocratique entraîne la politisation. La ceinture n'est plus seulement « rouge » des hauts fourneaux de ses usines, mais de plus en plus de la couleur politique de nombre de ses élus !

Au village, le maire devient l'homme le plus important. Il est à la fois le représentant de l'État et l'exécuteur des décisions municipales. Ce changement est d'autant plus sensible en Ile-de-France que les représentants de l'ancienne notabilité ont perdu beaucoup de leur pouvoir d'encadrement. Ce sont les maires, les nouveaux notables, qui les remplacent. Entrepreneurs et fonctionnaires se retrouvent rapidement aux rênes du pouvoir municipal.

Fières de leurs conquêtes, le premier geste des municipalités est de se doter d'un nouveau monument symbole : l'hôtel de ville qui supplante l'église ou le château. C'est le triomphe de l'architecture républicaine. A Pantin, aux Lilas, à La Courneuve, mais aussi dans la grande couronne, comme à Meulan. Situées au centre de vastes places ou dominant, sur une hauteur, ces nouveaux bâtiments imposent leur silhouette. « Bâtisses à perron, couronnées d'un clocheton, avec le fronton et l'œil de l'horloge »... Les communes ne se restreignent ni sur le temps, ni sur l'argent pour construire ces édifices impressionnants. Au Perreux, le conseil municipal s'attache, dès l'autonomie acquise, à la construction de « son » hôtel de ville. Des sommes importantes sont consacrées pour la marbrerie, la sculpture sur pierre et l'horloge. Une des toutes premières délibérations en témoigne. Il y a un formidable besoin d'ostentation républicaine. La première pierre est toujours posée avec solennité et donne lieu, comme, plus tard, l'inauguration, à une fête à laquelle toute la population est conviée.

Partout, on fait appel aux meilleurs architectes du moment. C'est pour eux un honneur que d'être concepteurs de ces nouvelles constructions. En 1887, ils sont plus de soixante-dix à établir des projets pour le nouvel hôtel de ville de Vincennes.

L'esprit républicain s'affirme également, depuis la laïcisation de l'enseignement, par la construction des écoles communales. Elles sont bâties à proximité de la mairie quand elles ne lui sont pas intégrées ou adjointes selon un plan que l'on retrouve dans de très nombreuses communes, avec le corps central consacré à la mairie et ses deux ailes, plus basses, l'une pour l'école des garçons et l'autre pour celle des filles. C'est la République protégeant ses enfants. La construction d'un monument aux morts commémoratif des combats de 1870, en principe placé sur la place de la mairie, parachève l'expression de cette « foi républicaine » que la très longue liste des « morts pour la France de 14-18 » viendra renforcer.

Les villages franciliens se caractérisent par les nombreux petits commerces et artisanats qui animent les rues. La vie locale est intense. Les banques, les sociétés d'assurances se multiplient en créant des emplois. Les économies des familles viennent grossir les Caisses d'Épargne qui connaissent un essor rapide ; pour elles aussi, c'est la « belle époque ».

L'événement au village, c'est l'arrivée des fonctionnaires. Certains dépendent de l'État et, pour la plupart, logent à l'hôtel. Une certaine méfiance accueille ces hommes venus d'ailleurs et qui ne restent généralement pas très longtemps : conducteurs des Ponts et Chaussées, agents des Douanes, employés des contributions indirectes et, surtout, instituteurs. Postes et téléphone offrent les premiers emplois administratifs féminins. Les « demoiselles des PTT » s'imposent peu à peu dans le monde du travail, ce qui ne va pas sans susciter quelques problèmes relationnels avec leurs collègues masculins !

Pendant ce temps, il faut aménager l'agglomération qui se développe. C'est entre la fin du Second Empire et la guerre qu'est édifié le réseau de captage pour assurer l'approvisionnement en eau. Les édiles comprennent que chaque commune ne peut résoudre, seule, une telle question. Les captages s'étendent progressivement dans un rayon de cent cinquante kilomètres, vers Château-Thierry et Provins, à l'est, vers Verneuil, à l'ouest. Six cents kilomètres d'aqueducs sont édifiés. Il en va de même pour l'assainissement. La « bataille » du tout-à-l'égout s'engage. Dans sa quête en faveur de l'hygiène, le conseil municipal est aidé par l'effort collectif de lutte contre les épidémies qui trouvent, dans un habitat inadapté et confronté à une surdensification, un terrain favorable pour se développer. Ainsi, en 1883, la typhoïde fait 3 352 morts à Paris ; en 1884, le choléra atteint 986 personnes. Or, les virus ne frappent guère les maisons bien construites et proprement tenues, mais les quartiers populaires. Face à cette situation, le préfet de la Seine, Eugène Poubelle, réagit et impose diverses mesures de salubrité publique. La loi sur l'assainissement de Paris et du département de la Seine est votée en 1894. Elle fixe un délai de trois ans aux propriétaires pour s'y conformer, et, notamment, pour se rattacher au tout-à-l'égout. L'offensive hygiéniste est soutenue par l'« institution du Casier Sanitaire des Maisons de Paris ». Un demi-siècle après Londres, Paris est équipé.

En 1895, les travaux d'assainissement de Belgrand sont repris. Désormais, le grand collecteur est/ouest est prolongé de Clichy à Achères, c'est-à-dire vingt kilomètres au-delà de la proche banlieue on passe à la grande couronne. Le champ d'épandage couvre désormais 4 500 hectares, soit la moitié de la superficie de la capitale. En 1910, un rapport signale que 48 450 logements sont branchés mais que 36 550 ne le sont pas encore, ce sera pour la génération suivante. Aujourd'hui le réseau s'étend sur plus de deux mille kilomètres.

A tous égards, la Belle Époque est, pour l'Ile-de-France, un temps de profondes mutations. Les éléments de la grande métropole se mettent en place. Paris n'est plus seulement la première ville de France, c'est la région-capitale qui devient une des toutes premières régions urbaines du monde.

CHAPITRE XVII

L'AGGLOMÉRATION-CHAMPIGNON

Entre les années 20 et la Seconde Guerre mondiale, l'Ile-de-France change complètement de visage. L'agglomération s'étend considérablement, débordant sur une partie de la Seine-et-Oise et de la Seine-et-Marne, poussant ses tentacules jusqu'à Versailles, Saint-Germain, Eaubonne, Villeparisis, Chelles, Ormesson, Sainte-Geneviève-des-bois, Orsay. Plus de 15 000 hectares de lotissements, soit une fois et demie la superficie de Paris, sont construits, sans plan préalable.

Des petites communes, jusqu'alors simples villages, se retrouvent happées par cette urbanisation désordonnée et galopante. Germaine Deschamps décrit ce changement : « Tous ces cultivateurs avaient le centre de leurs affaires à Clamart. Paris était, pour eux, une grande ville lointaine où ils n'allaient presque jamais, peut-être deux ou trois fois par an, peut-être deux ou trois fois dans leur vie. » Quelques années plus tard, « Clamart n'est plus une ville capable de vivre sur elle-même ; jadis ses habitants vivaient de la culture de leurs terres ; aujourd'hui, les champs ont disparu et les habitants de cette ville sans industrie ni usines doivent aller à Paris ou dans les environs pour gagner leur vie. »

Clamart n'est qu'un exemple. On peut en citer bien d'autres. Presque toutes les cités de banlieue connaissent une très forte croissance démographique, la capitale attirant un important flux de population qu'elle ne peut loger. Le développement des transports et la réduction de la journée de travail conduisent des milliers de familles à s'installer aux abords de Paris pour venir y travailler. Sur un peu plus d'un million d'arrivants, sept cent mille se logent, tant bien que mal, dans des lotissements.

Qui sont ces nouveaux habitants ? Des réfugiés, chassés par les combats, qui ne rentrent pas chez eux. Des veuves de guerre, des orphelins, des mutilés bénéficiant d'emplois réservés. Des ruraux convaincus qu'ils peuvent trouver du travail. Des étrangers. Des réfugiés politiques, comme les Russes blancs, les Serbes ou les Monténégrins qui ne peuvent vivre dans leurs nouvelles frontières. Des Belges, des Espagnols, des Italiens ou des Portugais, qui viennent remplacer, dans des entreprises, de jeunes Français tombés au front. Des Algériens, des Indochinois, des Marocains ou des Malgaches, appelés par le service des travailleurs coloniaux.

Tous se retrouvent dans l'agglomération. C'est là qu'ils vont pouvoir faire ou refaire leur vie professionnelle. La région devient, en effet, la première région industrielle de France. Le bâtiment et les travaux publics doivent répondre à une formidable demande. Il faut réaliser 60 000 kilomètres de routes, 6 000 kilomètres de voies ferrées, 2 000 de canaux ! Les travaux du métro reprennent ; les lignes sont prolongées, comme la ligne 3 jusqu'à la Porte des Lilas, ou créées comme la ligne 11, inaugurée en 1935. On construit de nouveaux hôpitaux, des écoles, des dispensaires.

Une loi de 1919 a décidé la destruction des fortifications qui va bon train à partir de 1921. Sur leur emplacement s'implantent des équipements sportifs, des squares et des jardins, la première « ceinture verte ». On y construit la Cité Universitaire ainsi que de nombreux logements bon marché, les fameuses HBM.

Les usines d'armement fonctionnent à plein, motivées par la peur d'un nouveau conflit. La métallurgie tient une place importante, avec ses laminoirs, ses tréfileries. Les industries nouvelles de l'automobile, de l'aviation, de la chimie, l'agro-alimentaire, se développent, exigeant de plus en plus de main-d'œuvre.

Toutes ces entreprises sont dévoreuses d'espaces. Elles investissent les terrains disponibles. Les grands architectes s'intéressent à ces nouvelles usines, aux bâtiments commerciaux. Ils font appel à des procédés et à des matériaux nouveaux. Le béton s'impose. L'urbanisme industriel prend son essor. Il génère quelques réalisations qui, un demi-siècle plus tard, méritent le classement et l'affectation à d'autres destinées.

La mécanisation, les nouvelles méthodes de division du travail font émerger une nouvelle classe d'ouvriers : les ouvriers spécialisés. Il s'agit d'une main-d'œuvre peu qualifiée, formée en quelques heures à ses tâches. C'est ainsi que beaucoup de ceux qui arrivent en ces années 20, tant le jeune orphelin que l'ancien forgeron, l'agriculteur, français ou étranger, sont très vite aptes à prendre un travail dans ces usines qui ne cessent de se multiplier et de se développer. Ils deviennent des O.S.

Les ouvriers s'installant à proximité de leur lieu de travail, la banlieue ouvrière s'étend, renforçant la « Ceinture rouge ». Très vite, l'agglomération ne parvient plus à loger cette nouvelle population. Elle connaît une sérieuse crise du logement. Le phénomène s'amplifie du fait qu'à la concentration industrielle et commerciale s'ajoute celle des services publics et administratifs, en pleine expansion. De plus, alors que la demande ne cesse d'augmenter, l'offre se trouve réduite non seulement du fait des destructions de la guerre, mais également par l'inexorable transformation de logements en bureaux.

A une époque où la copropriété n'existe pas encore, le poids de l'investissement immobilier dissuade beaucoup de particuliers, d'autant que la loi protège les locataires en permettant aux personnes logées avant guerre de continuer à jouir de leurs baux aux conditions d'origine. Dans le même temps, les familles s'agrandissent. Les plus modestes s'entassent dans des appartements minuscules. Celles qui arrivent sont souvent à la rue. Il faut, à tout prix, trouver des solutions d'accueil. Le développement des trains de banlieue va y concourir.

Depuis le milieu du XIXe siècle, le chemin de fer a fait d'immenses progrès techniques. Son réseau s'est étendu. Il rapproche désormais Paris de villes qui en paraissaient éloignées. Il devient possible d'habiter dans un périmètre qui s'élargit, tout en venant travailler quotidiennement dans la capitale ou la proche banlieue.

Les lignes sont progressivement électrifiées. Paris-Orléans l'est entre 1923 et 1926. La ligne de Sceaux, en 1935. Pour ce faire, trois sous-stations sont été construites pour transformer l'énergie électrique en courant continu de 1500 volts et le transmettre par caténaires.

La vitesse, le confort, la sécurité s'améliorent. Les gares et les arrêts se multiplient. La cadence des trains augmente. Les tarifs sont revus à la baisse. Un système d'abonnements est mis en place : la carte hebdomadaire, ancêtre de notre carte orange, permet de diminuer des trois quarts le coût des trajets ; celle-ci est instituée grâce à la prise en charge, par l'Etat, du déficit des transports suburbains. La fréquentation des transports publics est de plus en plus importante. De 1918 à 1946, le trafic de la ligne de Sceaux fait plus que quadrupler, passant de 11 millions à 48 millions. On délivre quinze fois plus de cartes de transport en 1925 qu'en 1913. Les migrations quotidiennes deviennent la règle.

Ces brutales évolutions ne sont pas sans conséquences sur le plan social. La pause syndicale, due à la guerre, ne dure pas longtemps. Dès la fin du conflit, les agitations renaissent. Les effectifs de la CGT grimpent en flèche. De 400 000, en 1914, ils passent à plus d'un million, en 1919. La Confédération trouve naturellement un écho favorable dans la région où se concentre la classe ouvrière. A Saint-Denis, Aubervilliers, Bobigny, plus généralement dans les banlieues nord et nord-est, mais aussi à Billancourt, Nanterre ou Ivry.

Dans le programme du parti socialiste de 1919 s'exprime la revendication de la semaine de 40 heures sans diminution de salaire. Elle se trouve partiellement satisfaite puisque, redoutant l'agitation du 1ᵉʳ mai, la chambre vote, le 23 avril, la limitation à 8 heures de la journée de travail dans l'industrie. Pourtant, en dépit de leur interdiction, des manifestations éclatent. A Paris, elles font un mort. Il faudra attendre 1936 et le Front Populaire pour que la loi des huit heures soit étendue à toute activité salariée.

La nécessité impérieuse de loger sa famille ne suffit pas à expliquer pourquoi la banlieue prend un tel essor durant ces deux décennies. En fait, il y a aussi, pour beaucoup, l'appel de l'espace, de la proximité de la campagne avec sa tranquillité, son grand air, son hygiène de vie. Les ruraux qui s'y implantent sont moins dépaysés que s'ils s'installent à Paris ou dans son immédiat environnement. Un pavillon, souvent moins cher qu'un appartement, est plus attractif qu'un immeuble surpeuplé. Comme les cartes de rationnement sont encore de rigueur, le petit jardin n'est pas sans intérêt. Les blessés et mutilés de guerre, les nombreux gazés tablent sur la campagne pour améliorer leur santé.

C'est aussi pendant ces années que l'on voit se développer les cités-jardins. La commune achète de grands terrains. Elle y construit des maisons avec jardinet et de petits immeubles, dans un cadre verdoyant qui confère à ces nouveaux quartiers une dimension humaine. Quelques-unes des plus connues de ces cités-jardins sont celle de la Butte rouge, à Châtenay-Malabry, celle du Plessis-Robinson, celle de Suresnes, celles de Drancy, de Champigny-sur-Marne, du Pré-Saint-Gervais ou de Stains.

Il n'en reste pas moins que le plus grand nombre des nouveaux arrivants trouve gîte dans les immeubles HBM construits par les offices publics, à l'origine communaux. Ivry crée le sien, en 1923. Ici ou là, c'est l'initiative patronale qui est à l'origine du logement social. Plusieurs cités « ouvrières » sont construites à Vitry ou Choisy-le-Roi par la Fabrique Boulenger.

Dans toute la région, des sociétés immobilières achètent de grandes propriétés, plutôt à proximité des gares. Elles les découpent en parcelles de 350 à 450 m² qu'elles vendent pour être loties. Ces lotissements prolifèrent un peu partout. Leur nombre est impressionnant. Sur la commune de Clamart, on en compte 70. A Aulnay-sous-bois, on construit un pavillon par jour. Ce sont des bourgs qui s'étendent ou des quartiers qui se créent. Ainsi, la ville de Domont se trouve-t-elle séparée entre, d'une part, le bourg traditionnel, le Haut Domont, et, d'autre part, le lotissement desservi par la gare, le Bas Domont. A Aubervilliers, un nouveau quartier naît sur la plaine de Monfort. Sur deux hectares de terres maraîchères, au lieu-dit « La Ferme », et sur les 16 000 m² de la propriété Mansion, la commune des Lilas édifie 197 pavillons qui peuvent accueillir 1 300 personnes. On baptise les rues de noms de fleurs pour compenser l'étroitesse des jardins. Toutes ces villes connaissent une explosion démographique. A Arnouville-lès-Gonesse, la population passe de 1 698 habitants, en 1921, à 4 020, en 1926, à 6 879, en 1936 ; aux Lilas, de 14 599, en 1921, à 18 153, en 1927.

Si, généralement, ce sont les municipalités qui conduisent les opérations, l'insuffisance de la législation facilite parfois la tâche de spéculateurs peu scrupuleux. Une loi de 1902 impose bien une autorisation de construire, mais seulement pour les communes de plus de 20 000 habitants. Or, les cités où se développent des lotissements sont beaucoup plus modestes. En 1919 est votée une loi sur les plans d'extension et d'aménagement des villes. Elle impose aux communes de plus de 10 000 habitants de se doter d'un plan de développement urbain à long terme. C'est sans compter sur l'énorme défaut de ce texte qui ne comporte aucune sanction. Cette loi sera de peu d'efficacité. Cela explique que les pouvoirs publics soient pris au dépourvu par la poussée subite des lotissements. Il n'en faudra pas plus pour faire naître l'expression justifiée de « mal lotis ».

Tel est, hélas ! le sort d'un grand nombre de nouveaux banlieusards qui se sont laissé convaincre, au printemps ou en été, par une publicité vantant les qualités de tel ou tel lotissement. Ainsi, pour « Les Ombrages », à Brunoy ; « 5 minutes de la gare... 54 trains par jour »... Non seulement le nom du lotissement est évocateur, mais la publicité précise : « superbe parc boisé »... « grandes facilités de paiement ». Comment ne pas se laisser tenter par un rêve aussi idyllique lorsqu'on recherche désespérément un logement ? Certains se lancent alors dans un emprunt, aux conditions simplifiées, pour devenir propriétaire d'un « magnifique » terrain pour construire « leur » maison. Ils doivent rapidement déchanter. Ils n'habiteront pas Brunoy, car c'est trop cher. Ils vont se loger à Mitry-Mory ou à Viry-Chatillon, dans une maisonnette aux allures de baraque.

Contre mauvaise fortune, bon cœur. L'installation est spartiate, mais, au départ, on est chez soi, à la campagne. Il fait beau et le reste va venir.... Mais rien ne vient, si ce n'est, avec l'automne, le mauvais temps, le froid. Le petit cabanon, construit avec les moyens du bord, est humide, fragile aux intempéries. On n'a pas toujours l'eau dans le quartier. Ni l'électricité, ni le gaz. En revanche, on a la boue. Les chemins, non empierrés, deviennent des cloaques. A Argenteuil, dans le quartier du Val Notre-Dame, pendant l'hiver 1927, un cheval meurt, enlisé debout.

Jusqu'à la fin des années 20, rien n'est fait pour cette population de « mal-lotis ». A Paris, qui compte, avant-guerre, 2,9 millions d'habitants, ce qui restera son record, il est toujours aussi difficile de trouver à se loger. Hors Paris, à moins de disposer de ressources suffisantes pour s'installer dans la banlieue ouest, on vit dans un taudis, sans équipements collectifs.

En 1928 enfin, deux lois sont votées. La première, la loi Sarrault, vise à équiper les lotissements dits « défectueux ». Elle prévoit la réalisation de tous les travaux nécessaires pour rendre les lieux vivables : l'empierrement des rues, l'installation de réseaux d'égout, l'adduction d'eau, l'arrivée du gaz. Le coût des travaux incombe, pour moitié, à l'État. Pour l'autre moitié, il est à la charge d'associations syndicales qui regroupent les mal lotis. En fait, l'Etat avance les fonds, et les associations remboursent leur quote-part grâce aux cotisations des locataires. Cette loi s'avère être un succès ; au bout de cinq ans, la plupart des lotissements sont équipés.

La seconde disposition – la loi Loucheur – a pour but de remplacer les constructions provisoires par des pavillons définitifs. Elle intervient malheureusement un peu tard. D'une part, de nombreux « mal lotis » ont fini par se construire une habitation en dur ; d'autre part, le temps de mettre la loi en application, la crise de 1931 frappe déjà très durement la région.

L'année 1928 marque aussi la première prise de conscience, par les pouvoirs publics, de la nécessité d'organiser la croissance de l'agglomération. On ne peut plus laisser les villes grandir n'importe comment, sans conception ordonnée. Pour la première fois, on parle de « Région parisienne ». Un décret du 24 mars crée, auprès du ministre de l'Intérieur, le Comité supérieur d'Aménagement et d'Organisation générale de la Région parisienne. Ce comité, à l'origine simplement consultatif, est chargé, par la loi du 14 mars 1932, d'élaborer un plan d'aménagement. Sa confection est confiée, par Henri Prost, à un groupe d'urbanistes de valeur.

Ce Plan – le plan Prost – est achevé en 1934, mais approuvé très tard, par le décret du 22 juin 1939. Trop tard ! Il fera toutefois référence jusqu'en 1960. Son mérite est de délimiter la « région parisienne » dans un cercle de trente-cinq kilomètres de rayon, à partir de Notre-Dame, et de substituer à la multiplicité des plans locaux la notion d'un aménagement global.

Les circonstances économiques et sociales rendent toutefois l'initiative rapidement obsolète. La crise économique touche durement la région-capitale, marquant l'arrêt de sa croissance. Les faillites se multiplient ; elles triplent entre 1926 et 1933. Les créations d'entreprises ne remplacent pas les fermetures. Dans les communes ouvrières, un travailleur sur cinq est au chômage. Quant à ceux qui ont la chance de conserver leur emploi, ils voient leur nombre d'heures travaillées fondre comme neige au soleil. En 1929, ils travaillaient en moyenne 48 heures par semaine ; en 1935, ils ne travaillent plus qu'un peu moins de 44 heures, perdant une partie de leurs revenus.

Le bâtiment s'en trouve sérieusement affecté. Comment se lancer dans la construction d'une maison lorsqu'on est au chômage ou en situation précaire ? En 1935, on construit trois fois moins qu'en 1914 ; en 1936, six fois moins ; sept fois moins en 1939. Jusqu'en 1954, on ne construira pratiquement plus. Les transports sont également pénalisés. Les migrations quotidiennes sont amputées de tous ceux qui n'ont plus de travail. Le trafic de banlieue baisse de 20 à 50 %.

La perte de confiance en l'avenir fait aussi chuter la natalité. Elle freine l'immigration. Certains étrangers, qui comptent parmi les plus touchés, rentrent dans leur pays d'origine. Le nombre d'habitants, qui ne cessait d'augmenter, stagne, et même commence à diminuer. On est au cœur de la crise.

CHAPITRE XVIII

PARIS OUTRAGÉ, MAIS PARIS LIBÉRÉ

Le 3 septembre 1939, pour la troisième fois en soixante-dix ans, la France et l'Allemagne sont en guerre. La région-capitale, qui compte alors 6,7 millions d'habitants, prend cette nouvelle épreuve de plein fouet. Dès la déclaration de mobilisation générale, un certain nombre d'habitants partent se réfugier en province. La mémoire de 1870 joue toujours. Plus encore, pour tous ceux qui sont venus des provinces de l'Est, le souvenir des champs de bataille de la Grande Guerre, des territoires occupés. On craint les combats aux alentours de la capitale. Pourtant, dans ces premiers jours de l'automne, il n'en est rien. C'est le début de la « drôle de guerre ».

Une « drôle de guerre » dans laquelle on s'installe et qui convie à corriger les réflexes. Ainsi, les ministères, les services publics qui ont été déplacés en province rentrent à Paris, en décembre. Pourtant, le paysage international évolue très vite. Comme les rapports de force. Le 26 septembre, est signé le pacte germano-soviétique qui entraîne la dissolution du parti communiste. Plusieurs conseils municipaux, élus sur un programme communiste, sont suspendus. Tel est le cas de celui de Clamart.

Le 10 mai 1940, brutalement, au petit jour, les Allemands bousculent la ligne de front et pénètrent sur notre territoire. Le miracle de la Marne ne se reproduit pas. Le lendemain, 11 mai, Méry-sur-Oise est la première ville bombardée. Début juin, l'Ile-de-France, proie tentante avec sa concentration d'usines dont beaucoup participent à l'effort de guerre, nœud de transports essentiel, est au cœur du conflit. Elle essuie bombardements sur bombardements. L'ennemi s'attaque à ses ponts, tel celui de chemin de fer de Pontoise, le 7 juin ; à ses usines d'Issy-les-Moulinaux, de Vanves, de Montrouge, de Colombes, à toute la ceinture industrielle.

L'exode qui, jusqu'alors, avait surtout concerné les régions du nord et de l'est se propage à l'agglomération parisienne qui se vide. Colombes ne compte plus que 6 000 habitants ; Clamart 3 000, soit le dixième de sa population. Le mouvement atteint autant les grandes cités que les petits villages. Les autobus sont réquisitionnés. Les communes plus éloignées, situées sur les grands axes, comme Étampes ou Corbeil, voient passer ces flots de réfugiés, en auto, à vélo, en voiture à cheval, à pied, poussant une brouette ou une voiture d'enfant. Leurs habitants leur offrent de la nourriture, de l'eau, un moment de repos. Quelques jours plus tard, c'est à leur tour de fuir, happés par ce flot continu d'hommes, de femmes, d'enfants, qui ne savent souvent pas où ils vont.

Les commerçants ferment boutique. Eux aussi prennent le chemin de l'exode. Pour ceux qui restent, les difficultés de ravitaillement se font très vite sentir. A Viroflay, comme souvent ailleurs, la mairie réquisitionne, en tenant des comptes précis, les boutiques, les marchandises, les animaux abandonnés, et procède à des redistributions. Les services municipaux – ce qu'il en reste – mettent en place une cantine publique pour nourrir ceux qui sont sans ressources.

Le 10 juin, le gouverneur militaire, le général Héring, affirme que Paris sera bien défendu. Mais le 11, pour éviter des morts et des destructions inutiles, la capitale est déclarée « ville ouverte ».

Le 13, les Allemands entrent dans la région par le Vexin, le Pays de France, la Goële et la Brie. Au Pecq, on fait sauter une arche du pont pour retarder l'avance ennemie. A Port-Marly, à Colombes, à Vitry, à Villeneuve-le-Roi, à Juvisy, on fait brûler les réservoirs d'essence qui répandent une fumée âcre. Hélas ! les actes de courage des uns et des autres sont sans effet face à la marée d'une armée très entraînée et très mécanisée.

Le 14, Paris tombe. L'Occupation commence. Elle durera quatre années, affectant profondément la vie quotidienne. Riches ou pauvres, jeunes ou vieux, hommes ou femmes, personne n'est épargné. Dès l'armistice conclu, le 22 juin, avec l'Allemagne, le 24, avec l'Italie, ceux qui s'étaient jetés sur les routes commencent à revenir. A Clamart, on compte environ 1800 rentrées par semaine, jusqu'à retrouver une population de 12 600 habitants à la mi-juillet, un peu moins de la moitié de ce qu'elle était un an plus tôt. Certains, qui étaient partis à pied, n'avaient pas dépassé la vallée de Chevreuse. Pour beaucoup, la maison, l'entreprise a été pillée. Tel est le cas du petit commerce de mes parents, à Pontoise, totalement dévasté.

Revenir chez soi n'est d'ailleurs pas toujours facile. Les destructions, les ponts sautés obligent à faire de longs détours. Il faut aller jusqu'à Bonnières pour franchir la Seine. La situation est d'autant plus compliquée que l'Ile-de-France doit, une nouvelle fois, accueillir des populations en transit. Il faut installer des postes de secours et de ravitaillement pour aider les réfugiés qui retournent vers le nord.

Les Allemands sont partout, en particulier, à tous les points névralgiques. Leur occupation est parfaitement organisée, parfaitement méthodique. Dès le mois d'août, ils publient leurs premiers règlements. Les fusils de chasse doivent être remis aux maires. La possession de pigeons voyageurs est réglementée. Certains bâtiments sont réquisitionnés pour accueillir les hospices, déplacés des secteurs militaires. Tout le littoral de la Manche devenant zone stratégique, c'est le château de Vigny qui reçoit les malades de Berck. A Coubron, on numérote les maisons qui ne l'étaient pas encore. Rien n'est laissé au hasard.

Des officiers s'affectent des résidences. A Maisons-Laffitte, le général Rommel s'installe dans la propriété du prince Ali Khan. A Courbevoie, les Allemands occupent le domaine de Bécon jusqu'au bombardement du château, en 1943. Des parcs sont transformés en cantonnements, les fûts des canons se mêlant aux troncs d'arbres.

La France est désormais fractionnée en trois parties. Les côtes et les frontières, entièrement militarisées, deviennent zone interdite. Une ligne de démarcation divise en deux le reste du pays : la zone dite libre, au sud, et la zone occupée. L'Ile-de-France est au cœur de la zone occupée. Une Kommandantur s'installe dans chaque ville. Les drapeaux, français, interdits, sont remplacés par des drapeaux allemands à croix gammée. Si les ministères se sont repliés à Vichy, les administrations sont restées à Paris. Les pendules sont avancées d'une heure : on se met à l'heure allemande. Des camps d'internement sont ouverts, comme celui installé dans l'ancien sanatorium d'Aincourt.

A Paris, les lignes de métro qui continuent de fonctionner s'arrêtent à 23 heures. Les autos se font de plus en plus rares. Aussi rares que l'essence, la région ne se voyant octroyer que trois millions de litres alors qu'elle en consommait quarante-huit avant le début des hostilités. Les Franciliens découvrent ou redécouvrent la marche à pied, la bicyclette. Paris n'aura jamais connu autant de vélos, individuels ou collectifs, puisque apparaissent les vélo-taxis. On s'ingénie à faire preuve d'imagination. Le gazogène remplace le carburant. Les chercheurs s'y mettent. Paul Arsens construit, en 1942, la première voiture électrique. Celle-ci peut transporter, à une vitesse d'environ 70 km/h, un ou deux passagers sur soixante à cent kilomètres. C'est cette même année que les ingénieurs de Renault conçoivent, clandestinement, le prototype de la future 4 CV.

Le problème du ravitaillement préoccupe de façon aiguë toutes les familles. On manque d'à peu près tout, surtout en agglomération. En campagne, il est plus facile de se débrouiller. Les agriculteurs augmentent leur autoconsommation, multipliée par deux sur la durée de la guerre. Chacun se replie sur son domaine. Jardins et parcs se transforment en potagers, comme à

Verneuil, où les pensionnaires des « Oiseaux » sont nourris avec les produits cultivés sur place. Les poulaillers réapparaissent un peu partout. En ville, les rations s'avérant très insuffisantes, on essaie d'acheter les suppléments au marché noir, à des prix deux à dix fois supérieurs aux prix normaux. A partir du 25 août 1941, il est autorisé d'expédier des « colis familiaux » à des parents parisiens. On se rappelle alors qu'on a de la famille à la campagne. Rapidement, cette facilité génère un métier. Des agences commerciales se chargent de trouver des familles paysannes aux Parisiens qui n'en ont pas. 300 000 en bénéficieront chaque jour.

Les citadins redécouvrent les vertus de la banlieue agricole. Des hommes la parcourent à vélo, allant de ferme en ferme, pour acheter lait et légumes, et, si possible un peu de viande. A douze, treize ans, j'ai personnellement pédalé chaque semaine, pendant des dizaines et des dizaines de kilomètres autour de Pontoise, aux côtés de mon père tirant sa petite remorque, car il fallait nourrir les six enfants de la famille dont j'étais l'aîné. Certains tentent l'élevage d'un lapin ou d'une poule sur leur balcon.

C'est surtout l'esprit de partage qui protège la ville. Des œuvres, des associations, en particulier de jeunes, font preuve de beaucoup de générosité. La Croix-Rouge, le Secours National, les Scouts prennent en charge les situations les plus délicates. Le climat se met de la partie. En 1941 et 1942, l'hiver est très rigoureux, et la neige, abondante, alors qu'il n'y a plus de charbon. Au-delà du froid, du rationnement, des privations, on évitera toutefois le plus tragique. Les Franciliens ne connaîtront, heureusement, ni vraies disettes, ni bombardements exterminateurs, comme ce fut le cas ailleurs. Beaucoup de familles seront toutefois éprouvées par la mort au combat d'un des leurs, par l'interminable attente d'un prisonnier, la tension quotidienne de la résistance clandestine ou la terrible angoisse de la déportation.

Et puis les conséquences du conflit compliquent beaucoup les choses. L'appareil de production est largement désorganisé. Les usines sont détruites. Les bras manquent. Les marchandises ne franchissent plus la ligne de démarcation. Même si le maréchal Pétain a obtenu que la France conserve sa marine et le lien avec ses colonies d'où proviennent quelques denrées, les importations sont pratiquement paralysées. Pour faire bon compte, les Allemands réquisitionnent une partie de nos faibles productions pour leurs troupes, et pour expédier aux civils, dans leur pays.

C'est le 16 septembre 1940 que les cartes et tickets de rationnement entrent en vigueur. On a des tickets de pain, de viande, de matières grasses, de fromage ; des cartes de vêtements et d'articles textiles... des cartes de tout. Celles-ci distinguent plusieurs catégories de Français. Les jeunes, réputés en pleine croissance, sont favorisés. Les travailleurs de force ont droit à un peu plus que les employés.

Pour remédier au manque de tissus, on est prié de rapporter les vieux que l'on recycle tant bien que mal pour obtenir de prétendus neufs. La solidarité joue à plein. A Clamart sont distribuées, en un an, 6 551 pièces de vêtements. On invente de nouvelles étoffes à base de cheveux, de fibres végétales – le raphia de jonc, le genêt –, de fibres artificielles – la rayonne.

Avec l'Occupation viennent les mesures de répression racistes, antisémites en particulier. Dès octobre 1940, la plupart des fonctions et mandats publics sont interdits aux juifs qui, à partir du 29 mai 1942, sont obligés de porter l'étoile jaune. Ils sont la cible de tous les sévices, de l'humiliation à la confiscation des biens, de l'arrestation aux rafles, à l'internement, à la déportation. L'Ile-de-France, où ils sont plus nombreux qu'ailleurs, paye un terrible tribut. La ville de Drancy devient tristement célèbre. La cité du fer à cheval, ou de La Muette, est transformée en camp d'internement. Après les prisonniers de guerre, puis les déportés politiques, ce sont les juifs qui y sont rassemblés en attendant d'être déportés dans un camp de concentration d'outre-Rhin. Le camp de Drancy accueille notamment les célibataires et les couples sans enfant arrêtés lors de la grande rafle du Vél' d'hiv', le 16 juillet 1942. Ceux-ci sont ensuite entassés dans des wagons à bestiaux, direction Auschwitz.

L'occupation est révélatrice d'actes de courage. A Saint-Maur, trois maisons d'enfants juifs, dont un orphelinat, permettent de sauver de nombreuses vies. Ces maisons servent de refuges – étapes pour des enfants dont les parents sont arrêtés ou risquent de l'être et qu'il faut protéger. Une assistante sociale de Créteil emmène des petits juifs de l'orphelinat, mêlés à des enfants en convalescence, dans la Manche, en Mayenne ou en Ille-et-Vilaine. Une autre, chargée du placement d'enfants de parents tuberculeux à la campagne, en profite pour cacher de jeunes Israélites dans la Nièvre. D'autres improvisent des lieux d'accueil, notamment dans les villages un peu éloignés, comme Hondevilliers, en Seine-et-Marne, où certaines familles se retrouvent avec huit ou neuf enfants ! A la maison, nous accueillons un petit frère et une petite sœur d'adoption, enfants d'une amie juive de maman que celle-ci a pris en charge.

Des prêtres, des pasteurs, cachent des enfants dans leurs presbytères ou dans les pensionnats et demandent à des familles catholiques ou protestantes de s'occuper d'eux. Qui n'a pas en mémoire le magnifique film de Louis Malle *Au revoir les enfants*, dont l'action se situe à Avon, et qui traduit de façon fidèle les sentiments de l'époque, témoignant de cet héroïsme au quotidien d'un certain nombre de Franciliens. On estime que 70 000 petits Français ont ainsi pu échapper à la mort alors que 11 000 ont été déportés et gazés.

Comme l'Allemagne a besoin de main-d'œuvre, elle la cherche en France. Dès le mois d'août 1940, elle recrute des volontaires, principalement des chômeurs. Elle les attire en leur faisant miroiter un meilleur salaire que celui qu'ils peuvent espérer en France, des rations plus conséquentes. Elle met en place un système de « relève » : pour trois ouvriers partant travailler en Allemagne, un prisonnier sera libéré. Quelques-uns bénéficieront effectivement de cette mesure de retour, mais l'arithmétique ne sera pas respectée, loin s'en faut. En dépit d'une formidable propagande, les volontaires ne seront jamais assez nombreux. Pour y remédier, le Service du Travail Obligatoire – le S.T.O. – est mis place. A partir du 2 octobre 1942, les hommes de 18 à 50 ans et les femmes célibataires de 21 à 35 ans sont recensés. Après une visite médicale d'incorporation, les hommes retenus reçoivent une convocation à leur domicile. Puis c'est le départ...

La banlieue parisienne est particulièrement touchée. Où trouver, ailleurs que dans la ceinture industrielle, une telle réserve d'ouvriers ? Les médecins viennent directement dans les usines pour faire passer les visites médicales. Difficile d'y échapper ! Une fois la convocation reçue, on n'a plus le choix : ou l'on part en Allemagne, ou l'on entre dans la clandestinité. La mesure concerne aussi les lycéens ; les autorités allemandes communiquent au rectorat les convocations et la police n'hésite pas à aller jusque dans les établissements pour réquisitionner les jeunes. Ce sont, pour une bonne part, les réfractaires du S.T.O. qui forment les premiers maquis qui s'organisent dans les secteurs les plus isolés de l'Ile-de-France, autour de Fontainebleau, en particulier.

Car l'occupation, c'est aussi la résistance. Dès le début, une jeunesse rebelle et patriote marque son refus d'accepter la débâcle. Le 11 novembre 1940, les lycéens et les étudiants manifestent ouvertement leur hostilité à l'occupant. Un millier d'entre eux parcourent les rues de la capitale et se retrouvent à l'Arc de Triomphe, certains portant deux cannes à pêche, deux gaules pour dire « De Gaulle... ». Le 14 juillet comme le 11 novembre, l'heure est au patriotisme Chacun s'arrange pour avoir sur lui du bleu, du blanc et du rouge. A Gentilly, à Vitry, à Chevreuse, à Aulnay-sous-Bois, à Meudon, dans bien d'autres communes, des habitants déposent des fleurs devant les monuments aux morts. Deux cents personnes chantent La Marseillaise au cimetière d'Ivry.

C'est surtout à partir de 1943 que la résistance active se développe chez les intellectuels, les ouvriers, les fonctionnaires. Les prisons d'Ile-de-France, telle celle de Fresnes, ou le fort de Romainville, voient passer beaucoup de résistants. Le Mont Valérien est à jamais gravé dans les mémoires, ce lieu où, le 29 août 1941, est fusillé d'Estienne d'Orves, qui ouvre une longue liste de martyrs. En trois ans, 1 500 à 1 800 résistants y sont exécutés. Des maires et des adjoints sont fusillés, comme Jean Grandel, maire de Gennevilliers, en 1941, comme Gaston Bussières, maire de Sevran, avec un adjoint et trois conseillers municipaux. Combien d'autres, dont on retrouve les noms sur les plaques des rues de nos villes et de nos villages! Des communes recevront, plus tard, la croix de guerre pour faits de résistance : Chelles, en 1948; Asnières, en 1952.

L'Occupation, c'est également toute une série de bombardements alliés pour préparer la libération. Bien des villes en sont les cibles. En particulier, celles qui possèdent un pont important, comme Croissy, un nœud ferroviaire ou une gare de triage, comme Vaires-sur-Marne, Villeneuve-Saint-Georges ou Noisy-le-Sec où, dans la seule nuit du 18 avril 1944, huit cents maisons ou immeubles sont détruits. Bombardés, Le Bourget, Garges-lès-Gonesse, à cause de leur proximité avec l'aéroport; bombardés, Boulogne et l'ouest parisien, du fait du voisinage des usines automobiles. Il faudra plus de dix ans pour faire disparaître toutes les traces de ces attaques aériennes qui auront coûté plusieurs milliers de victimes. A la fin de la guerre, dans le département de la Seine, 17 400 logements, 196 usines sont détruits; 54 communes sont sinistrées. La Seine-et-Oise compte 10 000 logements et 111 usines en ruine.

Pendant ces années d'épreuves, dans l'ombre, la résistance s'intensifie. Pour en faire un tout cohérent, coordonné, concentré, les diverses organisations s'entendent sur l'initiative du Comité national français de Londres pour créer, le 14 mai 1943, un Conseil national de la Résistance. Le CNR tient sa première réunion le 27 mai, au 48 rue du Four, à Paris, sous la présidence de l'ancien préfet d'Eure-et-Loir, Jean Moulin. Celui-ci arrêté, torturé par les Allemands, est remplacé par Georges Bidault en juin 1943. L'heure de la libération approche.

En juin 1944, les transports sont totalement désorganisés. Coupée de la Normandie, l'Ile-de-France ne reçoit plus que le sixième de sa consommation d'avant-guerre. La situation est alarmante. Plus de farine, pain plus que rare, pénurie d'électri-cité... Les ménagères ne disposent que d'une heure de gaz par jour. La mortalité infantile s'accroît. Des maladies nouvelles apparaissent. Les canaux gèlent pendant l'hiver 44-45, rendant impossible l'approvisionnement en charbon.

Le prix du sang est de plus en plus lourd en cette fin de conflit. Dans la nuit du 16 au 17 août 1944, trente-cinq jeunes étudiants, lycéens, employés, dont la moyenne d'âge est de dix-sept ans, jeunes chrétiens résistants, sont froidement exécutés au bois de Boulogne. Ils sont « les martyrs de la Cascade ».

Pendant ces semaines, un vent de liberté et d'espoir souffle sur la capitale et sa région. Dès le 10 août, les cheminots se mettent en grève, imités, quelques jours plus tard, par la police, puis par les postiers. Le 19 août, le colonel Rol-Tanguy, commandant des Forces Françaises Libres d'Ile-de-France, décide de déclencher l'insurrection populaire à Paris. Les FFI auront en grande partie libéré la ville à l'arrivée des alliés.

Des jeunes gens à brassard tricolore sillonnent en voiture les rues, mitraillette au poing. Le drapeau tricolore est accroché sur des édifices publics. La préfecture de police est occupée. Sous le contrôle du nouveau préfet de police, Charles Luizet, venu de Londres, deux mille agents font irruption. Le général Von Choltitz, commandant du « Gross Paris » qu'Hitler a chargé, le 7 août, de tenir la ville, envoie ses chars pour reprendre en main la situation. Les FFI se mobilisent partout pour récupérer des armes, car ils n'ont que 2 000 fusils pour 20 000 hommes. En face, l'occupant dispose de 16 000 hommes, 78 chars, 58 canons, 6 pièces d'artillerie.

Le 23 août, le général Leclerc et la 2e Division Blindée atteignent Rambouillet. Ils se séparent en trois colonnes. La première passe par Trappes, Saint-Cyr, Versailles et Pont de Sèvres. La seconde, par Toussus-le-Noble, Villacoublay, Cla-mart et la Porte de Vanves. La troisième progresse par Long-jumeau et Wissous, jusqu'à Antony et Fresnes où elle doit affronter l'ennemi, le 24. Le général Leclerc donne alors l'ordre au capitaine Dronne de quitter La Croix-de-Berny pour gagner Paris dans la soirée. Celui-ci arrive à la Porte d'Italie à 20 h 45, après avoir traversé l'Haÿ-les-Roses, Bagneux, Cachan, Arcueil et Le Kremlin-Bicêtre. A 21 h 22, il est Place de l'Hôtel de Ville. Le 25 août, la 2ᵉ Division Blindée entre dans la capitale. Le général Von Choltitz qui, heureusement, a été convaincu par le Consul général de Suède, Raoul Nordling, de ne pas exécuter l'ordre du Fürher, demande l'armistice à l'hôtel Meurice. Il signe la reddition allemande à la préfecture de police, puis à la gare Montparnasse.

Le 26, le général de Gaulle descend les Champs-Elysées envahis par une foule en liesse. Il se rend à l'Hôtel de Ville où il prononce sa célèbre déclaration : « Paris ! Paris outragé ! Paris brisé ! Paris martyrisé ! Mais Paris libéré ! libéré par lui-même, libéré par son peuple avec le concours des armées de la France. »

Le bonheur est collectif. C'est Paris qui retrouve sa mémoire héroïque dans l'insurrection populaire. Ce sont ces visages de jeunes à la fierté retrouvée derrière les barricades. C'est l'appé-tit de lecture de ces nouveaux titres de presse libre qui connaissent des tirages impressionnants. C'est la libération des esprits. C'est Albert Camus qui incarne et plaide l'éthique du journaliste. C'est Jean-Paul Sartre qui, couvert de drapeaux, parcourt Paris avec Simone de Beauvoir et publie son reportage dans *Combat*. Ce sont Boris Vian et Claude Luter qui célèbrent la Libération à la trompette et à la clarinette. On chante, on danse dans les rues. Les femmes embrassent les soldats. La Liberté s'habille en valseuse de musette. « Avoir vingt ans ou vingt-cinq ans en septembre 1944, cela paraissait une énorme chance : tous les chemins s'ouvraient... Journalistes, écrivains, cinéastes en herbe, discutaient, projetaient, décidaient avec pas-sion, comme si leur avenir n'eût dépendu que d'eux », écrit Simone de Beauvoir.

Le bonheur de la Libération, c'est la promesse « des lende-mains qui chantent », ce sont les énergies mobilisées pour reconstruire le pays, le transformer, le moderniser. C'est l'exhortation à « retrousser ses manches » dans le consensus national, comme le demande le programme du Conseil national qui s'engage pour « une démocratie économique et sociale ».

La libération de Paris symbolise la Libération de la France. Dès lors que les Allemands ont perdu la capitale, ils savent qu'ils ont perdu la France, et la guerre. Mais il faut quand même libérer « concrètement » le reste du pays, et d'abord, le reste de l'Ile-de-France.

En dépit de la capitulation allemande, de sérieux accrochages se produisent, le 26 août, entre troupes allemandes et FFI à Saint-Denis et à La Courneuve. L'intervention de la 2e DB s'impose. Elle s'appuie sur les résistants qui ont déjà planté le drapeau tricolore sur plusieurs mairies. Installés dans la forêt de Montmorency et au Bourget, les Allemands opposent une résistance très vive. Le dimanche 27 au soir, le front passe par Aulnay-sous-Bois, Le Blanc-Mesnil, Dugny, Pierrefitte, Montmorency, tandis que cent cinquante avions de la Luftwaffe bombardent Paris et la banlieue. Le lundi 28, les troupes de Leclerc atteignent Gonesse, après un combat acharné au nord du Bourget. Au terme de l'insurrection, les pertes de la 2e DB s'élèvent à 130 morts et 319 blessés. Les Allemands comptent 3 000 tués et 14 800 prisonniers. Hélas ! les insurgés subissent les représailles nazies. Il faut déplorer quelque 3 000 tués et 7 000 blessés parmi les résistants et la population civile.

Les Américains apportent leur contribution à la libération de l'Ile-de-France. Une colonne arrive à Étampes où elle affronte l'ennemi, puis rejoint Courances. Elle se sépare pour atteindre Nemours, d'une part, Fontainebleau, d'autre part. Après de violents combats, elle se divise à nouveau vers Melun, où l'attendent des combats difficiles, vers Montereau et Provins où la réaction allemande est encore forte.

Une autre colonne arrive à Houdan, rejoint Mantes-la-Jolie dont elle fait une tête de pont, puis Meulan, Pontoise, et Beaumont-sur-Oise.

Une troisième colonne avance par Dourdan, Arpajon, Évry, Corbeil, également organisé en tête de pont, Brunoy, Chelles, Bondy où les combats sont violents. La colonne se sépare alors pour libérer Dammartin-en-Goële, Meaux, où les accrochages restent sérieux, La Ferté-sous-Jouarre, et La Ferté-Gaucher, où se livrent les derniers combats franciliens.

*
* *

Si, durant ces quatre années d'occupation et de combats, la métropole francilienne a été gravement meurtrie dans ses forces vives, la réflexion s'est néanmoins poursuivie sur son avenir, réflexion qu'avait ponctuée, le 21 juin 1939, l'approbation du « Plan Prost ». Si la guerre a bien stoppé la mise en œuvre des projets, en particulier celui de l'autoroute de l'Ouest dont, seul, est réalisé le tunnel de Saint-Cloud, récupéré par les militaires qui s'en font un excellent abri, en revanche, les services continuent de travailler. D'autant que les implications de la guerre et de l'Occupation renforcent l'idée que la « région parisienne » est un tout. Lorsque les gares de triage ou les usines sont visées, ce n'est pas Paris, où les bombes furent rares, qui est l'objectif, c'est la région que l'on frappe. En fait, les études se poursuivent sur fond de toile d'un débat Paris-Province qui, déjà, s'est ouvert juste avant le début des hostilités.

Il s'agit tout autant de chercher à équilibrer le poids des différents territoires et de mieux maîtriser la région parisienne. Les lois d'urbanisme de 1941 et 1943 y contribuent en constituant celle-ci en un groupement d'urbanisme dans lequel les communes ont vocation à fondre leurs compétences.

Parallèlement, l'arrêt forcé des transports en commun, la très forte diminution du trafic, au quart de ce qu'il était avant-guerre, et les nouvelles contraintes imposées par la situation conduisent les pouvoirs publics à poursuivre l'organisation en réseau, engagée en 1938, des transports parisiens, ainsi que la coordination des conditions d'exploitation, des horaires, des budgets, des investissements, des tarifs. A cet égard, une des premières créations est celle, en 1941, de la carte hebdomadaire pour les travailleurs.

Il faudra toutefois attendre le début des années 60 pour que le général de Gaulle offre à l'Ile-de-France les vraies chances de son destin politique.

CHAPITRE XIX

UNE RÉGION-CAPITALE
AUX VENTS DU GRAND LARGE

La région ne sort pas indemne de la guerre. 27 000 logements ont été détruits par les bombardements. Les alentours des sites stratégiques les plus visés comme Le Bourget, Villeneuve-triage, Athis-Mons, la Plaine Saint-Denis, La Chapelle sont dans un état proche de celui des villes sinistrées de l'ouest de la France. Paris n'a pas brûlé, mais sa banlieue étale de profondes blessures qu'aggrave son sous-équipement hérité d'avant-guerre. Des faubourgs vieillissants et de plus en plus surpeuplés précèdent des marées de lotissements sans équipements collectifs entre lesquels se gonflent des poches de bidonvilles où chacun apporte ses planches et ses papiers goudronnés.

On a peine à réaliser aujourd'hui l'effarante situation de l'agglomération telle qu'elle va perdurer pendant dix ans. Près de 200 000 habitants s'entassent dans les dix-sept îlots insalubres recensés par les services techniques de la capitale. Les boulevards des Maréchaux dominent la trop fameuse « zone » dont les dernières baraques ne disparaîtront qu'à la fin des années 60. La crise du logement est particulièrement aiguë, ce qui explique que les journaux de 1947-1948 regorgent de faits divers liés à d'invraisemblables histoires d'escroqueries aux adresses ou aux logements fantômes.

Même si un ministère de la Reconstruction et de l'Urbanisme est créé, dès la fin de 1944, ce sont, pendant plus de cinq ans, les problèmes de la reconstruction qui estompent totalement ceux de l'urbanisme. Au recensement de 1954, on dénombre, dans la région, 200 000 ménages de plus, mais pas un seul logement supplémentaire. Non seulement les moyens manquent, mais les outils aussi. Quand le ministre, Raoul Dautry, demande, fin 1945, au préfet de la Seine de lui préparer un projet de nouveau règlement, sa note s'appuie sur la nécessité de remplacer le règlement existant qui date de... 1902 !

Aussi n'est-il pas surprenant que priorité soit donnée à la reconstruction du reste de la France, ce qui répond d'ailleurs à l'état d'esprit d'une opinion très antiparisienne dont l'évangile est déjà le trop fameux *Paris et le désert français* publié par Jean-François Gravier, en 1947, un livre qui trouve un écho considérable, démesuré, tant il est interprété et détourné de son sujet.

Progressivement, le gouvernement prend conscience de l'aggravation des déséquilibres. En février 1950, Eugène Claudius-Petit met en place un Fonds national d'Aménagement du Territoire. La construction vient compléter la reconstruction. Au prix d'une forte hausse du coût des terrains, le système des primes entraîne, dans une bonne partie de l'agglomération, une prolifération de pavillons, achetés ou construits par une population désormais plus aisée qu'avant 1939, et débarrassée des tickets de rationnement. Autre signe, les H.B.M. cèdent la place aux offices et sociétés d'H.L.M., avant que l'on instaure un astucieux impôt indirect, la contribution patronale de 1 % sur les salaires – le fameux « 1 % logement » – qui va permettre de financer 20 % de la construction.

Le programme de Claudius-Petit comprend également un Plan routier national qui amorce le projet d'un réseau moderne autour de Paris. C'est bien le moins lorsque l'on constate le formidable contraste entre le sous-équipement de la région-capitale, qui ne dispose que des quinze kilomètres de l'autoroute de l'Ouest, inaugurés puis fermés en 1939, et le succès du salon de l'auto où se presse une foule qui vient découvrir la nouvelle 4 CV Renault avant de faire un triomphe à la 2 CV Citroën. C'est également en ce tout début des années 50 qu'est créée la R.A.T.P. On n'ouvrira toutefois que les 2,7 kilomètres du prolongement Saint-Ouen-Carrefour Pleyel, en 1952, tandıs que cinquante-quatre kilomètres ont été mis en service entre 1930 et 1939.

Il reste que le plus urgent est de loger cette population francilienne alors que le « baby-boom » de l'immédiat après-guerre a des effets exponentiels sur la demande et que la crise atteint son niveau le plus aigu, le plus dramatique, avec les rigueurs de l'hiver 1953-1954. L'année précédente ont été fixées des normes réduites pour des logements économiques et familiaux, les « logecos », que l'on construit à la hâte et à bon compte. L'immigration aidant, on recense déjà une demi-douzaine de bidonvilles, à Gennevilliers, Argenteuil, Poissy, Nanterre, dans lesquels le sordide le dispute à l'escroquerie puisque les premiers arrivants exigent des nouveaux « locataires » 250 francs de loyer mensuel pour une baraque de 4 m². C'est au cours de cet hiver 53-54 que le pays – et pas seulement le gouvernement, qui change en moyenne tous les sept mois – se mobilise à l'appel de l'abbé Pierre. Image symbolique entre toutes, celle du ministre de la Construction, Maurice Lemaire, suivant les obsèques du jeune enfant mort de froid dans une roulotte de banlieue.

Dès février 1954 est lancé un programme de cités d'urgence de douze mille logements qui fait l'objet d'une centaine de propositions. La construction de 3 500 d'entre eux est rapidement entreprise, dont une grande majorité de deux-pièces. Vite faits, mais généralement mal faits. Des fissures apparaissent, les encadrements de menuiserie se descellent, les toits fuient, ce qui déclenche une violente campagne de presse à l'initiative du *Parisien Libéré*, en 1956.

Les besoins cruciaux de la France et de l'agglomération parisienne exigent des mesures à une autre échelle. Les grands ensembles répondront en partie aux attentes. Ce sont 100 000 logements qui seront réalisés en moins de dix ans sur les terrains disponibles que les pouvoirs publics acquièrent et aménagent rapidement en proche banlieue, à Villejuif, à Bagneux par exemple, grâce aux dispositions du nouveau Code de l'urbanisme et de l'habitat approuvé en 1954. Texte étonnant qui stipule qu'« il y aura lieu de prévoir la création d'ensembles susceptibles de vivre par eux-mêmes, dotés de tous les moyens nécessaires à une vie humaine, où les habitants devraient trouver non seulement un équipement suffisant dans tous les domaines, mais aussi la possibilité d'exercer leur activité sur place ou à proximité immédiate ».

Quoi qu'il en soit, décongestionner Paris vers sa banlieue en « régénérant » celle-ci par ces grands ensembles constitue, à partir de Sarcelles, l'action clef du Plan d'aménagement de la région parisienne, adopté en 1956. Pendant une quinzaine d'années, les grandes opérations immobilières telles que « les 4 000 » de La Courneuve vont encombrer l'horizon. Au risque de provoquer aujourd'hui, comment ne pas reconnaître que ces logements de masse ont, en dépit de leurs graves insuffisances d'équipements, de transports, souvent de leur isolement, représenté un immense progrès pour la jeune population qui s'y est alors installée.

Dans le même temps, on commence à réfléchir à l'organisation de la région. Pierre Sudreau, nommé en 1955 commissaire à la Construction et à l'Aménagement, propose un projet de plan. Certes, celui-ci s'attache avant tout à combler les « dents creuses » de l'agglomération à coups de barres de centaines de logements. En revanche, il est complété par un schéma de transports qui préfigure assez bien le futur réseau routier avec sa voie périphérique autoroutière, de grandes radiales comme l'autoroute de l'Est et, surtout, les tracés des futures lignes A et B d'un « réseau express régional ».

Le cadre se fixe. On se dégage progressivement de la précipitation. Les « Trente glorieuses » prennent leur élan. Il ne manque plus qu'un changement radical du pouvoir central et une véritable volonté pour donner à l'Ile-de-France les moyens de devenir une région moderne. Ce sera chose faite avec le retour du général de Gaulle, en 1958.

*   *
*

A toute époque il faut des symboles. La Ve République n'en manquera pas. Ce sera, cette année-là, l'inauguration du C.N.I.T., près du rond-point de La Défense, dont la voûte immense, reposant sur trois points d'appui, représente, à l'époque, un tel tour de force que ses rénovateurs feront preuve de beaucoup de respect, trente ans plus tard. Mais le symbole va plus loin quand on pense à ce qu'a pu représenter la construction de ce lieu permanent d'exposition – on y transfère aussitôt le salon de l'Auto – à la fois hors des limites de Paris et à deux pas des bidonvilles de Nanterre. Puis, on crée l'Établissement public d'aménagement de La Défense – l'EPAD – afin de lutter contre la spéculation naissante et avec l'ambition d'y réaliser un nouveau « Paris des affaires », à l'extérieur de la capitale.

Tout concourt alors à faire réfléchir à un nouveau plan d'aménagement et d'organisation générale de la région. Celui-ci – le PADOG – est présenté au gouvernement à la fin de 1958. Il est approuvé dix-huit mois plus tard, en même temps qu'est installé, pour coordonner leur gestion, un Syndicat des Transports Parisiens qui constitue l'un des tout premiers organismes de ce type dans une grande métropole de pays industrialisé.

En dépit de ses propositions novatrices pour équiper ce qu'on appelle les « centres restructurateurs » de La Défense, Créteil ou Vélizy-Villacoublay, ou pour protéger les zones rurales et forestières entourant l'agglomération, le PADOG a une vie éphémère. Ses ambitions, à l'horizon de 1970, s'avèrent à la fois trop limitées dans le temps et, surtout, en profond décalage avec la réalité, puisqu'il ne vise qu'à réduire la croissance démographique d'un tiers et à contenir l'extension de l'agglomération dans un périmètre étroit, pour ne pas dire étriqué. Pour tenir compte de l'inexorable croissance de la région, il faut des vêtements adaptés et un tuteur attentif.

C'est un décret de 1960 qui crée vingt et une circonscriptions d'intérêt régional, dont le découpage préfigure celui de nos régions actuelles, ainsi qu'une « région de Paris », ouverte sur la France et sur l'avenir.

Année après année, les inaugurations se succèdent. C'est d'abord l'ouverture, au printemps 1960, des dix-sept premiers kilomètres de l'autoroute du Sud. C'est, en 1961, l'inauguration, par le général de Gaulle, de la nouvelle aérogare d'Orly, qui remplace les bâtiments et hangars laissés par les Américains. Le succès populaire est considérable ; on compte, en moyenne, neuf mille visiteurs par jour la première année ; des dizaines de films y sont partiellement tournés. L'enracinement rapide de la Vᵉ République et le règlement en cours de la guerre d'Algérie permettent surtout au gouvernement d'engager une partie fondamentale de la politique du Général au travers du Plan, d'une conception globale de l'aménagement du territoire et, en particulier, de celui de la région parisienne.

Le Premier ministre, Michel Debré, donne le « la » dès le début de 1961 en décidant le déménagement des Halles à Rungis, dont on parlait depuis 1955, le lancement du R.E.R. ainsi que les travaux du périphérique parisien. Mais surtout, il crée, le 2 août 1961, le « District de la région parisienne », et nomme à sa tête un délégué général, Paul Delouvrier qui, plus encore qu'un grand commis de l'État, va se révéler être l'exceptionnel homme de trempe, visionnaire, que la région-capitale mérite.

Delouvrier dispose des pleins pouvoirs administratifs, des moyens financiers, d'une réglementation largement rénovée et d'une structure à son entière disposition, l'Institut d'Aménagement et d'Urbanisme de la Région parisienne. Très vite, il engage la partie. Avec autorité et détermination. Il entend revoir profondément les plans précédents pour élaborer un vrai projet d'avenir. Tout le monde sur le pont ! Douze groupes de travail, réunissant fonctionnaires et élus, auxquels est assignée une « obligation de résultats », lui rendent compte, chaque mois, de leurs réflexions.

En un an, tous les problèmes sont examinés, un bilan détaillé est dressé, un programme est établi pour vingt ans, découpé en tranches quinquennales de réalisation. Une politique efficace, sans réel précédent dans l'histoire, alliant réformes institutionnelles et réalisations concrètes, s'engage en ce printemps 1962. En même temps qu'il adresse à cent personnalités un questionnaire détaillé sollicitant leur vision de « la région à la fin du siècle », pour mieux éclairer les travaux du District, Paul Delouvrier fait créer deux outils fonciers d'envergure que requiert son projet : l'Agence Foncière et Technique de la Région parisienne et les zones d'aménagement différé.

Au terme de cette phase d'intense et active réflexion sort le Livre blanc. Foin des bricolages et des ambitions mesquines. L'horizon n'est plus celui d'une décennie mais celui de l'an 2000. Les enjeux sont clairement affichés. Le premier est de maîtriser et de stabiliser à 14 millions d'habitants maximum une population qui tend inexorablement à croître jusqu'à 16, 17, 18 millions peut-être. Pour y parvenir, on décide de développer et d'organiser, en province, des métropoles d'équilibre. Second enjeu, concevoir l'avenir de l'agglomération dans un espace élargi afin de prendre en compte les perspectives d'expansion économique et les changements de modes de vie – la « dimension de l'inéluctable », précise Delouvrier – et de l'organiser en conséquence.

Tout en approuvant les grandes lignes du projet pour la région de Paris, le gouvernement s'engage, avec la création de la DATAR, dans une politique volontariste d'aménagement du territoire comme, jamais, le « désert français » n'en n'a connu jusque-là.

Pendant cette période d'études et de décisions, les travaux se poursuivent. 650 000 logements sont construits depuis 1945, dont 20 % dans les grands ensembles. Les Z.U.P. se mettent en place en banlieue et au-delà, jusqu'à Montereau, Mantes ou Meaux. La rénovation des centres anciens s'engage, ce qui conduit André Malraux à instituer, en août 1962, les « secteurs sauvegardés » pour préserver les cœurs historiques des villes françaises, et, en premier lieu, le quartier du Marais, menacé par des tentatives de rénovation hygiéniste depuis les années 30.

Le recensement, réalisé cette même année, illustre la forte croissance de l'équipement et de la motorisation des ménages, mais surtout, il conduit à tirer la sonnette d'alarme en mettant en évidence l'ampleur de l'extension « en tache d'huile » de l'agglomération parisienne. Il s'avère de plus en plus urgent de préciser et d'appliquer le plan dont Delouvrier vient de faire valider les principes. Il ne manque qu'une pièce au dispositif : l'adaptation du cadre administratif.

Les périmètres des départements de la Seine, de la Seine-et-Oise et de la Seine-et-Marne avaient été fixés par l'Assemblée Constituante, en janvier 1790. Ce cadre est désormais considéré comme totalement inadapté aux besoins d'équipement et de gestion d'une agglomération de huit millions et demi d'habitants. Aussi, le gouvernement décide de le transformer. La Seine est réduite à la ville de Paris. Sont créés les trois départements des Hauts-de-Seine, du Val-de-Marne et de la Seine-Saint-Denis qui constituent la « petite couronne », celle-ci intégrant quelques franges de la Seine-et-Oise qui disparaît en donnant naissance aux trois départements de « grande couronne », les Yvelines, le Val-d'Oise et l'Essonne. Seule la Seine-et-Marne échappe, à quelques ajustements près, à ce grand chambardement politico-administratif.

La nouvelle structure n'est pas innocente car, dans le même temps, le choix des sites des futures villes nouvelles s'élabore dans le plus grand secret, notamment pour Évry et Cergy qui se retrouvent promues préfectures de leurs nouveaux départements, de façon à augmenter leurs chances de réussite. Créteil, Bobigny et Nanterre, retenus comme pôles de développement dans les années 50, deviennent préfectures des trois départements de la petite couronne.

Il n'y a désormais plus de temps à perdre. Paul Delouvrier présente, fin novembre, son projet de schéma directeur lors d'un conseil restreint tenu à l'Élysée. Il y résume son credo. « Il faut faire de cette région un outil économique plus efficace au service de la collectivité, mais aussi mettre en valeur une beauté ancienne et créer une beauté nouvelle que le Parisien, comme le visiteur du pays le plus éloigné, puisse aimer ; c'est, en fait, la dimension de l'avenir qu'il s'agit d'organiser. » Cette dimension nouvelle, il la précise sans timidité. Huit villes nouvelles d'un demi-million d'habitants chacune, que l'on installera sur les plateaux vierges, le long de la Seine et de la Marne, et au-delà de Versailles. Pour irriguer l'ensemble, 250 kilomètres de R.E.R. et 900 kilomètres de voies rapides.

La suite est menée rondement. Le schéma directeur est présenté, en présence du Premier ministre, à la presse au grand complet, en un jour mémorable de juin 1965. Suivent, moins de quinze jours plus tard, les arrêtés « gelant » d'un coup quarante mille hectares dans les secteurs des villes nouvelles. Jamais un projet d'aménagement urbain n'a encore fait l'objet d'une telle rapidité ni d'une telle efficacité puisque toutes précautions ont été prises pour éviter la spéculation foncière. L'État s'implique sans concessions, passant même, grâce à l'arbitrage direct du général de Gaulle, au-dessus des partis... et certains ministres. Délicat pour la démocratie, mais essentiel pour la réussite de l'entreprise.

C'est à cette infaillible volonté que l'on doit, aujourd'hui, de pouvoir changer à Châtelet-les Halles, contourner Paris par la francilienne, ou habiter en ville nouvelle en travaillant à moins d'une demi-heure de chez soi en R.E.R.

Avec le schéma directeur apparaît une stratégie alternative à celle des barres, des tours et des grands ensembles. Les villes nouvelles, dont les chantiers sont lancés dès 1966 à Évry et Cergy, constituent de véritables laboratoires d'architecture où formes et densités prennent à contre-pied la « sarcellite ». Les équipements y accompagnent les logements, quand ils ne les précèdent pas. Surprenants, le spectacle de la préfecture de Cergy construite sur fond de moissonneuses ou l'implantation du R.E.R. sillonnant les champs de blé, à Marne-la-Vallée. Progressivement, les emplois suivent. Un nombre croissant de grandes et de moyennes entreprises prennent le chemin de ces villes nouvelles.

... Mais arrive l'heure des orages. Les critiques à l'encontre de la société de consommation qui mûrissent à Nanterre et au Quartier latin, et c'est l'orage du printemps 1968. La défense de la maison individuelle et de la promotion privée, et c'est le départ de Paul Delouvrier.

1969 est une année symbolique à bien des égards. Positivement et négativement. Positivement, c'est le transfert effectif des Halles à Rungis, l'ouverture de la tour Montparnasse. Des espaces se libèrent au cœur de Paris. On tourne un western dans le trou du plateau Beaubourg avant que s'y élève l'ossature du Centre Pompidou. Le Front de Seine change de visage. Les franges de l'agglomération ne sont pas en reste : les pyramides d'Évry surplombent rapidement les plateaux de l'Essonne.

En revanche, à la lumière des résultats du recensement de 1968 démontrant que le ralentissement de la croissance démographique commence à toucher la France et sa région capitale, le schéma est révisé à la baisse. On abandonne trois sites de villes nouvelles, au sud de Mantes, à Herblay et à Tigery. Heureusement, les réseaux de transports ne sont pas, pour autant, remis en question.

1969, c'est aussi, en avril, l'échec du référendum portant notamment sur la création de la région comme nouvelle collectivité territoriale. Le général de Gaulle s'est personnellement engagé, contre l'avis de nombre de ses proches. N'obtenant que 47 % des suffrages dans un scrutin dont l'enjeu dépasse, de beaucoup, l'objectif régional, il cesse sur-le-champ d'exercer ses fonctions.

La région attendra donc encore quelques années son acte de naissance officiel. Toutefois, en depit du départ de ses pères fondateurs – le Général et Paul Delouvrier –, elle poursuit le mouvement engagé. Les chantiers de Saint-Quentin-en-Yvelines démarrent en 1970 ; ceux de Marne-la-Vallée, en 1972, précédant ceux de Melun-Sénart. La rénovation connaît son dernier souffle, alors que la toute neuve Agence nationale pour l'Amélioration de l'Habitat développe ses alternatives en matière de réhabilitation. Olivier Guichard signe, en 1973, l'arrêt de mort des grands ensembles.

Les nouveaux tronçons d'autoroutes se succèdent autour de Paris ; ce n'est pas encore la crise pétrolière, et le gouvernement cherche à adapter l'agglomération à l'automobile. Les tunnels du R.E.R. se percent sur la rive droite.

Le programme de La Défense est révisé à la hausse pour répondre aux demandes pressantes des investisseurs ; les premières tours de cinquante étages et de cent mille mètres carrés de bureaux apparaissent dans la perspective de l'Arc de Triomphe. L'aéroport de Roissy est inauguré, au début du printemps 1974, par le Premier ministre, Pierre Messmer, alors que le président Georges Pompidou vit ses derniers jours.

Rétrospectivement, ces années apparaissent comme un âge d'or de la prospérité et de la consommation, mais on ne réalise pas alors qu'elles marquent surtout la fin des Trente glorieuses. La mort du président coïncide pratiquement avec le premier choc pétrolier. C'est la fin d'une époque pour la France comme pour sa région-capitale. Une nouvelle période va faire suite à celle que certains appelleront les « années-béton ».

Il n'y a pas à rougir du bilan. La reconstruction, puis une politique dynamique de construction, ont permis de résorber l'effroyable crise du logement de la fin des années 40. En moins de dix ans, procédures et moyens financiers ont été mis en œuvre pour permettre au projet Delouvrier de se réaliser, au plus fort de l'expansion économique des années 60 et 70. Même si Valéry Giscard d'Estaing impose, dès son arrivée au pouvoir, un spectaculaire coup de frein aux projets parisiens, le pari est en train d'être gagné. La Défense, le R.E.R., les villes nouvelles, Rungis, l'ensemble Roissy-Orly sont devenus autant de points forts dans une aire urbaine qui n'était, vingt ans plus tôt, qu'un ensemble informel et fort mal desservi, un « anneau spongieux » autour de la capitale, comme le disait Jules Romains.

Sortant d'une longue adolescence, l'Ile-de-France va trouver son identité, en 1976. Dès janvier 1975, le président Giscard a demandé la mise à jour du schéma directeur, déjà précédemment adapté à une perspective démographique limitée à douze millions d'habitants en l'an 2000, et en tenant compte des préoccupations d'économies d'énergie et d'environnement qui s'opposent, de plus en plus, à la dynamique urbaine des années précédentes. Le schéma révisé, approuvé en juin 1976, reflète le nouvel état d'esprit. Le réseau routier est sensiblement allégé ;

le nombre des autoroutes convergeant vers le périphérique est réduit de seize à huit. Le réseau de transports en commun privilégie la réutilisation des voies de banlieue existantes plutôt que la construction de lignes nouvelles.

Mais surtout, le schéma intègre une véritable politique régionale d'environnement, avec, notamment, les Zones Naturelles d'Équilibre. On s'attache à préserver le cadre de vie, les secteurs agricoles ou forestiers, plus qu'à promouvoir de nouvelles urbanisations. Par souci d'efficacité, la loi crée une Agence des Espaces Verts.

C'est le 1er juillet 1976 qu'est officiellement créée la Région d'Ile-de-France et que s'installe le premier Conseil régional, composé de 164 membres, qui me porte à sa présidence. La région retrouve, au terme de quelques difficiles discussions parlementaires, son nom d'origine, en même temps qu'elle acquiert son identité institutionnelle. Mais ce même 1er juillet, le Conseil régional hérite, au premier jour de son existence, d'un schéma directeur dont le contenu lui est imposé alors qu'il se trouve confronté aux contraintes d'une crise qui empire et grippe, peu à peu, la donne économique et sociale. L'heure du défi permanent a sonné.

Les premières années de la jeune Région d'Ile-de-France font apparaître d'importants contrastes. Le ralentissement démographique et économique s'est encore accru au lendemain du second choc pétrolier de 1977. L'aménagement du quartier de La Défense est complètement en panne : on n'y vendra pas un seul mètre carré de droits à construire pendant cinq ans, si bien que beaucoup s'interrogent sur l'opportunité d'arrêter une opération qui apparaît emblématique d'une croissance révolue.

Mais parallèlement, les schémas d'urbanisme deviennent réalités. Le Conseil régional, qui investit la moitié de son budget annuel dans les transports, voit ses efforts récompensés avec l'interconnexion du R.E.R., rive droite, ou la liaison, bouclée dès 1979, entre Saint-Quentin et le sud-est de Paris, par la ligne

« C ». Le premier périphérique parisien est terminé ; le second commence à creuser son sillon autour de l'agglomération. Quant au métro, il étend régulièrement ses lignes vers la banlieue ; Créteil, Asnières, Saint-Denis, Bobigny, Villejuif sont désormais reliés. Les villes dites « nouvelles » le sont de moins en mois ; elles accueillent la moitié de la croissance régionale. Universités, hôpitaux, centres commerciaux, équipements sportifs et centres culturels se rapprochent des Franciliens. La ceinture verte se dessine.

Arrive l'année 1981. La France change de président et de majorité. L'heure n'est plus au schéma mais à la décentralisation. Justifié par les évolutions des années 80, le projet de nouvelle révision du schéma directeur que je propose, en 1987, reflète bien les préoccupations des Franciliens en modifiant les priorités : limiter les traumatismes urbains et privilégier toutes les composantes d'un cadre de vie confortable. L'État traîne les pieds. Le débat s'éternise, s'enlise.

La Région devient une collectivité territoriale de plein exercice, comme le sont les communes depuis cent ans et les départements depuis deux siècles. En faisant de la décentralisation sa priorité, en la mettant en œuvre à cadence accélérée de lois, décrets et circulaires, le gouvernement charge la Région de nouvelles responsabilités concernant en particulier l'aménagement de son territoire, son développement économique, la formation des jeunes, son cadre de vie. Sans pour autant lui en donner toujours les moyens.

Si le développement des transports régionaux et la promotion des espaces verts ne constituent pas des missions nouvelles, en revanche, la construction et l'entretien des lycées, domaine où le retard est considérable, l'apprentissage, dont l'image est très dégradée, représentent de véritables défis. Défis relevés par la Région. Entre 1987 et 1995, le Conseil régional investit plus de vingt milliards dans la construction de soixante-dix lycées et la rénovation de cent cinquante autres. Il met en place une large palette d'actions de formation professionnelle, sort l'apprentissage de son ghetto, s'attaque à la formation continue, à la reconversion des adultes.

Si la loi a confié aux départements la responsabilité de l'action sociale, elle a conférée aux régions celle de contribuer à la lutte pour l'emploi, ce qui justifie que le Conseil s'attache, avec persévérance, à préserver les capacités d'investissement de son budget qui conditionnent l'activité des entreprises. Il conduit, par ailleurs, des actions de plus en plus ambitieuses et diversifiées en matière d'environnement et poursuit une politique d'animation sportive et culturelle dont le Festival d'Automne marque, chaque année, le temps fort.

Mars 1986 voit, pour la première fois, les conseillers régionaux, désormais au nombre de 209, élus au suffrage universel selon un mode de scrutin proportionnel. Si la région se rapproche des citoyens en devenant plus concrète à leurs yeux, en revanche, le fonctionnement de l'assemblée régionale devient plus complexe. Dans le cadre de chaque débat, il faut trouver une majorité, ce qui n'est pas toujours facile.

Début 1990, en dépit et au-delà de relations parfois tendues du fait d'intérêts contrariés ou divergents, l'État convient de l'opportunité d'établir, avec la Région et la Ville de Paris, sous forme de Livre Blanc, un bilan sincère de la situation après vingt-cinq ans d'aménagement. Tableau tout en lignes de force et en lignes de fuite, à l'image de l'histoire vécue par l'Ile-de-France depuis le début des années 60.

Son visage et son contenu ont considérablement changé. Forte de plus de dix millions d'habitants et de cinq millions d'emplois, elle est entrée, sous l'effet de l'expansion urbaine et de la mondialisation des échanges, dans la compétition que se livrent les grandes métropoles des pays développés. Dans ces années qui précèdent l'ouverture du marché européen, les grandes métropoles européennes, en particulier, se retrouvent en situation d'âpre concurrence pour attirer, accueillir et conserver chez elles ce que l'on appelle les « secteurs stratégiques » : sièges sociaux, services financiers, commerce international, recherche-développement, voire des équipements de loisirs d'envergure internationale, tel Disneyland-Paris, pour la venue duquel j'ai déployé toute mon énergie. De façon de plus en plus générale, beaucoup moins que celui de la concurrence interne avec Lille, Lyon, Bordeaux, Toulouse ou Marseille, le problème auquel est confrontée l'Ile-de-France est celui de son positionnement par rapport à Londres et au Sud-Est anglais, à la Ruhr et à Francfort, ou à la Randstadt néerlandaise. Les enjeux ne sont plus régionaux ou nationaux, ils sont internationaux.

Qui peut contester que les acquis de ces trois décennies sont impressionnants. Des centaines de kilomètres de voies rapides, de métro et de R.E.R., des millions de mètres carrés de bureaux, de nombreuses et importantes zones d'activités industrielles et artisanales, des milliers d'hectares de bois, de forêts et d'espaces verts urbains réaménagés et ouverts au public.

Les logements se sont modernisés ; 90 % sont aux normes de confort, contre 28 % en 1959. Les équipements de proximité se sont multipliés. Le patrimoine scolaire et universitaire s'est considérablement développé. Les grands chantiers du président constituent autant de hauts lieux, de la Pyramide du Louvre à la Grande Arche de La Défense, symboliquement inaugurée le 14 juillet 1989, pour le bicentenaire de la Révolution.

Le principal handicap tient au fait que les mutations économiques ont fait disparaître près d'un demi-million d'emplois industriels en moins de vingt ans, laissant, ici et là, des « friches industrielles » qui génèrent souvent la déshérence alentour, conduisant au regroupement de populations fragilisées dans certains quartiers anciens ou dans de grands ensembles mal entretenus. Dès 1990, plus d'une centaine de quartiers en difficulté sont déjà recensés. S'y manifestent la colère des uns et la peur des autres ; un jour, à Montfermeil, un autre, à Saint-Denis ou à Gennevilliers. C'est dans de tels quartiers que se noue le processus pervers de fracture sociale, les poches de pauvreté se développant dans des zones en déclin économique limitant les possibilités de réinsertion de ceux qui se trouvent exclus du monde du travail. Redonner vie à ces quartiers, espoir à ceux qui y vivent est, aujourd'hui, une absolue priorité nationale qui justifie la coordination des efforts du gouvernement, du Conseil régional et des collectivités locales directement concernées.

Cette préoccupation partagée ne fait que renforcer la nécessité pour les communes, désormais pleinement responsables de leur urbanisme, de rechercher, avec leurs voisines, les moyens de regrouper leurs idées et leurs ressources dans le but de trouver les meilleures solutions à leurs problèmes communs en matière d'équipements, de services ou d'emploi. Une telle obligation explique que l'aménagement du territoire reprenne la vieille notion de « pays », en tant qu'entité cohérente, aussi bien au plan géographique qu'économique.

Au cours de ces dernières années, à l'instar des grandes métropoles urbaines du monde industrialisé qui s'attachent à inscrire leur démarche dans un espace plus large de solidarité, l'Ile-de-France s'est engagée dans une coopération prometteuse avec les sept autres régions du grand Bassin parisien. Il est évident qu'en développant des complémentarités et des synergies avec les régions voisines, qu'il s'agisse des transports, des activités, des universités ou de l'environnement, elle renforce ses capacités d'entraînement au bénéfice de la Nation, tout en améliorant les conditions de vie des familles. L'État l'a compris en acceptant de signer, pour la première fois, en 1994, un Contrat de plan interrégional avec les huit régions partenaires du Bassin parisien.

J'insiste sur l'importance de l'environnement. Il est évident qu'il s'agit désormais d'une forte exigence des citoyens et, de ce fait, d'un préalable à toute politique d'aménagement, en particulier, urbain. Le « Plan Vert », adopté en 1995, offre de nouvelles perspectives en imposant de nouvelles contraintes. Au-delà, de nombreuses actions concrètes sont désormais engagées pour améliorer les conditions de vie des Franciliens. Dépollution des fleuves et rivières, y compris des plus modestes tels que l'Orge ou l'Yvette, traitement des déchets, construction de murs antibruit, « circulations douces » pour les vélos et les piétons, lutte active contre les pollutions constituent autant d'initiatives activement poursuivies.

Défis à relever, défis relevés, disais-je. Les faits le prouvent. Mais pouvait-il en être autrement ? Avant de revendiquer ses droits, l'Ile-de-France doit assumer ses devoirs. Et d'abord celui d'être, aux yeux du monde, la région-capitale d'un des sept grands pays industrialisés de la planète. Grande région-capitale confrontée aux vents du grand large.

Ainsi, fidèle à son histoire, de Clovis à Delouvrier, et pour construire son avenir, l'objectif demeure double : faire gagner la France et les Français en offrant le plus de bonheur possible aux Franciliens.

CONCLUSION

UNE NOUVELLE PAGE S'OUVRE

Vingt siècles de péripéties multiples ont fait de notre région-capitale le cadre d'une étonnante cristallisation urbaine, à la manière de ces roches sédimentaires qui nous livrent parfois des formes originales issues de dépôts successifs pendant des millions d'années.

Mais, comme l'écrit Thomas Merton, « nul n'est une île ». Pas même et surtout pas l'Ile-de-France. Au cours de ces deux millénaires, elle a su faire de son territoire, géographiquement riche mais flou, une vraie force en s'irriguant de toutes les diversités. Depuis quarante ans, elle s'est forgé une identité, en valorisant et en transcendant Paris où l'histoire l'a longtemps cantonnée. Aujourd'hui, le défi du « temps des métropoles » la propulse dans le grand champ ouvert des échanges planétaires.

On s'attachait, au début des années 60, à rechercher et promouvoir de meilleurs équilibres urbains dans le cadre de l'Hexagone. Démarche nécessaire dont l'opportunité continue de se justifier. Mais, désormais, il faut également se préoccuper de ne pas laisser se dégrader les capacités d'expression de l'Ile-de-France qui conditionnent sa compétitivité avec les autres métropoles européennes, sa place au premier rang des grandes régions urbaines du monde, d'un monde bouleversé par l'explosion démographique et citadine du siècle qui s'achève. Il ne s'agit plus seulement d'aménager, d'équiper un espace, mais d'élargir son rayonnement en renforçant les liens sociaux et humains de la grande communauté qui le fait vivre.

La richesse de son passé, le formidable acquis scientifique, économique, culturel que lui ont légué cent générations de Franciliens font de notre région-capitale un atout maître pour notre pays, un atout qui ne peut qu'inspirer la légitime fierté de tous les Franciliens.

Aujourd'hui, un chercheur français sur deux est Francilien, l'Université et nos grandes écoles bénéficient d'une légitime réputation, la Bourse est une des cinq premières places financières du monde, Paris accueille en moyenne un congrès par jour, une main-d'œuvre hautement qualifiée attire les entreprises étrangères, le réseau de transports est cité en exemple, un téléport moderne est en cours de réalisation, un exceptionnel patrimoine naturel, culturel, artistique ne cesse d'être valorisé, enrichi, en se conjuguant avec les créations novatrices du présent... Comment, dans ces conditions, ne pas aborder le XXIᵉ siècle avec confiance, je veux dire avec l'ambition de jouer et de faire jouer à la France l'un des tout premiers rôles dans le monde complexe qui est le nôtre.

Un monde qui accueillait, au début du siècle, à peine un milliard et demi d'habitants, dont moins de 15 % vivaient dans les villes, et qui en accueille aujourd'hui près de six milliards dont la moitié sont citadins. Un monde qui ne comptait, avant la Première Guerre mondiale, que deux métropoles de cinq millions d'habitants – Paris et Londres – et qui va bientôt en compter soixante. Un monde qui vient de connaître, au-delà de la chute du mur de Berlin, l'implosion du système marxiste, la généralisation de l'économie de marché, le postulat incontournable du « développement durable ».

C'est dans ce monde essentiellement urbain que les métropoles ont à ouvrir les voies du mieux-être en imaginant et en

construisant, au-delà de toute concurrence, de nouveaux parte-
nariats à l'échelle planétaire. C'est dans ce monde que l'Ile-de-
France doit concevoir et forger son avenir, en ayant conscience
qu'elle a vocation à être, chaque jour davantage, porte océane
de l'Europe, charnière obligée entre l'Europe du Nord et
l'Europe du Sud, relais de toutes les solidarités avec les pays en
développement, particulièrement avec le Continent africain ou,
plus qu'ailleurs, notre devoir de Franciliens et de Français est
de décliner concrètement notre devise républicaine. C'est dans
cette perspective que j'ai fondé, voici douze ans, l'Association
mondiale des Grandes Métropoles – Métropolis.

Une nouvelle page s'ouvre pour l'Ile-de-France. Etroitement
liée à celle de notre pays, son histoire, que j'ai eu plaisir à sur-
voler, nous convainc qu'il faut savoir renaître chaque matin. Au
moment où l'institution fête son vingtième anniversaire, avant
que se tourne le dernier feuillet du calendrier de notre siècle, il
nous faut vouloir renaître ensemble pour prendre notre part
dans la recherche du bonheur collectif. L'avenir nous dira si le
long voyage de ces vingt siècles n'était, pour notre région-
capitale, qu'une première étape.

TABLE DES MATIÈRES

Cet ouvrage a été réalisé par la
SOCIÉTÉ NOUVELLE FIRMIN-DIDOT
Mesnil-sur-l'Estrée
pour le compte des Éditions France-Empire
en septembre 1996

Imprimé en France
Dépôt légal : octobre 1996
N° d'impression : 35207